LA PUCE A L'OREILLE

Claude Duneton, né en 1935. Occitanie.
Enfance et adolescence paysannes.
Commence ses études à l'âge de seize ans par hasard, pour devenir employé de la S.N.C.F. Devient instituteur, puis comédien en France et en Angleterre.
Enseigne l'anglais. Ecrit pour le théâtre et la radio.
Ouvrages parus : Parler croquant, *1973, Editions Stock ;* Je suis comme une truie qui doute, *1976, Le Seuil ;* L'Anti-manuel de Français, *1978, Le Seuil.*
Ouvrage à paraître : un roman autobiographique aux Editions du Seuil, Le Diable sans porte.

Pourquoi dit-on que quelqu'un travaille au noir, qu'un autre est passé à tabac, et qu'un troisième est tombé dans les pommes ? Ce livre a pour objet de répondre à ces questions que tout le monde se pose une fois ou l'autre sur le sens réel de ces tournures pittoresques que la plupart du temps nous avons apprises dans l'enfance et que nous entendons et répétons depuis, ces bizarreries qui font le sel du langage parlé.
Certaines locutions datent d'une centaine d'années à peine, d'autres ont quatre à six siècles d'existence, parfois davantage, et prennent leur origine dans les mœurs anciennes, les usages oubliés que Claude Duneton explique, replaçant chaque expression dans son évolution historique. Etre ravi au septième ciel est un reflet des croyances du Moyen Age, comme rire jaune a de lointaines racines dans les querelles religieuses de la même époque. Avoir de l'entregent vient de la chasse au faucon, perdre la tramontane de l'ancienne navigation en Méditerranée. Quant à attendre la Saint-Glinglin, c'est un vieux jeu de mots du XIIIe siècle !

CLAUDE DUNETON

La Puce à l'oreille

*Anthologie des expressions populaires
avec leur origine*

STOCK

Nous tenons à remercier Luc Joubert qui nous a aimablement prêté les reproductions de bois gravé faisant partie de sa collection particulière.

Mes remerciements vont à :

Marie-Françoise LECLERE
qui m'a lancé sur la piste
des locutions pour le journal *Elle,*

Nicole VIMARD
qui a suscité ce livre et en
a assuré l'iconographie,

Claudine CAILLET
qui m'a aidé à réunir la
documentation.

Ainsi qu'à tous les amis qui
m'ont donné un coup de main,
en particulier Bernard Cerquiglini qui a eu la
gentillesse de relire mon manuscrit.

Je dédie ce livre à l'inconnu qui, un soir de juillet 1977, à la cafétéria d'un supermarché de la banlieue Sud, alors que, les yeux un peu vagues, je rêvassais à la composition de ces pages, m'a pris pour un paumé, et, avec beaucoup de délicatesse, m'a donné dix francs.

Je ne lui avais pas parlé; j'avais simplement expliqué à son petit garçon que les corbeaux qui évoluaient au bord de la piste de l'aéroport étaient les petits du Boeing 707 qui venait d'atterrir.

Il faut toujours dire de jolies choses aux petits garçons.

Quelques mots...

Un marécage... Un marécage avec des trous noirs, des flaques boueuses, des touffes de joncs, des buissons fantômes et le soir qui descend. Voilà comment je vois mon paysage... La nuit qui vient sur les lagunes et la brume qui monte. Et mon chemin cent fois perdu, cent fois retrouvé, presque. Un chemin improvisé aux repères mouvants. C'est là à peu près ma situation de chasseur solitaire...

Lorsque je suis parti à la chasse aux expressions populaires, à la demande de la Rédaction du magazine *Elle*, il y a quatre ans, j'étais joyeux et confiant. J'avais déjà élucidé plusieurs menus mystères d'enfance — on commence toujours par là — des phrases qui me turlupinaient depuis l'âge de huit ans au moins, du genre « être fier comme un pou », ou « mener une vie de barreaux de chaise ». A l'époque je connaissais bien les poux justement, nous en avions à l'école de temps en temps... La fierté supposée de ces parasites m'intriguait : dès qu'on essayait d'en attraper un, il s'enfuyait lâchement dans l'épaisseur de la chevelure, vermine noirâtre, pleine de pattes, sinistre, je voyais mal le sens de l'expression...

La vie soi-disant mouvementée des barreaux de chaise m'avait valu aussi de durs moments de réflexion. Evidemment on y met les pieds ! Ils craquent un peu

quand on se balance. — Te balance pas sur ta chaise !...
Pourtant, à mon avis, ça ne leur faisait pas une bien
grande aventure.

Apprendre, sur le tard, que les barreaux en question
n'étaient pas du tout ceux de mon siège, mais les bâtons
d'une chaise à porteurs, que le pou glorieux de l'histoire
n'était pas un pou mais un coq, avait illuminé ma vie !
Pour un temps...

Fort de quelques captures faciles, de certaines
connaissances, et d'abondantes lectures dans l'ancienne
langue — poussé aussi, il faut bien l'avouer, par de
dures nécessités, comme on dit quand on n'a plus d'argent — je me suis mis à traquer la locution comme
d'autres le criminel en cavale. C'est vrai, j'ai commencé
comme chasseur de primes !

Et puis vient la passion. Très vite. Les difficultés
aussi d'ailleurs ! — Au début les copains m'aidaient. Ils
m'indiquaient des pistes, me fournissaient des listes,
notaient pour moi au hasard des causettes les mots
entendus, entre la poire et le fromage... « Et celle-là, dis
donc ? Pourquoi on dit ça ? » Au café, en voiture,
partout : « Qu'est-ce que ça veut dire, au fait, " avoir du
tintouin " ? » C'est fou ce qu'on peut se poser comme
questions, quand on se met à y penser !... Je sautais sur
les dictionnaires, m'enfonçais dans des bouquins épais.
Je relançais mes vieilles marottes : les textes du Moyen
Age au goût d'églantine et de primevère. J'éclaircissais
les ombres du langage avec un peu de fébrilité.

Seulement voilà : les chemins du savoir sont comme
les autres, pleins de ronces. Très vite, les livres deviennent douteux, les références s'amenuisent. On se
retrouve attelé à une tâche dont on ne soupçonnait pas
l'ampleur... Comme un détective privé lancé sur une
affaire anodine qui découvrirait des ramifications
secrètes, des prolongements inquiétants, qui de fil en
aiguille se retrouverait sur la trace d'une maffia internationale, dans un labyrinthe d'indices, de preuves
vraies et fausses, de coups bas, avec des assassins par-

tout à ses trousses. On devient Sherlock Holmes, sans le vouloir. On rase les murs, on s'engouffre dans de vastes bibliothèques au silence sournois. On établit des fichiers, on compare, on recoupe. On tombe dans un domaine mouvant où les savants se contredisent, où il faut distinguer le certain du probable, qui n'est plus tout à fait certain mais encore solide, de l'hypothétique pur où l'astuce et l'imagination ont la plus grande part.

Très vite, le labyrinthe s'ouvre sur un marécage de plus en plus vaste à mesure que l'on avance, de moins en moins sûr. Bientôt les chemins qui étaient presque fleuris se divisent, s'écartent, se croisent, s'emmêlent puis s'éparpillent en une foule de sentiers sans noms, s'effrangent en des pistes boueuses qui n'aboutissent qu'à des trous d'eau dormante. On patauge, on n'en sort pas...

Au fur et à mesure que les jours passent, que les mois passent, les années, le paysage dans ma tête prend des allures de cauchemar.

L'histoire des mots est soutenue seulement par les textes qui nous sont parvenus, d'autant plus rares que l'on remonte dans le temps. Les paroles s'envolent et pendant des siècles, jusqu'à la période contemporaine, la langue s'est formée presque uniquement de bouche à oreille; elle a vécu sur du vent. Pour abondante et riche que soit la littérature ancienne — concurrencée d'ailleurs jusqu'au XVIIe siècle par les écrits en latin — elle ne constitue qu'une trace infime de ce qui a grouillé dans la cervelle des hommes, de l'éclat ou du murmure de leurs voix. L'historien de la langue travaille, si l'on peut dire, sur empreintes digitales !

Quand on réduit le champ des recherches aux locutions, c'est-à-dire aux expressions imagées ou cocasses qui « s'écartent de l'usage normal de la langue », on est encore plus mal loti. Ces façons de parler ont souvent été senties comme plus ou moins « populaires » par les gens de bon goût, c'est-à-dire de bonne classe, qui tenaient la plume, plus ou moins triviales — les anciens disaient « basses ». Elles ont moins fréquemment que les mots ordinaires franchi la barrière de la page écrite ou imprimée. Il faut compter sur le hasard d'une trouvaille : une citation où la locution apparaît, souvent dans un sens assez différent de celui qu'on lui connaît de nos jours, mais forcément plus proche de son origine, ce qui permet justement de reconstituer son évolution. Rares sont les expressions « attestées » par exemple au xve siècle dont l'emploi n'a guère varié.

Heureusement, ces formes du langage, à cause de leur côté surprenant ou drôle, ont toujours intrigué les amateurs. Les lexicographes du passé se sont penchés sur le sort de ces « comme-on-dit » — à condition bien sûr qu'ils ne soient pas trop crus ! — et se sont efforcés, quelquefois avec passion, de dévoiler leur mystère. Pourtant, leur témoignage, fort intéressant parce qu'il situe la locution ainsi recueillie et souvent attestée pour la première fois, est sujet à caution... Paradoxalement, il faut apprendre à se méfier des vieux livres.

Pour le public, plus le livre est vieux, râpé — avec des caractères qui sentent l'artisan et une reliure comme on n'en fait plus — plus il inspire confiance. C'est généralement l'inverse : il faut le trouver suspect. Si une citation ancienne est extrêmement précieuse parce qu'elle donne l'état de la locution à une époque donnée, les explications fournies quant à son origine sont le plus souvent des fables. Parce qu'il leur manquait les matériaux solides qui proviennent aujourd'hui des énormes dépouillements effectués depuis un siècle, les anciens commentateurs recouraient volontiers à l'anecdote, à l'historiette amusante mais aussi fausse que la plupart des mots dits « historiques ».

A propos de l'article sur « à tire-larigot », paru dans *Elle*, je recevais d'un lecteur furieux, qui s'estimait « grugé », la lettre suivante : « Je trouve scandaleux que sous prétexte de renseigner le lecteur, C.D. se contente de fournir des éléments tels que : " locution fort ancienne... origine obscure et controversée " qui n'apportent rien de précis et plusieurs suppositions qui paraissent pour le moins erronées, et ne donne en fait, hélas! aucune réponse. Nous trouvons dans un livre intitulé *La France au XIVᵉ siècle*, édité en 1825, ces quelques lignes relatives à la cathédrale de Rouen :

« " ... Sur la circonférence de ces cloches fameuses sont gravés les actes de leur baptême, et les vers à la louange de ceux qui les ont fondues ou payées. La plus grosse fut donnée par l'archevêque Odo Rigault, et porte son nom; elle est si pesante, que ceux qui la mettent en branle sont autorisés à boire dans le clocher un gallon de vin des celliers de l'archevêque, d'où est venu le proverbe : boire à tire la Rigault. " »

Ce monsieur en colère pensait de bonne foi que l'autorité d'un livre édité en 1825 ne pouvait être mise en doute. En réalité, cette histoire de cloche est reprise du Dictionnaire de Furetière de 1690, où elle apparaît, à ma connaissance, pour la première fois, parmi une flopée d'hypothèses dont certaines sont franchement burlesques. Je l'avais omise par manque de place pour m'en tenir à des données à peu près sérieuses, mais voici à titre d'exemple l'article intégral de Furetière, beaucoup moins catégorique, et infiniment plus prudent, que son compilateur tardif :

« On dit proverbialement, Boire à tire *larigot*, pour dire, Boire beaucoup, & à longs traits. Quelques-uns tirent l'origine de ce proverbe du jeu de l'orgue, à cause qu'il sifle beaucoup, & que les buveurs appellent souvent *sifler*, boire beaucoup; d'autres d'une cloche de Roüen, qui est la seconde en grosseur dans la Cathédrale, qu'on appelle la *Rigault*, du nom de celui qui l'a donnée : & parceque les Sonneurs ont beaucoup de peine à la sonner, on dit qu'au sortir de là ils vont boire en *tire la Rigault*. D'autres le dérivent d'une petite flûte d'yvoire qui rend un ton fort haut, dans laquelle il faut souffler à perte d'haleine; & parceque quand on veut boire jusqu'à la dernière goutte, il faut lever le coude, le menton & le verre, comme ceux qui flûtent avec un *Larigot,* on a appelé cette manière, Boire à tire *larigot;* ce qu'on dit autrement joüer de la flûte de l'Allemand, par comparaison à ces verres longs & étroits dont les Allemands se servent dans leurs débauches, qu'ils nomment *flûtes.* D'autres disent que ce mot vient des Gots, qui ayant tué leur Chef Alaric & mis sa tête au bout d'une pique, buvaient par dérision à sa santé en proférant ces mots, *A ti Alaric Got,* d'où on a dit par corruption *à tire larigot.* Borel le dérive d'un vieux mot François *larigaude,* qu'il dit signifier le *gosier,* & être dérivé de *larinx.* Ainsi boire *à tire larigot* signifiera boire *à tire le gosier.* Voyez Ménage, qui le fait venir de *fistula, fistularius, flûte, flûteur.* On s'est moqué de cette étymologie, & il déclare qu'il se moque de ceux qui s'en sont moquez. »

Reste que les gens s'attachent généralement à la première amusette lue quelque part, et ils la colportent. Par exemple, les grands hommes attirent énormément l'explication de circonstance, un peu selon le même procédé qui fait raconter une blague en la rapportant à un haut personnage. Aujourd'hui un certain nombre d'histoires « drôles » commencent par : « Un jour de Gaulle rencontre un ami », etc. Quelqu'un m'a très crédulement raconté ainsi l'origine de « laisser pisser le mérinos » : « Un jour, à Versailles, on présentait un mérinos à Louis XIV, pour lui montrer la nouvelle race. Le mouton s'est mis à pisser sur le parquet du salon et les assistants voulurent l'enlever en hâte. Mais le roi leva la main, et dit : « Laissez pisser le mérinos ! » — Inutile de préciser qu'il n'y a pas là une once de vraisemblance : bien que l'animal en question ait effectivement été introduit en France sous le gouvernement de Colbert, son nom n'est attesté en français que depuis la fin du XVIIIe siècle. Cependant mon informateur, l'ayant « entendu dire », y croyait, et il a écouté mes réserves d'un air chagrin. Les gens n'aiment pas beaucoup qu'on leur enlève leurs illusions. Récemment un jeu télévisé a contribué à répandre des « origines de locutions » souvent puisées à des sources douteuses, que des correspondants d'ailleurs bien intentionnés me rapportaient en triomphe avec tout le poids du « Ils l'ont dit à la télé ».

En réalité, une locution est un fait de langue qui naît d'un mode de vie, d'usages communs, d'actions répétées, par la connivence d'un groupe. Elle ne véhicule qu'exceptionnellement le souvenir d'une anecdote précise — à moins qu'il ne s'agisse d'un fait historique parfaitement daté qui a eu à son époque un certain retentissement, comme le « coup de Trafalgar », ou à un degré moindre le « coup de Jarnac[1] ».

Pour en terminer avec l'histoire de la cloche de Rouen, et montrer la complexité du problème, il n'est pas exclu que les sonneurs, si tel est le cas, aient utilisé l'expression « boire à tire la Rigault », justement parce qu'elle faisait un jeu de mots superbe avec l'expression existante, et qu'ils aient fini par penser que la leur était la bonne. J'ai connu un forgeron qui s'appelait aussi Rigaut, et bien avant de connaître cette histoire, à le voir tirer sur le soufflet de sa forge, je ne pouvais m'empêcher de penser qu'il faisait ça « à tire-larigot ». Quand j'étais petit je croyais même vaguement que l'expression était attachée à sa personne ! En outre, on peut imaginer sans beaucoup d'audace que les sonneurs de Rouen, influencés par une locution qui leur allait comme un gant, soient devenus ivrognes pour se conformer au dicton, par pure complaisance linguistique !

Cela dit, l'agacement de mon lecteur est révélateur d'un état d'esprit. Les gens veulent des réponses à tout prix, sûres, tangibles. Ils ont du mal à se contenter

1. C'est là un domaine que les contraintes matérielles ne me permettent pas de traiter dans le présent ouvrage, et qui entrera dans la composition d'un volume ultérieur.

d'une approximation, même si elle relève d'une prudence toute scientifique. Hélas! comme il disait, il est des cas où les réponses définitives sont impossibles parce que l'écheveau a été brisé, que des morceaux entiers manquent vers le début, et que tout le monde en est réduit aux conjectures. Pour employer une image encore plus claire fournie par l'éminent linguiste Pierre Guiraud : « Une locution est un puzzle dont nous ne possédons qu'une pièce sur dix et en essayant de le reconstruire on doit se garder de forcer les morceaux dans une échancrure destinée à rester vide[1]. »

Autrement dit, il faut savoir accepter son ignorance. Pourtant, avant de capituler on a tendance à pousser les élucubrations le plus loin possible. C'est humain, on veut savoir. Chaque élément nouveau qui est découvert, une citation, un rapprochement, fait soudain rebondir l'enquête, abandonner des pistes considérées jusque-là comme sûres, reconsidérer le tout et repartir sur une nouvelle... conviction intime!

Prenons l'expression, bizarre si l'on y réfléchit : « griller un feu rouge » — absurde même, si l'on s'en tient au sens strict des mots. Elle est venue spontanément dans le langage contemporain par jeu sur « brûler un feu rouge », lequel est construit sur « brûler un arrêt », par analogie avec « brûler l'étape », lui-même construit sans doute à partir de « brûler le pavé », signe de grande hâte qui prend son image dans les étincelles très réelles produites par les sabots d'un cheval au galop ou les roues ferrées d'un carrosse sur une route pavée... A moins que les armées n'aient autrefois réellement brûlé les fourrages abandonnés, au cours d'une retraite précipitée, sur les lieux où elles auraient dû camper!

Supposons que les feux tricolores de nos carrefours soient prochainement supprimés, et remplacés par un système tout autre, plus électronique et plus efficace,

1. P. Guiraud, *Les Locutions françaises*, P.U.F., 1961.

par exemple un dispositif qui arrêterait automatiquement les voitures... Les feux rouge, orange et vert seraient rapidement oubliés en une génération ou deux, comme nous avons déjà oublié qu'il n'y a pas si longtemps ils n'étaient pas automatiques et qu'un agent de la circulation « donnait » réellement le « feu vert », en appuyant sur un bouton.

Admettons maintenant, par pure fantaisie, que dans cinq ou six cents ans on parle encore le français, et que l'expression « griller un feu rouge » soit demeurée dans la langue, avec le sens qu'elle aurait pris après nous de « mourir de mort violente ». Evolution, n'est-ce pas, tout à fait plausible !... On aurait par exemple le communiqué suivant dans la presse écrite ou parlée : « M. Antoine Ployé, le superchairmane de l'omnihameau de Malepente, a été attaqué la nuit dernière, chez lui, par des hommes armés. Après une brève altercation dont nous ignorons le topique, il a rapidement grillé un feu rouge sous les coups de ses agresseurs. »

On voit d'ici l'embarras des commentateurs langagiers ! L'explication la plus courante de cette façon de parler serait qu'« autrefois on torturait les gens sur des grils rougis et qu'ils en mouraient ». Certains, épris de logique, feraient remarquer que l'expression avait dû être « griller *sur* un feu rouge ». Comme on dirait également « griller *son* feu rouge », d'autres soutiendraient que c'est là l'expression originale, et la rapporteraient à l'antique coutume de donner une cigarette aux condamnés à mort, citant la vieille formule, dûment attestée : « griller sa dernière cigarette », d'où « son feu rouge », etc.

Mais un autre groupe de chercheurs soutiendrait qu'évidemment ce ne sont là que brides à veaux, et qu'il faut naturellement se reporter à l'habitude qu'avaient les anciens de placer des cierges auprès des cercueils, et que lorsque le défunt avait succombé à une mort aussi soudaine que violente on faisait brûler des cierges rouges, symboles du sang versé, d'où l'expression !

Pourtant, un jour, un jeune savant très ingénieux détruirait d'un coup toutes ces prétendues explications. Il serait tombé par hasard, dans un roman policier archaïque, sur l'expression « griller la politesse ». Il établirait l'équation : feu rouge égale politesse, parce que autrefois « on fixait une lampe rouge à l'arrière des véhicules, par politesse, pour indiquer qu'on s'en allait ». Ainsi, la locution « griller un feu rouge » a d'abord signifié « partir », peut-être précipitamment, puis mourir en voyage au cours d'un accident — sous l'influence de « partir pour son dernier voyage » — sens qu'elle avait déjà au xxiiie siècle. Par extension, elle s'est appliquée à toutes formes de morts violentes.

On peut imaginer que « donner le feu vert » ayant également survécu, on le rapporterait à la tradition copieusement attestée de la flamme olympique qui donnait le départ des jeux, qu'à une certaine époque cette flamme était verte, et que tout est bien clair ainsi.

Cette évocation futuriste représente assez bien la situation exacte dans laquelle nous sommes placés aujourd'hui face à des expressions telles que « découvrir le pot aux roses » ou « tirer le diable par la queue » !

Pourtant, dans mon hypothèse — absurde parce que les gens du futur disposeront sur notre époque (à moins d'accident !) d'une masse de documents écrits et filmés — il y aurait toujours et quand même la possibilité pour un chercheur de découvrir la trace de nos véritables feux de la circulation, et de retracer une évolution exacte de l'expression. — C'est là précisément que les choses deviennent passionnantes et que le linguiste tourne au détective privé : il existe, tout de même, quelque part, une solution... Les énigmes, policières ou autres, ont toujours excité l'imagination des hommes, au point de leur faire parfois inventer des dieux et des religions.

La seule façon d'avancer dans une enquête, avec quelque assurance de ne pas divaguer, c'est d'avoir des preuves. Les preuves, en linguistique, ce sont les textes. Ou bien on dispose d'un texte, de plusieurs textes, et l'on propose alors une analyse rigoureuse et des solutions fiables, ou bien ils font défaut et toutes les propositions, si brillantes et ingénieuses soient-elles, demeurent des élucubrations plus ou moins séduisantes, plus ou moins « convaincantes », quelquefois utiles comme hypothèses de travail, mais nécessairement provisoires et sans fondement réel.

Or, dans le domaine des expressions populaires les textes sont maigres. Nous avons tout ce qu'il faut sur le parler de nos rois, de nos cours, de nos princes à presque toutes les époques, de nos grands et petits bourgeois, nous possédons également, parce qu'ils ont fait parler d'eux, une documentation relativement riche, faite de mémoires et de procès, sur la langue de nos voleurs et de nos assassins — qui par là aussi ressemblent à nos princes! — mais rien ou presque sur la langue de l'immense majorité du peuple. Le peuple, on l'a pressuré, harcelé, taillé, emprisonné aussi, parfois roué, violé, massacré, sans jamais lui demander ce qu'il en pensait, dans ses mots à lui.

De toute façon, ce que le peuple avait à dire était vulgaire par définition, bas par essence, comme le sont les cris, les pleurs et la colère. « Le langage populaire — explique froidement M. Pierre Guiraud — reflet des sentiments élémentaires qui animent toute une classe, possède un vocabulaire très riche pour exprimer les idées les plus basses, le dénigrement, la jubilation, la satiété, l'ennui, l'irritation; aucun ou presque, par contre, pour traduire les aspects les plus nobles et les plus délicats de la sensibilité[1]. » Guiraud ajoute il est vrai : « Le langage ne fait ici que traduire les conditions

1. P. Guiraud, *L'Argot*, P.U.F., 1956.

d'existence faites par la société aux sujets ·parlants; ce langage est celui de l'insécurité, de la misère et des taudis dont les remugles flottent à la surface de la sentine linguistique[1]. »

Je voudrais faire une remarque. Quand les linguistes, en France, emploient le mot « peuple », ils désignent par là, exclusivement, la population ouvrière, polissonne ou clocharde de Paris. Le mot va de soi, si je puis dire; depuis toujours, depuis les « crocheteurs de la halle au foin », il est bien entendu qu'il s'agit de Paris et de Paris seul. Les exemples le montrent abondamment : « Le peuple n'a guère de mots pour exprimer la beauté, il dit *bath*, " c'est chouette " ou " elle est gironde ", quand il a mille façons de traduire la laideur physique et morale : *blêche, moche, tarte, tocard*, avec leurs dérivés et de nombreuses images plus ou moins pittoresques : *gueule de raie, tronche en coin de rue*, etc.[2] »

Mais où diable les Français, peuple ou non, disaient-ils *bath, chouette, blêche* ou *tocard,* jusqu'à il y a très peu de temps, en dehors d'un périmètre de dix kilomètres de rayon autour de l'île de la Cité?... Pour tout provincial, ce vocabulaire est encore aujourd'hui, surtout chez les gens d'un certain âge, fortement marqué de « parisianisme » et nettement localisé! P. Guiraud ajoute une liste de « façons de dire " sentir mauvais " » : « C'est cocoter, cogner, corner, cornancher, emboucaner, empoisonner, fouetter, gazouiller, poquer, puer, remuer, renifler, repousser, schlinguer, schlingoter, schipoter, taper, trouilloter. » A l'exception du générique « puer » et du banal « empoisonner », aucun de ces mots, avant le brassage patriotique de la première guerre mondiale, n'avait franchi les limites des anciennes fortifications de la capitale! Certains n'en sont toujours pas sortis, et pour ma part, bien que j'aie

1. Id., *ibid.*
2. Id., *ibid.*

de grandes oreilles je n'ai jamais entendu nulle part
« cornancher », pas plus que « poquer » ou
« gazouiller » dans ce sens !

A cette particularité de terminologie, il y a une raison
simple : il faut rappeler qu'en effet, en France, le peuple
n'est pas de langue française — tout du moins il ne l'est
que depuis très récemment. Il faut redire, tant cette
évidence paraît neuve — et insolite aux étrangers —
que sur tout le territoire de l'Occitanie, de la Bretagne
ou de l'Alsace, etc., jusqu'à ces derniers temps seule la
bourgeoisie, privée et administrative, utilisait le français, un français de bon aloi tout imprégné du collège.
D'autre part, les populations des provinces franchima-
nes, telles la Champagne ou la Picardie, n'ont abandonné leurs vieux dialectes franciens qu'au début de ce
siècle, au moment où les masses apprenaient dans les
livres leur langue nationale.

Le peuple, au sens large, a toujours parlé basque,
berrichon ou normand; c'est la première et la plus fondamentale cause du manque de textes : hors de Paris,
historiquement, le français populaire n'existe pas ou
existe à peine. Quant à celui qui naît de nos jours du
brassage des populations et sous l'influence des mass
média, il n'est souvent que l'extension directe du
« parigot » à l'ensemble du territoire. La deuxième raison est que les écrivains, issus pour la plupart de bonnes maisons, n'ont, bien sûr, employé que la langue dite
commune — commune à la bourgeoisie. Ceux qui, par
hasard, étaient issus du peuple avaient intérêt à cacher
de leur mieux cette provenance et à ne pas laisser soupçonner par la familiarité de leur langage la médiocrité
de leur engeance. S'ils l'avouaient c'était dans un style
suffisamment « élevé » pour créer la distance entre la
chose dite et la chose vécue — à de très rares exceptions près, ils en auraient plutôt rajouté dans la précio-
sité, reniant à qui mieux mieux tout ce qui aurait pu
être un héritage, et aurait étayé cette zone de la langue,
à la fois vivante et occulte, que M. Jacques Cellard

appelle avec pertinence le « français non conventionnel ».

C'est le règne du mépris, auquel P. Guiraud fait encore allusion en d'autres termes lorsqu'il définit le « français des gens cultivés » : « Il n'accepte un terme venu du peuple que dans la mesure où il est démotivé et où son origine cesse d'être sentie. Or les locutions gardent longtemps comme un relent de leur provenance, et la société polie qui crée la langue commune a toujours soigneusement filtré les mots de métiers, les termes scientifiques, les provincialismes et les argotismes [...]. Il y a un tiers état du langage qui a toujours été soigneusement tenu à l'écart; on ne mélange pas les torchons et les serviettes[1]. »

Ce mépris des classes dirigeantes et écrivantes pour le langage populaire ne date pas d'hier. Lorsque Furetière, à la fin du XVIIᵉ siècle, enregistre des termes familiers il prend soin de préciser qu'on les emploie « bassement », ou « odieusement ». Encore ces précautions n'étaient-elles pas suffisantes à son époque de haute répression puisque son *Dictionnaire* fit scandale et lui valut bien des ennuis ! Les lexicographes ont suivi jusqu'à nos jours la tradition du « bon usage », et il n'est pas jusqu'à l'actuel et admirable *Dictionnaire analogique* de Robert qui ne perpétue cette discrimination en affublant du méprisant « populaire » des expressions qui n'ont souvent d'autre défaut que de ne pas avoir franchi le cercle de l'écriture à médailles.

Cependant, le peuple — parisien donc — a mal suivi au XVIIᵉ siècle le virage radical de la langue vers les hautes sphères pilotées par la Cour. Les gens, et pas nécessairement la « lie de l'humanité », ont continué à employer les mots usuels, les tournures qui leur étaient habituelles et qui leur semblaient bonnes. Ils sont devenus ainsi, sans qu'on les avertisse, archaïsants malgré eux. Molière faisait rire de ces tours et de ces vocables

1. P. Guiraud, *Les Locutions françaises, op. cit.*

22

soudain démodés dans la bouche de ses petits personnages que sont les domestiques et les marchands.

Les mots ont cheminé pourtant, à l'écart de la culture officielle, pendant plusieurs centaines d'années, pour resurgir parfois au xix⁰ et au xx⁰ siècle, et revenir dans l'usage quotidien, parfaitement vieux et parfaitement vivants. *Briffer, trimer, jacter,* font partie de ces mots maquisards qui datent pour les plus récents du xvi⁰ siècle et ont eu à leur heure les honneurs de la langue littéraire ancienne. La *gadoue* n'est pas un mot d'argot, c'est la boue mélangée d'excréments au xvi⁰ siècle, et derrière le *baratin* il est facile de discerner le *barat* du Moyen Age, la tromperie.

Il a fallu l'établissement, ces vingt dernières années, des *Atlas linguistiques de la France,* et aller interroger les vieux paysans à cinquante kilomètres de Paris sur leur langue de tous les jours, pour s'apercevoir que d'autres termes de vieux français avaient survécu là, nullement dérangés, à l'écart des livres, des procès et des gazettes, depuis toujours... Etrange d'ailleurs, dans un pays si fier de sa haute culture, que l'idée de ces atlas linguistiques comme on peut en dresser en Afrique ou en Océanie. Pour ne citer qu'un seul exemple de ces inquiétantes découvertes, on s'est aperçu que le verbe *guetter* avait conservé son sens étymologique de veiller, garder, surveiller, jusqu'aux portes de la capitale! Une *guetteuse d'enfants* désigne chez ces tribus d'outre-boulevard, autochtone du Hurepoix, ce que le bon goût parisien et la pénurie nous ont forcés à appeler récemment une *baby-sitter!*

Ce rejet d'une partie de la langue, de ce français — ironie délicate — « non conventionnel », est la raison pour laquelle il est si difficile de savoir d'où viennent des expressions comme « faire du foin » ou « rester comme deux ronds de flan » — si difficile de retrouver son chemin dans le grouillement d'expressions familières en usage aujourd'hui, qui ne sont pas forcément récentes, mais dont les traces manquent totalement. On patauge, on s'enlise, on tourne à la confusion.

Dans le même ordre d'idée, le rejet traditionnel par les grands dictionnaires, en particulier ceux du XIXᵉ siècle, de tout ce qui touche de trop près au sexe et à l'érotisme ne facilite pas la compréhension de nombre de phénomènes langagiers; cette tradition de pudibonderie, suivie par l'Université dans son ensemble, obscurcit même des zones importantes d'influences et de jeux de la langue, pas seulement populaire. Ces absences volontaires ont en particulier inculqué chez les gens d'aujourd'hui l'idée vague et fausse que les mots érotiques et les mots crus sont plus ou moins des inventions récentes dues à la polissonnerie de notre siècle — ma pauvre dame, où allons-nous! — et que les gens des siècles passés, dans leur grande sagesse et leur absence de cinéma, ne le disaient qu'avec des fleurs!

Outre le fond de moralité officielle et hypocrite du Second Empire qu'il faut prendre en compte, la cause de cette sous-information réside dans la personnalité même des deux grands lexicographes du siècle dernier : Pierre Larousse et Emile Littré. En dépit des tendances socialisantes et libérales du premier, ils étaient tous deux des hommes d'ordre et d'intérieur. La vie minutieusement réglée et douillettement familiale de Littré, entre sa femme excellente cuisinière et sa grande jeune fille, de plus en plus grande et de moins en moins jeune d'ailleurs, qui l'aidait à mettre ses fiches à jour, disposait mal l'admirable chercheur à disserter sur la bagatelle!

Il n'est qu'à lire dans le Littré l'article *cul* en entier, par exemple, pour imaginer la torture que ça a dû être de le rédiger dignement. Mais le cul a été tellement utilisé, si j'ose dire, que l'érudit est bien obligé d'en rendre compte. Ça l'entraîne loin, il frise le scabreux! Cependant les citations sont là, elles abondent, exigeantes, et des meilleurs auteurs, très XVIIᵉ : La Fontaine, Molière, Mme de Sévigné, qu'on ne peut écarter... On sent que Littré se serait bien passé de noter dans son

24

dictionnaire : « Baiser ou lécher le cul à quelqu'un, lui témoigner une soumission servile », sans cette malencontreuse phrase de Saint-Simon : « Le chancelier me répondit qu'il voudrait me baiser le cul... » En fin de liste, il prend une profonde respiration, et sa distance : « Toutes ces locutions sont du langage très familier ou du langage bas », précise-t-il.

Juste revanche, la pudibonderie du savant lui a fait commettre quelques bévues amusantes. Littré note par exemple : « Jouer de l'épée à deux jambes, s'enfuir au lieu de combattre. » Erreur ! Il s'agit de « coïter » avec cette épée-là, pas de courir ! (Voir p. 53.)

Néanmoins la publication ces dernières décennies du *Französisches etymologisches Wörterbuch*, l'ouvrage monumental d'étymologie de la langue française (le *FEW*) de W. von Wartburg, a remédié dans une certaine mesure à la pénurie des textes. Il constitue une documentation incomparable que ne possédaient pas les chercheurs de naguère, et qui a permis d'ajuster un grand nombre de mots et de locutions, rendant caduques bien des hypothèses traditionnelles.

En établissant le présent recueil, je me suis appliqué à utiliser les recherches les plus récentes faites d'après ses sources. Si je me suis laissé aller à rêver, moi aussi, et à faire état de quelques élucubrations personnelles, j'ai pris soin de les présenter en tant que telles, c'est-à-dire aléatoires par définition. — C'est ce qu'il y a de formidable dans ce genre de travail : ça n'empêche pas de rêver, l'important est de savoir qu'on rêve.

J'ai essayé de jeter un pont entre la langue de tous les jours et l'ancienne, libre et pleine de sève de nos aïeux — beaucoup moins « étrangère » que ne le laisse supposer son appellation d'ancien français. Celui qui n'a jamais fait quelques incursions « en version originale » dans la très belle et très riche littérature du Moyen Age n'a, à mon avis, qu'une vision tronquée de la langue

25

contemporaine. J'ai donc puisé autant que possible à ces sources toniques, d'une fraîcheur tout écologique, pour l'exemple et aussi pour le plaisir! J'ai voulu laisser entrevoir à un public non spécialiste les racines qui, si on les connaissait mieux, feraient moins ricaner les beaux esprits à propos des langues nationales minoritaires de ce pays, et permettraient de mieux apprécier ce que l'occitan ou le breton ont de précieux et d'irremplaçable.

J'ai fait un choix, parmi les locutions que tout le monde connaît et utilise, pour retenir celles qui m'ont paru les plus riches ou les plus amusantes, ou dont l'origine éclaire tout à coup un morceau du passé. Les plus anodines ne sont pas les moins surprenantes. Reste que j'ai dû laisser en suspens des centaines de fiches incomplètes, incomplétables peut-être, un vaste terrain sur lequel il ne faut avancer qu'en tâtant de l'orteil sous peine de s'embourber jusqu'aux yeux... Seules les fourmis se retrouvent bien dans un marécage!

Tout le monde, dans ce domaine, a fait des erreurs. Il n'y a aucune raison pour que j'en sois exempt. Ce serait « mathématiquement » impossible. En dévoilant quelques horizons j'espère seulement avoir donné au lecteur, avec l'envie d'en savoir davantage, une mise en garde. — En éveillant son désir je lui aurai peut-être, en somme, mis *la puce à l'oreille!*

1

Les plaisirs

Un verre d'alcool, une émotion subite, un trouble, un émoi, et l'homme le plus taciturne se met à jaser... Qu'il soit gai, furieux, craintif ou arrogant, en compagnie familière ou bien avec des inconnus, l'homme parle surtout quand il est excité, poussé par un remue-ménage intérieur qui le force à déverser le trop-plein de ses émotions. Juste avant les pleurs, les coups, la fuite, vient le discours.

On connaît cette habitude des singes de vider leurs querelles au son de leur voix. Contrairement à tant de mammifères dont la suprématie s'établit par la lutte à dents, à cornes, ou à couteaux, et souvent par la mort de l'adversaire, les singes s'en tiennent, paraît-il, aux menaces. Le chef de la horde demeure le chef à condition de crier plus fort que tout le monde. C'est à se demander si la parole humaine ne descend pas elle aussi du singe! Si le langage n'a pas été produit, aux temps lointains, d'abord par ces danses dissuasives adaptées aux gosiers des humanoïdes en mots articulés pour créer la peur, transformées en plaintes ou en appels chez l'épouvanté, le blessé, le souffrant. L'invective et l'invocation procèdent d'émotions fortes, comme par ailleurs l'appel du mâle ou de la femelle, et le rire des plaisirs partagés.

En tout cas, les locutions, les images, les comparaisons, qui sont le sel du langage policé et le résultat des moments inventifs d'une communauté, semblent issues en très grande majorité de circonstances de la vie où l'excitation prévaut. Les grands fournisseurs d'expressions populaires demeurent la guerre et tous les substituts plus ou moins sublimés : la chasse, les jeux, auxquels il faut ajouter le cheval en ce qu'il fut longtemps l'instrument des armées. — L'autre moteur du langage imagé reste incontestablement l'amour sous toutes ses formes et avec tous ses dérivés parmi lesquels il convient sans doute de ranger les soins de la toilette et la mode en particulier.

Le commerce, la justice, en ce qu'ils ont d'agressif ou de jubilatoire, comme d'ailleurs le vol, participent également à ces grandes circonstances d'excitation du cortex qui dénouent les langues, font fleurir ou parrainent les métaphores. Les plaisirs de la table, quant à eux, par l'échauffement qu'ils provoquent, ne sont plus à vanter !

C'est par exemple un fait incontestable que les sports sont aujourd'hui les plus débridés et les plus inventifs créateurs de langage, tout au moins en français. Particulièrement les sportifs qui émeuvent les foules, quelquefois jusqu'à des paroxysmes bizarres. Il n'est que d'écouter les commentaires qui accompagnent à chaud un match de rugby de quelque envergure pour se convaincre de ce que l'excitation d'un groupe enflammé peut produire comme trouvailles spontanées et fleurs de rhétorique, dans le sarcasme ou la jubilation. Le plaisir du jeu rejoint ici le plaisir du langage, et lui sert de ferment.

Je n'ai pas oublié cet Anglais qui était mon hôte. Vieux retraité, sexagénaire tranquille, Bill était peu bavard. Non pour se conformer au cliché facile du Britannique réservé, mais il avait vu beaucoup de monde. Il avait commencé sa vie par la guerre de 14, aux tranchées. Il y avait perdu une oreille, fauchée par un éclat d'obus, et deux frères à lui dans l'Artois. Il n'aimait pas les champs d'honneur, ni les chansons modernes, ni les gestes inconsidérés. Il murmurait un peu des choses du temps, une phrase ici et là, sans conséquence... Maigre, cordial et discret, il s'occupait de son jardinet, à la fois songeur et peinard, tondait sa minuscule pelouse, élaguait ses choux, prenait son thé à heures fixes, lisait son journal devant la télé. Ce n'était pas l'homme du verbe.

Bill était un ancien postier. Il avait pratiqué le football jusqu'à la trentaine, puis le cricket très longtemps, puis le tennis. L'âge venant il s'était calmement converti aux boules, les grosses boules anglaises sur gazon. Il m'avait invité à voir le dernier match du championnat, disputé entre équipes du troisième âge, avec des vieux messieurs proprets, souriants, des dames ridées en rose, en jupettes plissées, blanches, socquettes assorties, qui portaient chaque samedi sur les pelouses impeccables leur soixantaine avancée...

Là, sur le terrain, ç'avait été la métamorphose! La passion du jeu avait saisi Billy, l'avait totalement transformé. Il sautillait partout, excité comme un gosse! Billy bavard, Billy plaisantin apostrophait ses vieux copains, brocardait les dames chenues, invectivait la boule, blaguait le cochonnet, riait avec tout le monde. Il commentait les coups, primesautier, disséquait les trajectoires, frappait dans ses mains, rouge de plaisir. Il parlait, parlait, parlait... C'était Billy la jactance, soudain, dans le soleil d'automne, sur l'herbe rase vert cru.

Il m'appelait, me prenait à témoin, moi l'étranger, que je me rende bien compte :

« Viens voir! Viens voir ici!... »

Que je n'en perde pas une miette des beaux coups lovés, de la tactique!

« Et celle-là! Hein? Qu'est-ce que t'en dis!... *Boy! What d'you say of that!* »

Il me tutoyait, du coup — encore qu'en anglais ce ne soit jamais facile à savoir! Je le voyais à ses yeux pétillants, à ses éclats de rire, dans la fraternité ludique il m'aurait tutoyé dans n'importe quelle langue du monde!

Le lendemain, il avait repris ses aises, ses distances, son silence familier. Il avait gagné aussi. La nouvelle petite coupe était rangée avec les autres sur la cheminée. Pendant quelques jours, une vague lueur a rayonné dans sa nonchalance...

Quand je pense à Billy, parfois, il me semble qu'il recréait l'origine des langues.

L'amour

Rage de cul passe mal de dents.

Vieux proverbe.

L'AMOUR est un bouquet de violettes, dit la rengaine ! C'est aussi une gerbe de mots incomparablement riche, un flot continu de façons de parler en mouvement perpétuel et pratiquement infini. Il n'est pas question de passer ici en revue les centaines, les milliers d'expressions, d'avant-hier ou de plusieurs siècles, qui décrivent, évoquent, sous-entendent, crûment, chastement, un peu, beaucoup, passionnément, les divers aspects de la marguerite !

D'ailleurs, dans ce domaine tout peut faire image. Que ce soit pour décrire l'acte sexuel ou désigner l'anatomie adaptée, n'importe quel mot, à la limite, employé dans un contexte érotique, peut se charger de sous-entendus plus ou moins éloquents. La célèbre création proustienne « faire catalya » peut s'étendre à n'importe quoi. Le premier objet venu, si j'ose dire, peut faire l'affaire.

J'ai devant moi une fenêtre. Je pourrais par exemple, en y mettant le ton, l'intention, la langueur et le regard qu'il faut, proposer de « faire espagnolette », de « tripoter le tasseau, caresser la persienne, huiler les gonds, éventer l'embrasure, mouiller le carreau, taper la barre d'appui, palper la tringle », et, pourquoi pas, « tirer les rideaux » ! En y mettant du sien !... En fait, ce sont tous les éléments de la pièce qui peuvent ainsi entrer dans le champ érotique au moindre clin d'œil, depuis « ramoner la cheminée » jusqu'à « mettre une fleur dans le vase ».

C'est le principe même des inscriptions sur les gaufrettes, lesquelles permettent au dessert des conversations paillardes par petits gâteaux interposés, à partir de morceaux de phrases complètement anodines, du genre : Voulez-vous ? — Soyez sage — Pas avant midi — Je serai prudent — Je n'ai plus soif, etc. Elles ne prennent leur équivoque que par la situation et l'intention aigrillarde que les gens leur prêtent. C'était commode, naguère, les gaufrettes !

Du reste les termes dits techniques ne se sont pas formés autrement. Ce sont à l'origine des allusions : coït vient de *coire* qui en latin signifie « aller ensemble », au sens où une fille *va* avec les hommes. Copuler vient de la *copule,* au sens propre « ce qui sert à attacher », puis « lien conjugal »; forniquer est davantage motivé dans la mesure où il dérive de *fornix,* prostituée, mais le sens initial du mot est une « voûte », puis une « chambre voûtée » : « Les prostituées de bas étage habitaient souvent, comme les esclaves et le bas peuple, dans des réduits voûtés, établis dans la muraille des maisons » (Bloch & Wartburg).

Je ne présente donc ici qu'une moisson élémentaire, réduite aux expressions les plus connues, mais qui ne vont pas toutes sans surprises.

LES PRÉLIMINAIRES

Conter fleurette

Je sais, l'expression n'est plus guère de mise. Conter fleurette c'est nager dans le désuet ! Dans nos cités sans herbes folles les champs sont loin, les parcs gardés;

pour la qualité de la vie amoureuse chacun voit fleur à son balcon. Et puis, comme le chantait Boris Vian :

Autrefois pour faire leur cour
Ils parlaient d'amour
Pour mieux prouver leur ardeur
Ils offraient leur cœur.
Maintenant c'est plus pareil
Ça change, ça change...

Fleurette, ou florette, c'est l'expression d'une société agreste, d'une civilisation de bosquets et de jardinets. Pendant des siècles les roucoulements des amoureux ont été associés aux fleurs, au printemps, au joli mois de mai. C'est le vrai réveil de tout :

Quand pointe la pâquerette
Quand fleurit la primevère
C'est l'heure à conter fleurette
    A sa bergère.

Au Moyen Age filles et garçons jouaient beaucoup avec les fleurs. Ils folâtraient par bandes dans leurs tenues unisexes (voir p. 332) — aux bois, aux prés, cueillant les roses, le muguet, la violette. Ils se couvraient de fleurs. Le *Roman de la Rose,* celui de Jean de Meung, vers 1280, parle de ces joyeuses virées horticoles :

toutes herbes, toutes floretes
que valletons* et pucelettes   *jeunes gens*
vont au printans es gauz* cueillir   *bois*
que florir voient et feuillir.

Le grand jeu d'ailleurs consistait à se tresser mutuellement des couronnes autour de la tête, des diadèmes de roses que l'on appelait « chapeaux », ou en diminutif « chapelets ». (C'est l'habitude d'orner aussi les statues de la Vierge de ces « rosaires » qui a fini par transformer le « chapelet » en outil à prières !)

Je veuil cueillir la rose en may
Et porter chappeaux de florettes
De fleurs d'amours et violettes

dit un auteur du XIVe. Jean Renart, en 1228, vantait le charme de :

> ... ces puceles en cendez*,   *étoffe de soie légère*
> a chapelez entrelardez
> de biaux oisiaux et de floretes,
> lor genz cors* et lor mameletes   *leurs beaux corps*
> les font proisier* de ne sai quanz.   *priser*

C'était mignon comme tout ! Il n'est resté de ces temps héroïques que la banale « fleur au chapeau », et aussi pendant longtemps « la plus belle rose de son chapeau », laquelle se réfère à ces joyeux diadèmes et non au feutre ou au canotier. « On dit [qu'une personne] a perdu la plus belle rose de son chapeau; pour dire qu'elle a fait quelque perte considérable, sur tout en ce qui regarde l'appui, la protection », dit Furetière.

Il en est aussi demeuré un mot : *fleurette*. « Se dit au figuré de certains petits ornements du langage, ou des galanteries, & des termes doucereux dont on se sert ordinairement pour cajoler les femmes... Il conte fleurettes à cette Dame; c'est-à-dire il luy fait l'amour » (Furetière). Cependant l'expression a dû pendant une certaine période au moins se prêter à un jeu de mots facile. Au xve siècle « florette » était aussi une « pièce de monnaie frappée sous le règne de Charles VI, pesant vingt deniers tournois ou seize deniers parisis, et sur laquelle des fleurs de lys étaient empreintes » (Godefroy). On a donc pu « conter » et « compter ». C'est peut-être par une allusion encore sensible au xviie siècle que La Fontaine dit avec sa franchise habituelle :

> Gratis est mort, plus d'amour sans payer;
> En beaux louïs se content les fleurettes.

Chanter la pomme

Dans un sens équivalent à conter fleurette, les Québécois disent « chanter la pomme à une fille ». Expression énigmatique. Quelle pomme ? On pense immédiatement à la pomme biblico-légendaire qui fut échangée entre Eve et Adam... Mais dans ce geste inspiré par le serpent il s'agissait d'une initiative féminine, et catastrophique de surcroît! On voit mal comment cette anecdote issue de la misogynie médiévale aurait pu être détournée en expression galante.

Une autre piste paraît plus riche. R.-L. Séguin, historien québécois, étudiant les traditions du folklore, décrit le manège amoureux clandestin qui se pratiquait autrefois au cours des « danses carrées ». Il a relevé notamment plus d'une douzaine de façons différentes de se tenir ou se toucher la main entre cavalier et cavalière, lesquelles constituaient un véritable code érotique allant du simple effleurement des doigts à des pressions plus soutenues, et destiné à prévoir l'après-danse et à organiser des rendez-vous sans qu'une parole soit dite. L'un des signes de ce discours muet consistait pour le garçon à presser d'une façon particulière la paume de la fille. — A-t-il pu se produire le même glissement vocalique que pour « tomber dans les pommes » (voir p. 384) : chanter la paume, chanter la pomme? C'est une hypothèse qui reste à vérifier.

Courir le guilledou

L'expression était belle; on sait encore de quoi il s'agit, mais en ces temps de drague je crois bien que personne ne court plus vraiment le *guilledou*!

Celui-ci a fait, comme on dit, couler beaucoup d'encre. On y a vu des choses un peu extravagantes, le terme venant pour M. Rat d'un certain *kveldulr*, un « loup du soir » scandinave; selon lui il s'agirait de « courir à la rencontre du loup-garou à l'heure où la nuit tombe ». Il le rattache à la locution « avoir vu le loup, qu'on applique aux filles qui ont couru ». Pour Furetière, à la fin du XVIIe siècle, le guilledou est un « terme burlesque dont on se sert pour exprimer la débauche des personnes. On dit qu'une femme court le guilledou lorsqu'elle se dérobe à son domestique [entendez sa " maison "] &

qu'on ne sçait où elle va; ce qui fait présumer que c'est dans de mauvais lieux. Ménage croit — continue Furetière — que le mot vient de gildonia, qui était une espèce d'ancienne confrérie qui a lieu encore en quelques endroits d'Allemagne, où on faisait quelques festins et réjouissances : & comme ces assemblées étaient licencieuses, ou pouvaient servir à d'autres débauches, on a appelé les débauchés des coureurs de guilledou ».
— Décidément, ces messieurs voyaient des partouzes partout !

Je croirais plutôt avec Bloch & Wartburg que le mot est « sans doute composé de l'ancien verbe *guiller,* " tromper, attraper " et de l'adjectif *doux* dans son acception morale ». Cela d'autant plus volontiers que la *guille*, la ruse, était un terme très courant dans l'ancienne langue, où il est de surcroît souvent associé à l'amour !

    ... Vous veut requerre
    que ne mainteniez plus guerre
    vers le chaitif qui languit là,
    qui d'amour onques ne guilla

(qui ne trompa jamais personne avec des paroles amoureuses), dit le *Roman de la Rose;* et dans les *Chansons satyriques* de la même époque :

    Cils qui veulent aimer
    Par amour, sans guiller,
    Sans nulle vilainie,
    Doivent souvent aller
    Au jeu pour quaroler *   *danser*
    Pour voir qui leur sied.

Le mot est formé comme *guillemin,* c'est-à-dire « trompe la main », ce jeu bête et méchant, très en vogue au XVe siècle, qui consistait à faire saisir par un joueur aux yeux bandés un bâton enduit de merde ! Rabelais l'appelle « Guillemin, baille ma lance »...

Le guilledou est-il une caresse, la ruse en douceur, le trompe la belle qui veut bien, dans les soirs palpitants et les herbes folles ?... C'est fort probable. Cependant, selon une enquête récente, le verbe *guiller* semble avoir eu dans certaines régions une acception plus précise. Ainsi dans le sud-est du Poitou il signifie : « introduire dans un petit orifice. Se glisser dans un passage étroit ». Pour cette raison, le lézard vert s'appelle « guillenvert » — « il se guille dans les buissons[1] ».

C'est là un éclairage neuf et particulièrement vif qui se passe de commentaire.

Courir la prétentaine

Dans la même idée générale, *courir la prétentaine* (ou prétantaine) a un sens plus anecdotique et moins leste que le précédent. Le mot signifiait seulement au XVIIe siècle « aller deçà et delà », aller et venir sans sujet particulier.

C'est ainsi que l'emploie Scarron, s'adressant à ses propres vers qu'il appelait des « vermisseaux » :

Petits enfants ecervelez
Scavez vous bien où vous allez ?
Vostre entreprise est bien hautaine,
D'aller courir la prétentaine.
A peine estes vous avortez
Et desja dehors vous sortez,
Et desja vous courez les rues.

Ce n'est qu'au XVIIIe siècle que le *Dictionnaire de Trévoux* relève une possible intention galante : « On dit qu'une femme court la prétantaine; pour dire qu'elle fait des promenades, des voyages contre la bienséance, ou dans un esprit de libertinage. »

Selon Bloch & Wartburg le mot est à rapprocher du normand *pertintaille*, ou *prétintaille*, « collier de cheval garni de grelots ». La terminaison serait venue par évocation des refrains de chansons du type « tonton-tontaine », etc. C'est vrai que flâner « deçà et delà » donne souvent du cœur à la chansonnette...

1. L. et J. Blondeau, *Un parlement du Poitou*, 1977.

Faire des fredaines

« Les fredaines qu'on fait ensemble rendent camarades », disait Mme de Genlis au XVIIIe siècle. C'est sûrement vrai, et pas très méchant. Les fredaines sont des « écarts de conduite par folie de jeunesse, de tempérament ou autrement », précise Littré.

Gardez vous d'imiter ces coquettes vilaines
Dont par toute la ville on chante les fredaines

conseillait prudemment Arnolphe de *L'Ecole des femmes*.

Ce vieux mot représente le féminin de l'adjectif *fredain* qui signifiait « mauvais ». Selon Bloch & Wartburg il se rattache à un groupe de termes d'ancien provençal désignant un scélérat, avec pour origine lointaine celui « qui a renié le serment prêté ».

LE VIF DU SUJET

Avoir la puce à l'oreille

Le monde moderne, du moins en Occident, ne fait plus à la puce la place qu'elle avait autrefois dans la vie quotidienne. S'il existe encore, cet insecte familier, pour ne pas dire ce parasite intime, a cessé d'habiter nos jours et de hanter notre sommeil. Nous avons certes bien d'autres sujets d'insomnies, mais l'habitude s'est perdue de chercher les puces dans son lit avant de se coucher, de les capturer d'un bond d'une main experte, et de les écraser sur l'ongle après les avoir roulées entre le pouce et l'index. Un vieux rite... C'est le plus naturellement du monde que le bourgeois du « Ménagier » au XIVe siècle conseillait à sa jeune épouse : « En esté, gardez-vous que en vostre chambre ni en vostre lit n'ait nulles puces. »

42

Car ces bestioles ont grouillé autrefois à la ville comme à la campagne, dans la bonne comme dans la mauvaise société. On se grattait sous les haillons mais aussi sous les habits de fête, sur les paillasses et sous les baldaquins; dans les cours les plus huppées les princes et les princesses étaient soumis à des démangeaisons subites et à des gesticulations que négligent toujours les auteurs de films historiques, mais qui surprendraient beaucoup un observateur moderne habitué au maintien sobre et gracieux qu'arborent les royautés dans les magazines en couleurs!

Les puces nous ont laissé l'expression superbe et autrefois grivoise *avoir* ou *mettre la puce à l'oreille;* éveiller, alerter l'attention d'une personne par un détail en apparence anodin, par une confidence qui trouble sa sérénité en laissant soupçonner anguille sous roche, et généralement prévoir un danger.

Cette façon de parler est très ancienne. Elle semble avoir eu à l'origine le sens très fort, non seulement de violente inquiétude, mais de véritable tourment physique et moral — par analogie sans doute avec l'affolement et la douleur d'une personne dans le cas réel où une puce se serait logée dans son conduit auditif et l'aurait piquée en cet endroit sensible pendant son sommeil. C'est ainsi que l'expression apparaît dans une version du XIVe siècle du *Girart de Rossillon,* sous une forme qui semble déjà établie de longue date. Des marchands viennent annoncer au roi Charles que son ennemi Girart, qu'il fait rechercher partout pour le pendre, est déjà mort et enterré. Mais le roi se réjouit trop tôt, car c'est Girart lui-même qui, déguisé en pèlerin, a répandu cette fausse nouvelle :

Quant il vindrent en France, tout droit
au roi alèrent
La mort du duc Girart pour certain li
nuncèrent.
Charles en fist tel joie né fist mais* *jamais*
la paroille**; *une joie sans précédent*

43

Mais encor en aura telle puce en l'oroille*

Dont il aura péour* de perdre corps et terre,

Si com après orrès*; ainssin va de la guerre,

On voit sovant fortune tourner en petit d'ore*;

Telx rit devers le main* qui devers le soir plore[1].

un tourment, un harcèlement de la part de Girart...

peur

ainsi que vous l'entendrez par la suite

d'heure

matin

C'est probablement sous l'influence de la vieille idée que l'on est mystérieusement averti, lorsque quelqu'un parle de vous, par des démangeaisons ou des sifflements de l'oreille que l'expression a évolué, par sens croisés, vers sa signification moderne d'inquiétude et de mise en alerte. La croyance, plus ou moins prise au sérieux, était, elle aussi, déjà commune au xive siècle : « Les oreilles vous deveroient bien fort et souvent mangier [démanger]; car je ne suis en compagnie, que on ne parle toujours de vous » (Machaut).

Mais c'est dans son sens érotique que l'expression a connu le succès le plus net. Pendant des siècles *avoir la puce à l'oreille* voulait dire « avoir des démangeaisons amoureuses ». C'est également au début du xive siècle qu'elle apparaît bien établie dans un contexte amoureux, en des vers de Jean de Condé, lorsqu'une chambrière pousse avec beaucoup d'insistance sa dame à prendre un amant :

Ne puis pas toutes les paroles

Recorder*, et sages et foles,

Dittes et avant et arrière

De la dame et sa cambriere,

Ki un tel caudiel lui atempre*

Dont anuiera tart ou tempre*

Por cose la dame desist*

répéter

lui machine une telle ruse

dont elle aura du chagrin tôt ou tard quoi que la dame dit

1. *Girart de Rossillon*, pub. par Mignard, Paris et Dijon, 1858, p. 100.

>   Ne laissa que ne li mesist
>   Pluisour fois la puche en l'oreille[1].

C'est bien le « tourment », l'agacement du désir amoureux que désigne cette façon de parler, commune pendant des siècles, et que l'on retrouve chez de nombreux écrivains, que ce soit G. Crétin au XVIᵉ parlant de :

>   Dames qui ont tant la puce en l'oreille
>   Qu'il ne les fault appeler ni esveiller.

Ou plus tard La Fontaine, dans une formule qui résume admirablement la situation :

>   Fille qui pense à son amant absent
>   Toute la nuit, dit-on, a la puce à l'oreille.

C'est en prenant la locution au pied de la lettre que Rabelais prêtait à Panurge cette curieuse fantaisie de se fixer une puce à l'oreille : « Au lendemain Panurge se feit perser l'aureille dextre à la Judaïque, et y attache un petit anneau d'or à ouvreige de touchie, ou caston [chaton] duquel estoit une pusse enchassée. » Il pouvait dès lors annoncer : « J'ay la pusse en l'aureille. Je me veulx marier » (*Tiers Livre*, chap. 7).

Pourtant, bien qu'issue de l'« inquiétude » provoquée par le désir, cette puce curieusement mal placée n'en constitue pas moins un euphémisme galant pour désigner des « piqûres » extrêmement spécifiques, et — qui sait ? — offre peut-être un exemple de rare locution prise au langage féminin...

Ce n'est pas d'hier en effet que l'on compare l'oreille à une coquille, et réciproquement un coquillage à une oreille. Les noms de plusieurs mollusques, « oreilles-de-mer », « oreilles-de-Vénus », sont les noms vulgaires de divers haliotides. Ce n'est peut-être pas la peine que je fasse un dessin, mais ce n'est pas non plus d'hier que la coquille désigne le sexe de la femme — sexe qui justement signale son désir par des démangeaisons plus ou moins tenaces. Deux textes de 1622 disent clairement les choses. Dans l'*Histoire comique de Fran-*

---

1. *Dits et contes de Baudoin de Condé et de son fils Jean de Condé*, pub. par Ag. Scheler, 1866.

cion, la vieille Agate raconte ainsi le cap franchi par sa jeune protégée : « Laurette à qui la coquille démengeait beaucoup, quelque modestie qu'elle eust, se résolut à manier tout de bon ce qu'elle avoit feint de tant haïr. » Dans *Les Caquets de l'accouchée,* la vieille mère déplore en ces termes que sa fille en soit déjà à son septième enfant : « Si j'eusse bien pensé que ma fille eust été si vite en besogne, je luy eusse laissé gratter son devant jusques à l'aage de vingt-sept ans sans être mariée. » A la même date, Tabarin, suivant Brantôme, proclamait carrément sur le Pont-Neuf : « La nature des filles est de chair de ciron [moustic] parce que leur coquille leur démenge toujours. »

L'époque, d'autre part, avait la puce en poupe ! Peut-être par attention naturelle, mais sans doute aussi à cause de l'expression, la puce eut ses heures de gloire dans le domaine érotique. En 1579 tout un recueil de vers lui fut consacré sous le titre *La Puce de Mademoiselle Desroches.* La jeune fille ainsi nommée avait en effet suscité de la part de divers poètes une série de vers coquins, et elle en avait elle-même écrit sur ce sujet chatouilleux. Voici par exemple ceux que lui avait dédiés E. Pasquier :

> Pleust or à Dieu que je pusse
> Seulement devenir une pulce :
> Tantost je prendrois mon vol
> Tout en haut de ton col,
> Ou d'une douce rapine
> Je sucerois ta poitrine;
> Ou lentement, pas à pas,
> Je me glisserois plus bas :
> Là, d'un muselin folastre
> Je serois pulce idolastre,
> Pincetant je ne say quoy
> Que j'aime trop plus que moy.

Il s'ensuivit une mode des puces liées à l'« objet aimé », qui dura presque un demi-siècle. Au XVIIᵉ, un soupirant qui avait la chance de capturer une puce sur le corps de sa belle l'attachait avec une minuscule chaîne en or, ou bien, reprenant la fantaisie de Panurge, la faisait enchâsser dans un médaillon et « la portait au cou comme une relique » (P. Larousse.)

A la fin du siècle, Furetière concluait : « On dit que quelcun a la puce à l'oreille, quand il est fort éveillé, ou quand il a quelque passion agréable qui l'empêche de dormir. » Au XVIIIe, le mot faisait encore image; c'est sur la même équivoque « oreille, coquille », que joue Diderot dans *Jacques le Fataliste,* en même temps que sur la démangeaison prémonitoire, lorsque le héros blessé entend dans la chambre voisine les ébats nocturnes de sa jeune hôtesse et de son mari :

« ... je suis sûre que je vais être grosse!

— Voilà comme tu dis toutes les fois.

— Et cela n'a jamais manqué quand l'oreille me démange après, et j'y sens une démangeaison comme jamais.

— Ton oreille ne sait ce qu'elle dit.

— Ne me touche pas! laisse là mon oreille! laisse donc, l'homme; est-ce que tu es fou?...

[...]

— Ah! Ah!

— Eh bien, qu'est-ce!

— Mon oreille!...

— Eh bien, ton oreille?

— C'est pis que jamais.

— Dors, cela se passera.

— Je ne saurais. Ah! l'oreille! ah! l'oreille!

— L'oreille, l'oreille, cela est bien aisé à dire...

« Je ne vous dirai point ce qui se passait entre eux; mais la femme, après avoir répété l'oreille, l'oreille plusieurs fois de suite à voix basse et précipitée, finit par balbutier à syllabes interrompues l'o... reil... le, et à la suite de cette o...reil...le, je ne sais quoi, qui, joint au silence qui succéda, me fit imaginer que son mal d'oreille s'était apaisé d'une ou d'une autre façon, il n'importe : cela me fit plaisir. Et à elle donc! »

Baiser : faire l'amour

Tous les professeurs vous diront que *baiser*, autrefois, voulait dire seulement « donner un baiser », que c'était un mot extrêmement chaste, entièrement pudique, que l'on baisait les mains, les pieds, le front, à la rigueur les lèvres d'une personne aimée, mais c'est tout ! Au lycée ou au collège on prend soin d'écarter vigoureusement des textes classiques tous les joyeux quiproquos que les élèves rigolards ne manquent pas de faire sur les vers des auteurs sacrés.

C'est le sourcil froncé et la mine impatiente que le prof de français ramène le calme dans une classe de cinquième mise en turbulence par la réplique du jeune Thomas Diafoirus présenté à la ravissante Angélique qu'il doit épouser : « Baiserai-je, papa ? », demande-t-il à son père. Rires sous cape, gros éclats, on pouffe dans les cartables, selon l'âge, le sexe, et aussi la tête du prof, qui, un peu gêné, tapote son livre : « Tch ! tch ! tch !... Ne soyez pas sots ! » — Il, elle, explique, la gueule en coin, que Thomas demande niaisement (pourquoi, au fait ?) s'il doit « baiser la main » de la demoiselle pour lui dire bonjour.

Il est entendu de même, une fois pour toutes, qu'au XVIIe siècle, *faire l'amour avec quelqu'un* voulait dire très purement lui « faire la cour, être en commerce amoureux », cela en paroles musicales et éthérées, de préférence en douze pieds, avec des feux, des flammes et des soupirs pour attiser l'ensemble. Il est bien entendu que les grands vieux auteurs vénérables ignoraient tout des tournures salaces, et que ce sont nos vilains esprits, tout récemment corrompus, qui tirent le sublime au ras des pâquerettes.

Malheureusement, tout cela est entièrement faux !... Ou plus exactement si les mots en question avaient bien, aussi, les sens que je viens de dire dans la langue classique de bonne tenue, il y avait belle lurette, au moment où Corneille et Racine écrivaient, que *baiser* et *faire l'amour* avaient dans la conversation privée le sens que tout le monde connaît de coïter, forniquer, bref, avoir des rapports aussi sexuels qu'ils puissent être. — Que les élèves se rassurent, ils n'ont pas l'esprit plus mal tourné que les spectateurs du *Malade imaginaire,* lesquels éclataient bel et bien de rire en 1673 au « Baise-rai-je, papa ? », pour la même raison, la seule qui rende la réplique cocasse, la double entente que Molière soi-même y avait mise : baiser les mains, ou le reste ?

Les professeurs ne sont pas en cause; ils ne font que suivre par manque d'information la tradition de pudibonderie des grands lexicographes, et de l'Université à leur suite. Pas l'ombre d'un soupçon de grivoiserie chez Pierre Larousse à l'article *baiser,* aucun non plus chez le prude Littré, alors qu'à leur époque qui c'est marié par courait les rues dans les chansons paillardes (voir *A l'œil,* p. 231). Un siècle et demi avant eux Furetière était à cet égard plus honnête. Après les « je vous baise les mains », etc., bien que tenu par la bienséance, il avoue dans une phrase admirable : « On dit odieusement qu'une femme baise; pour dire qu'elle n'est pas chaste. »

Dans sa définition de faire l'amour il est un peu plus· sibyllin : « On dit qu'un jeune homme fait l'amour à une jeune fille quand il la cherche en mariage. On dit aussi odieusement, qu'il s'est marié par amour; c'est-à-dire désavantageusement & par l'emportement d'une aveugle passion. » Mais la vérité lui échappe ailleurs — il s'arrange pour la laisser échapper : « On dit aussi faire la bête à deux dos; pour dire faire l'amour. » — Or la vieille image de la « bête à deux dos » n'a jamais été synonyme de « courtiser » qui que ce soit avec de belles paroles ! (Voir p. 51.)

D'ailleurs Racine n'était pas encore né, ni Furetière, que *Les Caquets de l'accouchée,* en 1622, employaient « faire l'amour » sans l'ombre d'une ambiguïté : « [Elle]

49

me demanda laquelle des deux conditions je voudrais choisir, ou d'estre cocu, ou abstraint à ne jamais faire l'amour ! [...] — J'aimerois mieux que tous les laquais de la Cour courussent sur le ventre de ma femme que d'estre abstraint à ne point faire l'amour », répond l'autre.

En réalité *baiser,* coïter, est à l'origine un euphémisme de *foutre* — le terme exact — et remonte dans cet emploi au moins au xvᵉ siècle, sinon plus haut, comme l'indique ce passage du *Mystère du Vieil Testament :*

Je seroy là a me ayser*
Avec ma femme et la baiser !
Jamais, jamais ne le feroie !

au sens de jouir

Au xvⁱᵉ siècle il n'était déjà plus vraiment un euphémisme, ni dans ces vers de Marot :

Il me branloit et baisoit aussi bien
En homme vif comme vous pourriez faire,

ni dans ce passage de Rabelais, où Panurge, offrant les services de sa braguette à une belle bourgeoise de Paris, redouble le mot pour plus de précision : « O dieux et déesses célestes, que heureux sera celluy a qui ferez ceste grâce de vous accoller, de bayser bayser, et de frotter son lart avecques vous. Par Dieu, ce sera moy, je le voy bien : car desja vous me aymer tout plain » (*Pantagruel,* chap. 14).

Enfin, au début du xviiiᵉ siècle « baiser » avait acquis de très longue date le sens parfaitement cru que nous lui connaissons. Le fameux poète dijonnais Alexis Piron — l'auteur du mot célèbre sur l'Académie française : « Ils sont là quarante, qui ont de l'esprit comme quatre ! » — n'en faisait aucun mystère :

Chaud de boisson, certain docteur en droit,
Voulant un jour baiser sa chambrière,
Fourbit très bien d'abord le bon endroit.

Quant à *faire l'amour* il fut employé à son tour vers le milieu du xvⁱᵉ siècle comme un euphémisme de baiser, déjà trop leste. S'il faut en croire Marot, qui résume pertinemment la question, c'est sous l'influence

rigoriste des nouveaux calvinistes que la Cour châtia
son langage :

> Voilà, mon grand amy, ce qu'on sou-
> lait en Cours*
> De tous temps appeler foutre ou bai-
> ser sa mie,
> Mais de nos Huguenots, la simple
> modestie
> Nous apprend que ce n'est, sinon
> faire l'amour.

*ce qu'on avait l'ha-
bitude, à la Cour*

Fin d'une légende tenace sur le mauvais esprit des
écoliers !...

Faire la bête à deux dos

Parmi toutes les façons anciennes de désigner plus
ou moins gaillardement l'acte sexuel, la bête à deux dos
est certainement une des plus constantes. A peine un
euphémisme, qui évoque à mon avis, non pas tant la
bestialité de la chose qu'une idée d'« union » très
intime, et de bonne santé, et surtout la surprise de celui
qui par inadvertance découvre la scène, au coin d'un
bois ou au détour d'une haie vive !

Le Varlet à louer à tout faire du xv siècle s'annonce
ainsi :

> Je fais bien la bête à deux dos
> Quand je trouve compagne à point.

Au xvi siècle, Rabelais qui aime aussi l'idée de « frotter son lard », présente ainsi la lune de miel de Grantgouzier, père de Gargantua : « En son eage virile,
espousa Gargamelle, fille du roy des Parpaillos, belle
gouge et bonne troigne; et faisoient eulx deux souvent
ensemble la beste à deux douz, joieussement se frotans
leur lard, tant qu'elle engroissa d'un beau filz et le
porta jusques à l'unziesme mois » (*Gargantua,* chap. 3).

Au début du xvii siècle l'expression s'écrivait encore

couramment. Dans *Les Caquets de l'accouchée* deux maris trompés « entrèrent à l'hostellerie où se passaient les affaires, et d'une chambre proche, qu'une simple cloison séparoit de la leur, ils entendirent faire la feste à la façon de la bête à deux dos ».

Puis le siècle entra dans des voluptés plus chafouines : ce furent les feux, les flammes, les ardeurs, les cœurs saignants, la boucherie... On joua officiellement la passion de sainte nitouche. La bête à deux dos n'entra plus dans les salons, elle voyagea désormais dans les chemins creux. Plus tard Littré ne l'indique ni à bête ni à dos. Il cite cependant Coquillart : « Jehanne fait la bête à deux dos », sans aucun commentaire.

Il est intéressant de noter à cet égard que l'adjectif « gaulois » commença à s'employer au XVIIᵉ siècle pour qualifier, non les ancêtres moustachus, mais les mœurs jugées brutales et sans raffinement des générations qui précédaient. Louis XIV parlant de la langue de M. Régnier, mort en 1613, disait : « C'est du gaulois ! » — l'adjectif en vint à désigner de façon méprisante tout ce qui paraissait un peu leste et rappelait fâcheusement la franchise des anciens temps, et du XVIᵉ siècle en particulier... Cependant les « gauloiseries » proprement dites ne datent que du XIXᵉ siècle !

Dans la même série à tendance champêtre, on peut citer aussi **voir la feuille à l'envers,** appliquée surtout à une fille, sans doute à cause de la position de base :

Sitôt dans un doux badinage
Il la jeta sue le gazon,
Ne fais pas, dit-il, la sauvage,
Jouis de la belle saison...
Ne faut-il pas dans le bel âge
Voir un peu la feuille à l'envers ?

conte Rétif de La Bretonne.

Le Roman de Renart employait plus agressivement **fouler la vendange :**

Dame Hersant, comment qu'il proi-
gne,

52

je vos oi folé la vendange :
Ainz qu'isisiez* de ma prison   *avant que vous*
eüstes vos tel livraison.   *sortiez*

Et aussi **battre le velours** :
Hersant, dont vos vint cist corai-
ges?*   *idée, envie*
Certes, ce fu mout grant damaiges*   *dommage*
C'onques Renart, cil fel*, cil rous   *traître*
vos bati onques le velous.

Je citerai pour finir **jouer de l'épée à deux jambes** qui a réussi à induire Littré en erreur; cette épée-là est ostensiblement le pénis. Dans *Les Caquets* une dame fait allusion à un personnage, assez mauvais soldat, qui « scait mieux escrimer de l'épée à deux jambes que d'une picque ».

Faire le con

Dans la grande floraison du langage érotique de tous les temps, le sexe de la femme, comme celui de l'homme, a naturellement une place de choix. P. Guiraud donne une liste, non exhaustive, de 435 mots le désignant[1]. Du Moyen Age à nos jours le mot *con* constitue évidemment la base, le *vit* étant le pénis. Pour ceux qui croiraient que les anciens n'usaient que de miel et de métaphores, voici la description très technique de l'acte sexuel dans un fabliau du XIIIe siècle, *Boivin de Provins* :

[Boivin] l'estraint
De la pointe du vit la point;
El* con li met jusq'a la coille,   *dans le*
Dont li bat le cul et rooille*   *frappe*
Tant, ce m'est vis*, qu'il ot foutu.   *avis*

Parmi les innombrables substituts du con (du latin *connus*), terme générique, l'un d'eux a été privilégié

---

1. P. Guiraud, *Dictionnaire érotique*, Ed. Payot, 1978.

pendant des siècles : c'est le *connil*, ou *connin* (du latin *coniculum*), l'ancien nom du lapin — cela à la fois à cause du jeu de mots évident et par un rapprochement facile. Pendant tout le Moyen Age et jusqu'au xvie siècle, on disait le « connil » comme aujourd'hui la « chatte » — encore que le « chat » remonte dans ce sens également au xvie. Question de pelage. On disait couramment « chasser au connil » et même « conniller » tout simplement, offert ici par ces vers de Ronsard :

Japant à la porte fermée
De la chambre où ma mieux aymée
Me dorlottait entre ses bras,
Connillant de jour dans les draps.

C'est au point que dès le xve siècle le pauvre petit quadrupède avait un nom imprononçable, et qu'il fallut lui en trouver un autre. On l'appela « lapin », ce qui d'ailleurs lui allait bien. Néanmoins le connil, animal, avait eu le temps de léguer au connil, sexe, toute sa fâcheuse réputation de niaiserie, de lâcheté (Ha ! connil, tu as peur ?), voire de manque de cervelle — on disait « avoir une mémoire de connil », etc. Il semble bien qu'au travers de diminutifs tels que *connaud, coniche* ou *conart*, « pleutre et ballot », quelque chose de cette réputation lamentable soit passé sur le « con » moderne : le parfait imbécile, avec toutes ses variantes, grand, vieux, pauvre, etc.

Cela dit, si *faire le con* ne remonte guère qu'au siècle dernier, du moins dans ses traces écrites, l'idée, je dirai l'archétype de la chose, est vieille comme un chemin ! La notion apparaît avec tous ses détails dans une des branches du *Roman de Renart*, datant de la première moitié du xiiie siècle, où est également présenté de façon surprenante l'ancêtre du **roi des cons,** le « roi Connin », dont le métier consiste, en toute simplicité, à faire des cons !

Renart trouve le roi Connin occupé à sa tâche favorite, mais il juge que cet « imbécile » s'y prend on ne peut plus mal :

Li rois une beche tenoit,
qui d'autre mestier* ne servoit   *usage
que de cons feire seulement,
mais nais* fesoit ni bel ni gent   *ne les
que, quant la ploie avoit fandue
de la beche grant et molue*   *tranchante
si remenoit* hideuse et grant,   *demeurait
ne ja ne reclousit nul tens*   *ne se refermait
que demi aune a grant mesure   jamais
ne parut bien la fandeüre.
Renart mout s'en esmerveilla;
le roi Connin en apela,
demanda de cele overture,
qui si estoit laide et oscure,
por coi l'avoit faite si grant,
car onques mes* a son vivant   *jamais plus
n'avoit veü plaie sainz* fonz,   *sans
ni ne resanble mie cons.
  « Renart, ce respondi li rois,
n'iestes pas sages ni cortois,
qui blamez ce que toz li monz
sert et requiert a genoillons*;   *à genoux
ce est un cons que j'ai ci fait.
  — Sainte Marie, sont si laid
tuit li autre comme cist* est ?   *celui-ci
  — Oïl, si Diex santé me prest,
car tuit sont en un coing feru*   *frappé d'un même
et de ceste beche fandu. »   coin

Renart, souriant, propose alors au roi Connin d'améliorer son ouvrage. Il lui fait mettre un morceau de
« col de cerf » fraîchement écorché pour donner un peu
plus de chair, lui fait rajouter une « crest de coq
vermeille » dans la fente pour faire le « lendie ». Il
l'engage enfin à recouvrir le tout de poil de loup pour
faire la barbe. Les deux compères contemplent alors un
con parfait.

  Ici parfine* la chançon   *finit
  come Renart parfist le con.

55

On est en droit de se demander si ce « chef-d'œuvre du roi Connin » — c'est le titre du passage — n'est pas bâti comme un jeu « au pied de la lettre » sur une expression préexistante, qui aurait pu être avec un sens quelconque, sinon faire, du moins « parfaire le con » ?

Mettre la main au panier

Mettre la main au panier est une expression grivoise, euphémisme un peu rude de « mettre la main au cul » à une femme, dont les traces écrites sont relativement récentes — la fin du XIXe. Il est donc difficile de savoir si elle date, comme on le dit couramment, de l'époque où les femmes portaient des « paniers à baleines » autour de la taille pour faire gonfler leurs robes et leur donner les silhouettes que l'on voit sur les gravures du XVIIIe siècle.

Cependant, au cas où l'expression serait vraiment ancienne et aurait seulement échappé à la plume des chroniqueurs érotiques, on peut se demander si les robes à paniers de l'époque Louis XV ont réellement inspiré la métaphore, car « mettre la main au panier » est une façon de parler assez crue, dont il n'est pas certain du tout qu'elle ait pu naître dans les salons huppés où la mode avait cours. De plus elle signifie mettre la main au sexe, carrément, et non pas la glisser vaguement sous les jupes des dames...

Par contre, le « panier » est un des désignatifs du sexe de la femme depuis fort longtemps. Au XVIe siècle on disait déjà « avoir son panier percé » pour « perdre son pucelage ». Pourquoi cette image éloquente ? Bien sûr, je l'ai dit, le sexe peut engendrer n'importe quelle image... Cependant il faut voir que ce qui est aujourd'hui le *pénil*, le « mont de Vénus » — dit autrement la « touffe » — s'appelait dès l'ancienne langue le *poinil* ou *panil*. Mettre la main sur le panil d'une fille paraît un geste assez naturel dans les échanges amoureux de tous les temps. On trouve déjà le mot et la chose dans un fabliau du XIIIᵉ, *De la demoiselle qui ne pouvait ouïr parler de foutre*, où un galant faux naïf détaille l'anatomie de la belle en lui posant des questions hypocrites :

Cil sur le panil sa main met,
Sel senti creü et barbé.
Et qu'est ce ci, por amor Dé ?
Par foi, feit ele, c'est un bos˙   *bois*
Dont li mur sont tres bien enclos
De ma fonteine tot entour
N'i a autre mur n'autre tour.

Dans ce texte le mot panil est du reste employé au sens général de « con », lequel, un peu plus haut dans le récit, a le sens restreint de sphincter vaginal que la demoiselle appelle sa « fontaine ».

Le « panil » a-t-il pu donner le « panier » ? Ce n'est pas du tout invraisemblable; d'autant que la substitution a pu être aidée par l'image parallèle du *cabas*, « panier de jonc », courante dès le XVᵉ siècle. En effet le *cas* est un des désignatifs les plus courants du sexe à l'époque :

Son petit cas tout bellement
Le mieux que je peux, j'entretiens. (XVᵉ, *Théâtre*.)
(Ce mot qui signifie « trou » est le même que le *chas* d'une aiguille et c'est l'évolution de cette image qui a donné le *chat*, puis la « chatte » — voir ci-dessus.) *Le cabas* procède donc d'un jeu de mots traditionnel entre le « cas bas », le « trou bas », et le « cabas », panier.

Mettre la main au panil, au cabas, au panier ?... Il est plus que tentant d'y voir un seul et même héritage.

Prendre son pied

Il ne serait pas convenable de terminer un tel chapitre sans faire le point sur l'expression miracle des jouissances contemporaines, le mot de passe de toute une génération lève-tabou : prendre son pied!... Si le mot a littéralement explosé dans l'usage il y a une dizaine d'années parmi les groupes de jeunes, il est loin d'être une création récente... En fait il avait déjà une longue carrière derrière lui, mais au sens exclusif de « jouissance sexuelle ». L'expression déjà popularisée apparaît en 1936 dans *Mort à crédit* de L.-F. Céline : « Le râleux facteur l'a surprise un soir, derrière la chapelle, à l'extrémité du hameau, qui prenait joliment son pied avec Tatave, Jules et Julien ! »

Cependant sa circulation, attestée dès le début des années 1920, semble avoir été d'abord réduite à des communautés d'argotiers parisiens, du début du siècle, noctambules affirmés et clients plus ou moins réguliers des « maisons closes », lesquelles étant des points de rencontre privilégiés entre le « milieu » et le public, ont joué, tout au long de leur existence, le rôle de véritables centres de diffusion du langage souterrain.

C'est en effet dans le monde des truands que le pied, « jouissance », a pris naissance. Son étymologie est le « pied », ancienne mesure de 33 cm (voir *Vivre sur un grand pied*, p. 324) — et il désignait dès le XIXe siècle la « mesure », la part qui revient à chaque voleur dans le partage du butin. G. Esnault relève pour 1872 : « Mon pied, ou je casse ! » (Je dénonce.) Selon les mêmes sources, il entre aussi dans plusieurs locutions populaires : « J'en ai mon pied ! j'en ai assez, ou plus qu'assez (1878). Ça fait le pied, c'est juste (1894). Chacun pour son pied, chacun pour soi. »

On peut rapprocher également de ces divers sens l'expression du début du siècle *y a du pied* — c'est-à-dire des « bonnes choses », du « plaisir en perspective » — très en faveur dans les tranchées de la Première Guerre mondiale, et que Louis Forton prêtait à ses célèbres Pieds-Nickelés : « On voit tout d'suite que c'est un gonce au pognon, bonne affaire, les poteaux ! Du moment qu'il a du mastic dans les calots et qu'il prend Croquignol pour la fille à William Binette, y a du pied ! »

« *Prendre son pied* — dit P. Guiraud — c'est donc prendre sa part. Il semble bien qu'à l'origine l'expression s'applique à une femme. Elle se rattache peut-être à l'idée que la femme doit recevoir son dû (son *picotin*, sa *mesure d'avoine*). »

Ces origines purement lexicales étant établies, il n'en reste pas moins vrai que l'engouement actuel du « pied » se rattache pour le grand public à la vieille croyance que la jouissance sexuelle à son apogée s'accompagne d'un frémissement dans les pieds qui fait s'écarter les orteils. On dit aussi que certains, au moment de l'orgasme, empoignent leurs propres pieds ! Très ancienne pratique d'ailleurs que relevait déjà Aristophane chez ses contemporains !

La table

Courte messe et long dîner
Est la joie au chevalier.

Vieux proverbe.

Mettre la table

« Janyn, est nostre souper tout prest encore?

— Oïl, mon seigneur, alez vous seoir quant vous plaira. »

Fait le seigneur doncques et soi regarde tout environ (regarde autour de lui) et dit :

« Que dea [diable]! Encore est la table a mettre! » (XIVᵉ).

Les plaisanteries d'enfants cachent parfois des vérités premières. Lorsqu'on dit à un gosse de « mettre la table » et qu'il répond : « Où je la mets? », il joue sans le savoir sur des mots qui recouvraient autrefois une parfaite réalité. Au Moyen Age on la mettait véritablement, on la dressait à chaque repas, le plus souvent sur des tréteaux mobiles. Du reste le mot table, du latin *tabula*, signifie « planche » à l'origine.

Au fond cela se passait comme de nos jours à l'occasion de certains banquets, lorsque l'on installe des tables de fortune dans un jardin ou sous un hangar, chose qui se pratique encore couramment à la campagne pour une fête de famille. La raison n'est pas que nos ancêtres étaient incapables de construire des meubles durables — de vraies « tables » existaient d'ailleurs dans le même temps, de petite taille, sous le nom de *dais* — seulement les gens étaient toujours très nombreux à table, particulièrement dans les châteaux où cohabitaient plusieurs générations, souvent avec les branches collatérales des neveux, tantes, cousins et cousines, sans parler des hôtes de passage, toujours dignement accueillis avec leur suite, en ces temps où l'hospitalité était une loi, une obligation mais aussi une forme de divertissement.

Dans ces conditions, un meuble permanent, capable de loger trente convives ou davantage, aurait encombré inutilement en dehors des repas un espace qui, surtout dans les anciens châteaux forts, contrairement à ce que l'on imagine, était plutôt limité. Par beau temps, et si la compagnie était nombreuse, on faisait comme tout le monde : on mangeait dehors ! « Au jardin li rois eut mainte table dressée » (XIIIe).

En somme les grandes tables massives ne sont apparues dans les demeures seigneuriales que lorsque les étroits donjons eurent fait place aux vastes corps de logis des châteaux de plaisance. Et encore ! Si l'on en juge par la définition de Furetière, les vieilles habitudes n'avaient pas disparu à la fin du XVIIe siècle : « Table, se dit d'un meuble le plus souvent pliant et portatif, sur lequel on met les viandes pour prendre les repas... » D'ailleurs rien n'est jamais tout à fait perdu dans les mœurs : certaines familles nombreuses, logées à l'étroit — quelquefois dans des tours ! — perpétuent en ce moment même le vieux système des rallonges et des tables pliantes qui sont, littéralement, mises et ôtées deux fois par jour !

Car il fallait, bien sûr, les enlever après usage. Le cérémonial du repas était toujours le même : on commençait par se laver les mains — opération indispensable puisqu'on mangeait avec les doigts. Les valets apportaient un bassin d'eau chaude tout exprès, avec une « toille » pour s'essuyer. Le repas terminé on retirait les nappes, on démontait les tables et on se relavait les mains avant de se mettre à boire en jouant aux échecs ou aux dés, ou si la compagnie était belle, en écoutant quelqu'un chanter ou conter une histoire. On pouvait même se mettre à danser si on avait des musiciens sous la main.

Voici la fin d'un repas en 1316. Le comte de Bourges de passage chez un vassal demande à voir la très belle fille dont on vient de lui parler. — Ce n'est autre que la fille du comte d'Anjou qui se cache chez ce brave homme après s'être enfuie de chez elle, à la suite de cette fameuse partie d'échecs au cours de laquelle son papa, sur un coup de sang, lui a proposé de coucher avec elle ! (Voir p. 111.)

> Lors dit li quens* : Comment   *le comte*
>   qu'il aille
> Je veil* que l'on oste lez tablez   *veux*
> Et si* n'ai cure d'oïr fables,   *aussi*
> Ne* chançon, ne son de vïelle :   *ni*
> Je veil veoir celle pucelle
> Et que touz et toutes la voient
> Et que trestouz tesmoins en soient
> S'elle est si belle comme il dïent ».
> Li dui* varlet molt l'en mercïent;   *les deux*
> Lez napes lievent*, l'iaue donnent   *lèvent*
> Et li fourriers pas ne sermonnent :
> Lez tablez ont misez par terre[1].

Ce n'est pas malgré les apparences ce que l'on appelle « faire table rase ».

A titre d'exemple et de curiosité voici une soirée complète typique du XIIIe siècle, celle du *Chevalier qui fit les cons parler*, hébergé pour un soir dans un château :

> Li cuens et la contesse ansamble
> Alerent querre, se me semble,
> Lor oste qu'orent herbergié;
> ...
> Et la contesse por laver
> Print* par les mains le chevalier,   *prit*

1. Jehan Maillart, *Le Roman du comte d'Anjou*, 1316.

...
Et puis li cuens et les puceles,
Les dames et les damoiselles,
Lavent après et l'autre gent*   *les autres
De coi il y ot* planté grant**   *eut/**en abondance
por le chevalier conjoïr*   *fêter
...
Assez y ot planté de mes*   *mets
Desqueus en servi pres a pres*   *à la suite
De chars* fresches, de venoisons,   *chair
Et de pluseurs mes de poissons,
Et des noviaus vins et des viez*   *vieux
...
Puis fist on les nappes oster
Et por laver l'iaue aporter.
Li chevaliers tous primerains*   *d'abord
Avec la contesse ses mains
Lava et puis l'autre gent toute.
Et puis se burent an route*   *en bande
Et por l'amour dou chevalier
Se vont trestuit* apparillier   *tous
De faire karoles et dances,
Par molt tres noble contenances[1].

Entre la poire et le fromage

La poire a probablement été le fruit préféré de nos aïeux. A cause de son goût, bien sûr, de sa pulpe juteuse, qui a donné « la poire pour la soif ». Peut-être aussi parce que la saison en est longue et les variétés nombreuses, contrairement aux autres fruits de l'époque, succulents aussi, mais tellement éphémères ! Les poires les plus précoces étaient mûres en juillet, les plus tardives au début de l'hiver. Elle semble avoir été le

1. Jean Rychner, *Contribution à l'étude des fabliaux*, II, Droz, Genève, 1960.

symbole de l'exquise douceur : ne pas « promettre poires molles » voulait dire ne pas promettre un avenir tout rose, et lorsqu'il est question de partager une bonne chose avec quelqu'un, naturellement on **coupe la poire en deux.**

On mangeait les poires à la fin du repas, tout de suite avant le fromage, autre délice, qui le terminait. Cela ne paraît une bizarrerie qu'à première vue; c'était au contraire une habitude assez logique dans des menus où les légumes brillaient par leur absence, et où il semble, contrairement à une image répandue, que l'on buvait surtout après le repas, et non pendant. Au fond il était peut-être mal commode de manier la coupe ou le hanap avec les mains pleines de graisse! C'est sans doute le sens de ce vieux proverbe : « La table ôtée doit-on laver et boire. »

Bref, les derniers rôtis de volaille ou de gibier avalés, la poire arrivait pour rincer agréablement la bouche, rafraîchir le palais et changer le goût des victuailles. En somme elle jouait le rôle de la salade dans notre gastronomie. Voici un menu typique de 1228, extrait du *Guillaume de Dole* de Jean Renart :

Si˙ s'en vont en la sale arriere	ainsi
ou li soupers ert atornez˙	était préparé
mout biaus de vïandes assez :	
faons de let˙, porciax farsiz˙˙	de lait/porc
dont li ostex ert bien garniz,	
et bons conins˙, poulez lardez	lapins
(de ce estoit granz la plentez˙)	l'abondance
et poires et fromages viez˙	vieux

Les poires et le fromage (abondant au Moyen Age : on le faisait sécher au soleil pour le vieillir et le conserver) constituaient donc le dessert traditionnel de ces agapes et le régal des gourmets. Autre proverbe ancien :

Oncque˙ Dieu ne fist tel mariage	jamais
Comme de poires et de fromage.	

De ces usages il nous est resté l'expression familière « entre la poire et le fromage » : au moment où la panse pleine et le cœur réjoui on a le temps et l'envie de causer, voire de se laisser aller à la confidence. Au début du XVIIᵉ siècle un personnage de Sorel à qui on a demandé d'expliquer un rêve répond : « ... Nous en parlerons à souppé entre la poire et le fromage. »

Ne pas être dans son assiette

Naturellement on mangea très longtemps à même le plat commun posé sur la table. Cela jusqu'à une époque tout à fait récente dans les classes les plus pauvres de la société. L'assiette individuelle ne date que du début du XVIᵉ siècle, d'abord chez les grands, puis chez les bourgeois. Quant à la fourchette, qui existait déjà mais pour des emplois rares, elle fut mise en usage quelque temps plus tard à la cour d'Henri III et de ses mignons, dont on connaît le raffinement...

Son départ ainsi chez les homosexuels, ne fit d'ailleurs pas bonne impression et freina quelque peu son lancement. Un contemporain les trouvait grotesques, ces efféminés : « Premièrement, ils ne touchaient jamais la viande avec les mains, mais avec des fourchettes, ils la portaient jusque dans leur bouche, en allongeant le col et le corps sur leur assiette » (*L'Isle des Hermaphrodites*). Comique et dégoûtant !... Outre la difficulté qu'il y a à se servir d'un tel instrument, ce parrainage ne lui donna pas bonne réputation et la fourchette eut du mal, si j'ose dire, à s'implanter. On lui préféra longtemps celle du « père Adam » !

Donc, avant d'être cette « vaisselle plate » dans laquelle on sert la nourriture, *assiette* signifiait seulement « position, manière d'être posé ». « Ce malade ne peut tenir longtemps dans la même assiette », dit Littré qui n'était pas anthropophage. C'est là le sens propre et ancien du terme, dérivé du même mot latin que « asseoir » et « assise », celui que l'on emploie encore lorsqu'on parle de la « bonne assiette d'un cavalier sur sa selle » — ou d'un pilote qui corrige l'« assiette de son avion » — sa position horizontale. Le mot désignait dans le même esprit la situation, l'emplacement d'un bâtiment ou d'une place forte : « Ma maison est telle qu'on ne la peut forcer sans canon; elle est très avantageuse d'assiette et bien flanquée » (Cyrano de Bergerac).

En matière de repas l'assiette désigna donc d'abord la position des convives autour d'une table. Au XIVe siècle : « Deux maistres d'hostel pour faire laver, et ordonner l'assiette des personnes » (leur place). Par extension on appela ainsi le service qu'ils avaient devant eux, et enfin le petit plat d'argent, d'étain, de porcelaine, qui remplaça chez les riches la vieille écuelle à potage.

Mais les deux acceptions du terme coexistèrent, avec aussi le sens figuré de « disposition, état d'esprit ». « Garde au sein du tumulte une assiette tranquille », conseille Boileau, tandis que La Bruyère fait cette constatation blasée : « Les hommes commencent par l'amour, finissent par l'ambition, et ne trouvent une assiette plus tranquille que lorsqu'ils meurent. » C'est de cette disposition qu'il s'agit lorsque nous ne sommes pas « dans notre assiette » dans notre meilleure forme.

Pourtant, à mesure que se répandait la faïence et la porcelaine, la confrontation des mots finissait par produire des effets cocasses. Par exemple dans cette phrase de Massillon, un prédicateur du XVIIIe, qui dans un éloge funèbre rend hommage à la sérénité du disparu : « Jamais un de ces moments de vivacité qui ait pu marquer que sa grande âme était sortie de son assiette... » Ça aurait fini par faire des salades, il était temps qu'un des deux sens se retirât. Ce fut la vaisselle qui l'emporta.

Mettre le couvert

Si l'on ne met plus la table au sens littéral, ou rarement, on continue bien sûr à mettre le couvert. Pourquoi ce mot banal pour désigner une assiette, un verre, un couteau et une fourchette? A tous seigneurs tous honneurs : ce furent d'abord les rois et les princes que l'on servit individuellement à table et qui eurent, de ce fait, droit à un récipient personnel.

Mais le pouvoir ne va pas sans changer! Si nos dirigeants se font aujourd'hui accompagner de barbouzes et se gardent des explosifs et des tireurs d'élite, les puissants de jadis ne devaient pas moins s'entourer de sages précautions, quelquefois même à l'égard de leur propre famille. Les monarchies héréditaires ont ceci d'assommant qu'on ne peut compter sur aucune élection prochaine pour s'asseoir un jour sur un trône. Ça pousse au crime, forcément. Dans les temps anciens et sous toutes les latitudes le poison a constitué une arme de choix des candidats monarques et de leurs hommes de main.

Donc, pour éviter toute déconvenue, et de crainte qu'une main, toujours scélérate, n'aille saupoudrer d'arsenic les excellentes viandes portées à la table du roi, ou qu'on ne verse quelques gouttes, toujours fatales, entre la cuisine et la salle à manger, on couvrait soigneusement les plats et les breuvages. On servait « à couvert », et dans les cas où la confiance régnait encore moins on allait jusqu'à goûter devant le prince les morceaux qu'il portait à sa royale mâchoire — on « faisait un essai ». « Quand madame la duchesse mangeait là où monsieur le Dauphin était, l'on ne la servait point à couvert, et ne faisait on pas d'essai devant elle, mais [elle] buvait en sa coupe sans couvrir », dit un chroniqueur du XVIe siècle.

C'est de ce « couvert », au sens propre, que nous est venu de proche en proche par une imitation assez ridicule — mais, je le rappelle, à l'intérieur d'une population francisante extrêmement réduite — le modeste attirail avec lequel nous prenons nos repas.

En toute sécurité?... Ce n'est pas certain si l'on songe aux engrais, hormones, et autres colorants que l'on nous fait engloutir insidieusement. Ironie des mots et de l'histoire : à l'honneur qui nous est fait de nous servir tous d'une assiette s'ajoute désormais la crainte grandissante de nous empoisonner avec ce que nous mettons dedans !

Faire un pique-nique

L'idée de manger dehors, sur un coin d'herbe ou de mousse, est loin d'être nouvelle. Ça a même été le lot des paysans jusqu'à ce que l'automobile permette partout de rentrer des champs à midi, cependant que, pour le plaisir, les gens ont toujours aimé les parties de campagne, étaler les serviettes et vider les paniers en folâtrant sur l'herbette par un beau dimanche d'été. Le Moyen Age pratiquait déjà les « déjeuners sur l'herbe », dans des cadres tout à fait romantiques, emplis du chant des petits oiseaux.

Pourtant ce n'est pas de ces fêtes en plein air qu'est venue la notion de pique-nique, pas plus que le mot. Littré en donne une définition exacte, bien qu'il se trompe sur son origine : « Repas de plaisir où chacun paie son écot, et qui se fait soit en payant sa quote-part d'une dépense de plaisir, soit en apportant chacun son plat dans la maison où l'on se réunit. »

En effet les premiers pique-niques, qui en ce sens remontent vraisemblablement à la toute fin du xviiᵉ siècle, se faisaient aussi bien au jardin que chez un particulier, et même à l'auberge ! « Il y a quelque temps que M. Foulquier m'engagea contre mon usage à aller avec ma femme dîner, en manière de pique-nique, avec lui et M. Benoît chez la dame Vacassin, restauratrice, laquelle et ses deux filles dînèrent aussi avec nous » (J.-J. Rousseau, *Les Rêveries...*).

Littré fait venir le mot de l'anglais *pick* et *nick*, et il ajoute : « Cette étymologie dispense de toutes les étymologies qui ont été faites. » C'est une erreur d'autant plus évidente que l'anglais *picnic* est postérieur d'un demi-siècle au mot français dont il n'est que la traduction littérale — où plutôt une adaptation son pour son. Le dictionnaire de Bloch & Wartburg donne la première attestation de pique-nique en 1694, avec cette explication : « Composé du verbe *piquer* au sens de "picorer " (cf. *piquer les tables* "vivre en parasite ", aux XVIIᵉ et XVIIIᵉ siècles), et de *nique* "chose sans valeur, moquerie ", formation favorisée par la rime. » Ce sens de « piquer » explique également l'existence du **pique-assiette.** D'autre part « aller à la pique », mendier en usant d'artifices, était une expression de l'argot des mendiants dès 1798. Un « piqueur », au sens de chapardeur, a d'abord été un « mendiant éhonté » (G. Esnault).

J'ajouterai que cette façon d'apporter « chacun son plat » (ou sa bouteille), qui est à l'origine des pique-niques, est la même qui naguère a donné naissance aux premières **surprises-parties.** Ce qui éclaire le sens de ce mot, vraisemblablement influencé par l'anglais *party*, mais inventé pendant ou après la guerre, à l'époque des restrictions et des cartes alimentaires, où l'arrivée d'un jambon ou d'une boîte de pâté dans les bagages d'un invité créait véritablement la « surprise » !

LES GRANDES BOUFFES

Qu'on le veuille ou non, le verbe « bouffer » est devenu dans le langage familier quotidien le synonyme usuel de « manger ». Il est en train de perdre totalement dans les jeunes générations le côté légèrement agressif qu'il avait conservé chez ceux qui l'employaient il y a quelques années avec une pointe de provocation. Il est devenu aussi naturel que les pantalons pour tout le monde et les cheveux longs. En 1973 le film de Marco Ferreri *La Grande Bouffe* (dialogues de Francis Blanche) a sans doute aidé à cette banalisation du mot chez les adultes, alors que « manger » tend à devenir un terme plus général et en quelque sorte plus abstrait.

Bouffer supplante peu à peu dans l'usage courant des verbes tels que déjeuner, dîner, souper, peut-être parce que les repas en question, outre qu'ils se réfèrent à une organisation familiale souvent mal supportée par les jeunes, ne se distinguent plus pour beaucoup de gens par un caractère bien défini, et n'ont plus un horaire très strict. On bouffe à n'importe quelle heure, c'est ça la liberté... On se fait même des petites bouffes, gentiment, entre soi, pour le plaisir.

Le mot a d'abord voulu dire, dès le XIIe siècle, « souffler en gonflant les joues ». De là son développement d'une part en « gonfler » — un tissu bouffant (suivi en cela par sa variante bouffir : un visage bouffi) — d'autre part en expression de la colère ou de la mauvaise humeur : « Li rois l'entent, boufe et soupire » (XIIIe). Sens que son homologue occitan *bufar*, « souffler », a toujours conservé : *Que bufes?* Parce qu'un homme contrarié souffle bruyamment, comme aussi un taureau prêt à charger.

« Le sens de "manger gloutonnement " est attesté indirectement dès le XVIe siècle par *bouffeur* et plus tôt par *bouffard* » (Bloch & Wartburg), ce qui rend inexacte la remarque de Littré : « Le langage populaire confond *bouffer* avec *bâfrer*. » Il ne confond rien, mais il est possible qu'il y ait eu à l'origine une attraction entre les deux mots, la forme ancienne de bâfrer étant « baufrer ». « Et après, grand chère à force vinaigre. Au diable l'ung, qui se faignoit ! C'estoit triumphe de les veoir bauffrer » (Rabelais). Cela dit la constatation de Littré doit avoir du vrai pour le passage de « souffler » à « manger gloutonnement » : « il bouffe bien; sans doute à cause de la rondeur des joues, quand la bouche est pleine. Mais ce n'en est pas moins une locution rejetée par le bon usage », ajoutait-il prudemment.

Les usages changent. Bouffer, manger? Peu importe! Manger vient lui-même d'une plaisanterie en latin, *manducare* qui voulait dire « jouer des mandibules ». L'essentiel, n'est-ce pas, est d'avoir quelque chose à se mettre sous la dent!

Bouffer des briques

C'est pourtant lourd les briques, ça devrait tenir l'estomac! Pourquoi cette expression pour dire qu'on n'a rien à manger? C'est qu'il s'agit d'une erreur d'interprétation : ces briques-là ne sont pas des matériaux de construction mais des miettes, des fragments, des riens du tout... Le mot est « emprunté au moyen néerlandais *bricke* (qui signifie "morceau ") mot de la famille de l'allemand *brechen* " briser " » (Bloch & Wartburg). P. Guiraud explique : « brique, "miette " est un des nombreux auxiliaires de la négation, qui survivent dans les dialectes; on dit dans le Nord : ne... brique, "ne... pas "; et par conséquent "il ne mange brique "; ce qui est devenu avec l'ellipse de *ne* propre à la langue populaire "manger brique " et *bouffer des briques*[1]. »

Bouffer des fragments... Autant dire des clopinettes!

Faire bonne chère

Contrairement à ce qu'on pourrait croire cette locution gourmande et enjouée n'a aucun rapport avec la « chair »; ce n'est pas de bonne viande qu'il s'agit.

La « chère », anciennement « chière », mot oublié, vient du latin *cara* et signifie tout bonnement le visage. Au XIIe siècle on appelle le comte Roland : « li cons Rollant o la chière hardie », ce qui est normal pour un guerrier aussi réputé. Dans le *Roman de la Rose*, Tristesse, dans sa grande douleur, s'est griffée le visage :

Mout sembloit bien estre dolente
car el n'avoit pas esté lente
d'esgratiner tote sa chiere.

1. P. Guiraud, *Les Locutions françaises, op. cit.*

Faire bonne chère c'est donc d'abord faire bon visage, généralement en signe d'amitié. Dans les *XV Joies de mariage,* cet écrit extrêmement misogyne du début du xve, il est dit que « femme bien aprise sait mil manières toutes nouvelles de faire bonne chière à qui elle veut ». Il est vrai qu'elle sait aussi faire l'inverse à son mari : « Mais elle se lèvera bien matin et fera tout le jour malle chière, si qu'il ne aura d'elle nulle belle parole » — autrement dit on n'invente rien, c'est la vieille façon de « faire la gueule » !

Naturellement, si l'on reçoit quelqu'un avec joie cela se voit sur la figure — cela se voyait d'autant mieux à des époques où la mimique et la gesticulation étaient beaucoup plus importantes que de nos jours, où une véritable « expression corporelle » entrait en jeu dans la communication entre les gens. Rapidement « bonne chière » est devenu synonyme de « bon accueil ». Eternel féminin ! L'auteur des *XV Joies* s'indigne de la rouerie mise en œuvre au retour d'un mari que l'on vient de tromper : « Il n'est pas à croire que la femme qui tant lui fait bonne chière et le baise et accolle si doucement et l'appelle "mon amy " pust jamés faire telle chose. »

Mais rien de tel qu'un estomac plein pour dérider son homme ! Il semble que la mine réjouie ait été associée très tôt à l'idée de bon repas. On lit dans le *Jeu de Robin et Marion*, vers 1285 :

Or faisons trestout bele kiere.
Tien che morcel, biaus amis dous.

(Faisons maintenant belle chère. Prends ce morceau, beau ami doux.) On trouve également vers la même date l'expression *chère lie*, qui veut dire la même chose et a évolué de la même façon : lie, féminin de lié, signifie joyeux — il a donné *liesse* et la locution moins courante **faire chère lie.**

Chascun trueve quanqu'il demande,
Pain, vin, char et toute viande,
Car la vile estoie bien garnie;

Si en prennent a chiere lie.
Assez ont mengié et beü
Des biens tant con˙ leur a pleü.   *comme*
                    Le Roman du comte d'Anjou.

En tout cas, dès les premières années du xvᵉ siècle la
« bonne chière » avait aussi pris le sens de bon repas. Il
est vrai que c'était en pleine guerre de Cent Ans, de ses
ravages, de ses disettes, et qu'à des périodes où les gens
souffrent de faim chronique il n'est rien de tel pour
voir leur visage s'éclairer, leur œil pétiller et leur sourire se fendre jusqu'aux oreilles, que de leur présenter
un petit gueuleton ! Dans l'ouvrage antimatrimonial cité
plus haut les deux sens coexistent harmonieusement
lorsque l'on reçoit le « gentil galant » à qui on veut
perfidement faire épouser une donzelle : « Il a très
bonne chière [accueil], car toutes ont tendu leurs engins
[pièges] à le prendre. Ils vont dîner et font bonne chière
[repas]. » Un demi-siècle plus tard Villon retient surtout
le sens gastronomique :
Car il ne voulait que repaître
Et alla tout incontinent
Faire grant chère avec le prêtre.

Pourtant les deux acceptions ont vécu côte à côte
joyeusement jusqu'au xviiᵉ où Mme de Sévigné emploie
une fois : « Il me sait si bon gré de vous avoir mise au
monde, qu'il ne sait quelle chère [visage] me faire » ; une
autre fois : « Elle me disait hier à table qu'en Basse-Bre-
tagne on faisait une chère admirable. »

Quant à Scarron, hébergé par des amis près de Bour-
bon-L'Archambault, il ne pensait qu'à la bouffe :
Un mois durant, je fus traicté
Comme si leurs fils j'eusse esté ;
Certes, si par la bonne chere
On peut soulager sa misere,
Je mangeois là comme un vray loup
Et m'y remplissois jusqu'au cou.

S'en mettre plein la lampe

Cette expression très claire en apparence — la lampe, on la remplit aussi, pour qu'elle éclaire, et inversement il vient un moment, hélas! dans notre brève existence, où « il n'y a plus d'huile dans la lampe » — est probablement le résultat soit d'un jeu de mots, soit d'une méprise. En effet il existe un ancien mot « lampas » qui signifie la gorge, le gosier; il nous en reste une « lampée », une grosse gorgée. On disait autrefois « humecter le lampas ». Littré donne le mot pour « vieilli et populaire » à son époque, mais aussi cette citation de La Fontaine :

    ... Ah! ah! sire Grégoire,
Vous avez soif! je crois qu'en vos repas
Vous humectez volontiers le lampas.

Il a donc dû se produire quelque part un glissement du lampas vers la lampe!

A gogo

Dès le XVe siècle on trouve la curieuse locution dans ces vers de Charles d'Orléans :

    Mieux aimassent à gogo
    Gésirs sur mols coussinets.

Gracieux, non?... Cela suggère une idée d'aise et de bon temps pris, qui est présente aussi chez Scarron, lequel contemple une très jolie fille :

    Mais je vis bien à gogo, comme on dit,
    Celle de qui tant de rumeur on fit
    Quand elle fut des filles de la Reyne...

« A gogo, se dit des choses plaisantes & agréables qu'on a en abondance — dit Furetière. Les gens riches vivent à gogo. Il a de l'argent à gogo, tout son soûl. Ce mot est bas... »

Gogo est une altération par redoublement de *gogue*,

qui signifiait « plaisanterie, divertissement » — il a donné « goguenard ». « Et ne disoit jamais une parole, puisqu'il estoit en gogues, qu'elle n'apportast avec elle son ris [rire] » (Louis XI). « Etre dans les gogues » c'est être dans la joie, la bonne humeur et le plaisir — autrement dit : **être en goguette,** son diminutif naturel. « J'ai appointé un poussin et une belle pièce de mouton dont nous ferons goguettes » (le même Louis XI).

Que dire en tout cas de ces alexandrins qui ont l'air de sortir d'une pièce de Boulevard contemporaine, et qui sont pourtant du très classique Thomas Corneille, petit frère de l'auteur du *Cid* :

Ne parlons que de joie, et jusqu'au conjugo
Laissez-moi, s'il vous plaît, m'en donner à gogo.

Une franche lippée

La lippe, c'est la lèvre. On dit « faire la lippe » pour faire la moue, et on parle d'une bouche lippue, qui a des grosses lèvres. Une lippée... eh bien c'est « ce qu'on peut prendre avec la lippe ». Une « franche lippée » — franc ayant le sens de « exempt de charge », comme dans « franc de port » ou « franchise postale » — est un repas gratuit. « Un chercheur de franches lippées; pour dire un écornifleur, qui cherche des repas qui ne coûtent rien », explique Furetière.

Scarron, qui a toujours une vision des choses un peu plus directe que celle des grands saxophonistes de son siècle, commente ainsi le chagrin de Ninon de Lenclos, sa voisine, à l'enterrement de sa mère :

Combien de pleurs la pauvre Jouvencelle
A respandus, quand sa mère, sans elle,
Cierges bruslans et portans escussons,
Prestres chantans leurs funebres chansons,
Voulut aller, de linge enveloppée,
Servir aux vers d'une franche lippée.

Faire la bombe

Depuis qu'une certaine bombe mit l'énorme point final que l'on sait aux hostilités de 39-45, la joyeuse expression « faire la bombe » semble avoir pris comme un coup de vieux chez les fêtards... La bombe, aujourd'hui, ce sont les grandes puissances qui la font. Pourtant, du temps où les bombes n'avaient pas encore d'alphabet, pas de champignons, pas de billes, la locution a eu ses jours de gloire, et aussi ses nuits.

Faire la bombe s'est greffé au siècle dernier, par jeu et par interaction, sur le vieux **faire bombance,** témoin de ripailles et de beuveries. Ce qui est curieux c'est que le mot « bombance » avait lui-même autrefois subi l'influence de bombe. L'ancienne forme était *bobance*, féminin de *bobant* qui signifiait jactance, « parole forte et orgueilleuse ». « Li cris enforce car fort est li bobans [jactance] », dit un texte du XIIe siècle où l'on trouve également « l'orgoil, le pris et la bobance, E la tres sorfaite arrogance Del siecle ». Au XIIIe un mari furieux du *Roman de la Rose* se lamente de la frivolité de sa femme :

Chascun set bien que vos mantez.
Por moi! Las douleureus, por moi! [...]
Por moi menez tel rigolage!
Por moi menez vos tel bobant!
Qui cuidez vos aler lobant?

(Qui croyez-vous être en train de tromper?) Ce bobant est peut-être aussi — ce n'est pas prouvé — l'ancêtre de nos « bobards ».

Puis, au XVe siècle, avec l'intervention de la « bombarde » et peut-être de la poudre à canon, le mot commença à s'altérer en bombant et bombance, toujours avec son sens de propos tonitruant et de fanfaronnade. Plus tard Ronsard hésite encore sur le mot : « Ne crains-tu point, gourmand, qu'après telle boubance. Ta main ne soit en si grande indigence... » — mais le sens de festin est en route.

Au début du XVIIᵉ bombance a gardé quelque chose de l'orgueil de son origine. Dans *Les Caquets de l'accouchée* (1622) il est employé dans le sens de « vaniteuse prétention » par les femmes qui se plaignent de la cherté des temps, au point que « l'on a tant de peine à marier les filles et pourvoir les garçons ». « Ce qui est cause en partie de ce désordre — dit l'une d'elles — je recognois que ce sont les bombances d'aucuns : car, moy qui suis marchande, je le cognais à la vente. » Cinquante ans plus tard La Fontaine ne retient que la fête :

... maints rats assemblés

Faisaient, aux frais de l'hôte, une entière bombance.

Faire la bombe, une bombe à tout casser, c'est donc comme un superlatif : la bombance éclatée, les cris, les éclats des bouchons de champagne sautant au plafond dans les rires et le vacarme des fins de banquet.

Sabler le champagne

Ce vieux Crésus, en sablant le champagne
Gémit des maux que souffre la campagne

dit Voltaire, ironiquement. A propos, pourquoi ce curieux « sablage » ? On n'a nullement l'impression en portant sa coupe aux lèvres de se livrer à une opération technique particulière...

On emploie cette expression depuis le début du XVIIIᵉ siècle. Elle signifie simplement avaler d'un trait le contenu de son verre, autrement dit faire « cul-sec ». L'explication traditionnelle veut que l'on compare ainsi le vin pétillant à un métal en fusion que l'on coule en une fois dans un moule de sable, opération qui s'appelle proprement *sabler*.

J'aime assez toutefois cette tradition des buveurs du XVIIIᵉ que rapporte Littré, selon laquelle on saupoudrait préalablement de sucre fin la flûte à champagne après l'avoir embuée d'un souffle. Cela faisait, paraît-il, mousser le vin davantage. Il fallait l'avaler d'un seul trait. Il est à noter que les deux explications ne s'excluent nullement et que l'on peut aisément vérifier l'exactitude de la seconde...

Beaucoup moins courante est l'expression **sabrer le champagne,** parce qu'elle se réfère à une pratique apparemment peu connue, quoique joliment spectaculaire. En effet au lieu d'installer un suspense douteux avec le fameux bouchon en forme de cèpe qui n'en finit pas de se décoller, il existe une méthode originale de débouchage pour gens pressés. Il suffit de décrocher tranquillement un sabre de cavalerie, d'en poser la lame bien à plat sur le fil de la bouteille et de la faire glisser d'un vigoureux coup de poignet. L'extrémité du goulot casse net, emportant collerette, fil de fer et bouchon !... Il ne reste plus qu'à sabler vivement.

J'ignore d'où vient exactement ce geste de cosaque. Je croirais volontiers qu'il est né spontanément dans les caves crayeuses de Champagne au cours des célèbres pillages qui ont accompagné les diverses invasions de cette partie de la France. 1815 ? 1870 ? 1914 ?... On a le choix.

En tout cas le champagne doit être frais. Et si par hasard vous n'aviez pas un sabre sous la main lors de votre prochaine célébration, sachez qu'un fort couteau de cuisine fera parfaitement l'affaire !

A tire-larigot

Notre société de consommation ne saurait se priver, au moins pour quelque temps encore, d'une telle expression. Elle s'appliquait autrefois uniquement à la boisson. Comme dans Rabelais : « Et pour l'apaiser lui donnèrent à boire à tire larigot. »

Son origine est obscure et controversée (voir à ce sujet l'histoire de la cloche de Rouen ainsi que l'article de Furetière. p. 13). Parmi les choses certaines on sait que « à tire » dans l'ancienne langue signifiait « sans arrêt, d'un seul coup » : « Vingt et quatre ans trestout a tire » (Chr. de Troyes). « Boire à tire » pourrait donc être, à la rigueur : vider une succession de gobelets... Mais larigot ?.

Le mot désigne une sorte de flûte rustique, ou flageolet, dont le sens demeure dans le registre des orgues : le jeu de larigot. Il apparaît dans le refrain d'une chanson de Christine de Pizan en 1403 :

Larigot va, larigot
Mari, tu n'aimes mie.

Ronsard l'emploie dans des vers célèbres au sujet de Margot

Qui fait sauter ses bœufs au son du larigot.

Certains ont pensé qu'un tire-larigot était le flûtiste lui-même et que boire comme lui n'était pas une mince affaire, d'autant que les joueurs de flûte ont depuis l'Antiquité une solide réputation de soiffards, comme c'est le cas pour tous ceux qui usent beaucoup de salive. Cette acception pourrait trouver appui dans l'alternative « *en* tire-larigot » : « Il humait du pyot [vin] en tire-larigot » (xvᵉ), que l'on peut rapprocher de « flûter », ou « flûter pour le bourgeois » qui veut dire aussi : boire comme un trou.

Ce qui est sûr en tout cas c'est que ce petit instrument a aussi donné lieu à des tas de sous-entendus paillards, comme d'ailleurs la flûte en général, et de nos jours la clarinette; par exemple dans les *XV Joies* « quant vient la nuit, le gallant s'en vient », et qu'il se couche auprès de la « pouvre famme seule », eh bien... « Ils accordent leur chalumeaulx et entreprennent de leur donner de bon temps ». C'est le « sens un peu trop libre » dont parle Furetière à propos du vers de Saint-Amant : « Danser le double branle au son du larigot. »

Il n'y a pas que Saint-Amant. C'est de ce point de vue grivois qu'il faut lire ces vers du xvᵉ siècle du *Varlet à louer à tout faire,* lequel, entre autres choses, sait bien faire « la bête à deux dos/Quant [il] trouve compagne à point » :

> Puis je sonne la cornemuse
> Avec le petit larigot,
> Afin de réveiller Margot
> Quand elle est par trop endormie.

Au cas où il faudrait mettre les points sur les « i », je signale que la « cornemuse » a un sac, elle aussi, une poche; et que « réveiller Margot » veut dire réveiller ses sens, la faire s'agiter, car il était trouvé regrettable à l'époque qu'une femme ne participe pas activement à l'acte sexuel et laisse le bonhomme se fatiguer tout seul — « par trop endormie » — ce n'étaient pas des bonnes manières.

Les anciens aimaient beaucoup les doubles sens, les métaphores paillardes, les jeux de mots, les parodies. C'est un trait banal de l'ancienne littérature. Je me demande si le curieux refrain de Christine de Pizan n'est pas de cette eau-là... Qu'est-ce que ça veut dire au juste : « Larigot va, larigot/Mari, tu n'aimes mie » ? Et même pour la Margot de Ronsard : quels sont ces « bœufs » bizarres qui sautent aussi gaillardement ? Une « paire » de bœufs ou une paire de fesses ?...

Il y a peut-être dans la formation de « à tire » ou « en tire-larigot » — au XIVe siècle, avant que le mot soit attesté ? — des restes de gauloiserie qui nous échappent. Pourquoi avoir fait un sort, si tel est le cas, au joueur de cette petite flûte agreste qui n'est même pas un instrument de musique important, plutôt une sorte de sifflet, au point d'en faire une spécialité ? Pourquoi pas aussi un tire-aveine, un tire-pipeau ?... A cause de la gaieté du mot lui-même, sans doute. Mais peut-être aussi à cause d'un jeu de mots entre le musicien au gosier sec et le joueur de flûte en braguette ! On tire le larigot comme on tire l'épée ?... Ça donne encore plus soif ?...

Ma foi je n'en sais rien, et je lève mon verre à la santé de Sherlock Holmes !

Porter un toste

Boire à la santé du voisin est sans doute la plus ancienne forme de Sécurité sociale! Selon Rabelais c'est le géant Gabara, ancêtre de Gargantua, qui fut le premier inventeur de la coutume. En réalité, les Grecs présentaient déjà la coupe à leurs amis en disant : « Voici pour toi! » — probablement par imitation et parodie des offrandes sacrées à leurs dieux. Les Romains épelaient galamment le nom de leur maîtresse en avalant d'un trait à chaque lettre un verre rempli à ras bord.

Ces professionnels de l'orgie récitaient aussi une curieuse formule : *Bene vos, bene nos, bene te, bene me, bene nostrum etiam Stephanium,* que cite Plaute et que je transcris non pas pour faire savant, mais parce qu'elle doit être à l'origine de notre « A la bonne vôtre » *(Bene vos),* et sans doute aussi par le canal des anciens collèges classiques et la rime aidant, du familier et néanmoins surprenant : « **A la tienne Etienne,** à la tienne mon vieux! » *(Stephanium).* Je ne serais pas surpris qu'elle ait aidé à fournir également par les mêmes beuveries interposées le fameux petit jeu mimé, dérision de la sainte messe : « Au frontibus, au nasibus, au mentibus, et à la bouche, et glou, et glou... » *ad libitum,* qui force les culs secs des fins de goguette!

Quant au toste, qu'il est bien inutile d'écrire « toast », il nous vient d'Angleterre après emprunt au français. Le mot désigne avant tout une rôtie de pain et il n'est que l'adaptation britannique de notre vieux mot *tostée* qui signifie la même chose : une tranche de pain grillée que l'on mangeait en buvant. « Fais sevir ma dame de tostées à l'hypocras blanc », dit un texte du XVe siècle. Mais ce sont les Anglais qui ont transmis le plus longtemps cette habitude du Moyen Age de « pain trempé dans du vin », au moins dans la bonne société car elle s'est aussi conservée ici et là dans les campagnes.

Toujours est-il qu'au XVIIᵉ siècle, quand les Britanniques portaient la santé à une dame, la chope qui passait de convive en convive contenait effectivement un morceau de pain grillé, devenu le symbole de la dame elle-même. L'auteur du vœu la mangeait en dernier ressort !... Le mot, sinon l'usage, fut importé par les visiteurs français au XVIIIᵉ siècle. Voltaire, après son séjour, explique : « Les Anglais, qui se sont piqués de renouveler plusieurs coutumes de l'Antiquité, boivent à l'honneur des dames : c'est ce qu'ils appellent toster; et c'est parmi eux un grand sujet de dispute si une femme est tostable ou non, si elle est digne qu'on la toste. »

C'est toujours une grosse question !

LA CUISINE

La cuisine d'un restaurant a toujours un petit air magique avec ces commandes que l'on y transmet par le canal du passe-plat :

« Une escalope et un tournedos !

— Ça marche ! crie une voix implacable.

— Faites marcher la suite du trois !

— Elle marche !... »

Tout marche là-bas derrière ! On imagine une déambulation fabuleuse de steaks saignants, de soles meunières, de langues de bœuf qui évoluent précipitamment sous la baguette de celui qu'on nomme respectueusement le Chef. On le voit, cet homme en blanc et en toque, découvrir d'énormes fait-tout, brandir des louches géantes, saisir en maître la queue de vastes poêles... Un maître queux, précisément !...

Un maître queux

On croit donc communément que c'est là la cause de cette appellation flatteuse, orthographe mise à part : le maître des queues. Eh bien non. *Queux* est l'ancien nom désignant le cuisinier, dérivé tout droit du latin *coquus*, de *qoquere* : cuire. Il est de la même famille que le *coq*, non pas la volaille, mais le cuisinier sur un navire.

> Li keu firent la venoison
> destrousser, si la portent cuire

au retour de la chasse, dans *Guillaume de Dole.* Charles d'Orléans conseille ce régime en rondeau :

> Chauds morceaux faits de bon queux
> Faut en froid temps, voire, voire,
> En chaud, froide pomme ou poire.

Le maître queux est donc celui qui, selon l'ancienne législation, avait fourni la preuve de sa maîtrise et acquis le droit de s'installer, comme n'importe quel maître maçon ou maître menuisier. « Le maître queux — dit un ancien texte — se tenait sur une chaise élevée entre le buffet et la cheminée » — à la manière d'un arbitre sur un court de tennis. Celui-là au moins ne marchait pas !

Le mot avait déjà vieilli au XVIIe siècle et avait pris le caractère d'une spécialité : « Il n'est plus en usage que dans la Maison du Roi — dit Furetière — où il y a sur l'état des Maîtres Queux dont la fonction particulière est de faire les ragoûts, entrées et entremets; de même qu'il appartient aux Potagers de faire les potages[1], aux Hâteurs de fournir le rôt, aux Pâtissiers la pâtisserie, etc. »

Si l'on comprend bien, n'importe qui ne touchait pas à n'importe quoi dans les royales cuisines ! Il a existé

---

1. Il faut comprendre *potage* dans le sens ancien : « la viande et les légumes que l'on faisait cuire dans le *pot* ».

jusqu'à la Révolution un Grand Queux de France, officier de la maison du roi, qui commandait à tous les officiers de bouche.

Tenir la queue de la poêle

Le sens de l'expression est clair. Il est tout à fait explicite dans ce proverbe antérieur au xvᵉ siècle :
Qui tient la queue de la poelle
Il la tourne là où il veut.
Il semble que la locution se soit spécialisée assez tôt dans le domaine de la cuisine gouvernementale si l'on en croit Furetière : « On dit, il n'y en a point de plus emêchez que ceux qui tiennent la queue de la poêle; pour dire, qu'il est plus difficile de gouverner, que de raisonner sur le gouvernement. » De son côté *Le Père Peinard* s'interrogeait en 1889 : « Au fait, tous ces tristes sires qui tiennent la queue de la poêle gouvernementale, tous ces dirigeants de la république en pincent-ils réellement pour la " forme républicaine " ? »

Faire ses choux gras

Pendant tout le Moyen Age, et même plus tard, les légumes ont constitué le plat du pauvre, de tous ceux qui ne pouvaient s'offrir de la viande, l'alimentation noble. On cultivait les pois, les fèves, les poireaux, les « panais » devenus carottes, les navets, les raves, et le plus commun de tous, le plus abondant, sur qui on peut toujours compter en cas de disette : le chou. Le chou pommé, vert, vivace, qui ne craint pas la gelée, au contraire qui se rit du mauvais temps, a donné lieu à nombre de locutions qui vont de « bête comme un chou » — forte tête mais peu pensante! — à « aller planter ses choux », symbole du jardinage forcé, par déception.

Mais le problème avec les légumes c'est de les assaisonner. Du chou cuit à l'eau n'est pas ce qu'on pourrait appeler un régal. Aussi pauvre que l'on soit, il faut tout de même un bout de lard, un petit morceau de quelque chose — ce que rappelle le proverbe : « Ce n'est pas tout que des choux, il faut encore de la graisse ! » Il est donc naturel que faire ses choux gras soit devenu une proposition alléchante, le signe que tout va bien dans la marmite. Au xve siècle l'expression avait le sens de se goberger :

Et aussi d'en faire ses choux gras,
Ses grans chieres, ses ralias
De gueule... (Coquillart.)

Au xviie elle avait à peu près le sens actuel : « On dit qu'un homme fait ses choux gras de quelque chose, lorsqu'il fait bien ses affaires, qu'il fait de grands profits en quelque chose », dit Furetière. Simplement, on a fini par s'apercevoir qu'il y avait toujours quelque abus dans les « bonnes affaires », et sous les grands « profits » des cuisines assez peu avouables ! Les fameux choux gras en ont pris un léger goût de scandale !

Les bonnes choses n'ont qu'un temps, comme le dit également le vieil adage : « Toujours n'aurez vous mie pêches moles, et raisins doux et noix nouvelles. »

La fin des haricots

Quand rien ne va plus c'est la fin des haricots ! L'expression paraît relativement récente — peut-être fin xixe. Maurice Rat en fournit l'explication que voici : « La fin de tout — les haricots étant une nourriture substantielle et fondamentale dans beaucoup de pensionnats, internats, collèges, séminaires, quand leur provision touchait à sa fin, on ne savait plus quoi donner à manger aux internes. » Il aurait pu ajouter les casernes et les prisons...

Cependant, je ne vois pas bien dans quelles circonstances les provisions de ces divers établissements pouvaient toucher à leur fin, ni surtout pourquoi l'épuisement du stock de fayots aurait causé un chagrin quelconque à leurs pensionnaires...

A l'origine le haricot n'était pas un légume mais un ragoût : le haricot de mouton — « fait avec du mouton coupé en morceaux, des pommes de terre et des navets ». En effet *haricot* vient du vieux verbe « harigoter » qui signifiait tailler en pièces, « mettre en lambeaux ». Au cas où vous voudriez essayer une recette super-grand-mère, voici celle du XIVe siècle, donnée en 1393 par un brave homme à l'intention de sa jeune femme afin que celle-ci ne soit pas trop démunie lorsqu'il aurait quitté ce bas monde :

« Hericot de mouton *(sic)* : despeciez le par petites pieces, puis le mettez poubouilir une onde (un instant), puis le friziez en sain de lart, et frisiez avec des oignons menus minciés et cuis, et deffaitez du boullon de bœuf, et mettez avec macis [écorce de muscade], percil, ysope, et sauge, et faites boulir ensembe » *(Ménagier).*

Lorsque le légume, cette espèce de fève exotique venue du Mexique, fit son apparition en France vers le début du XVIIe siècle, on l'appela d'abord « fève de haricot », probablement parce qu'on s'était aperçu que cette nouvelle « fève blanche » était excellente avec le haricot de mouton. On abrégea peu à peu et la fève devint haricot tout court.

Ce qui trouble certains étymologistes c'est que le haricot acquérait ainsi un nom qui n'est pas sans rapport sonore avec son appellation aztèque d'origine : *ayacotti*, mais ce baptême au ragoût ne se fit qu'en français. En occitan par exemple, le nouveau légume se nomma *favól*, nom dérivé de celui de la fève; en certaines régions il prit même le nom du pois — *peso* — lequel se trouva forcé de devenir alors « petit pois » — *petiót peso*. Toutes choses qui ne se seraient pas produites si le mot aztèque lui avait collé à la gousse !

Cependant, le vieux mot « harigoter », haricoter,

« dépecer », semble avoir survécu indépendamment de la cuisine et du potager. C'est ainsi que Balzac l'emploie en 1844 dans *Les Paysans*, lesquels « allaient haricotant les restes de Grand I-vert [un cabaret], ceux des châteaux », etc. Haricoter, dit Littré, c'est « spéculer mesquinement au jeu ou dans les affaires, faire des affaires minimes ». Peut-être aussi parce que lorsqu'on ne joue pas « sérieusement » aux cartes on compte les gains avec des haricots !

En tout cas, il me semble plus logique de penser que la « fin des haricots » s'est créée de ce côté-là — affaires ou parties de cartes — plutôt que dans les collèges ou autres casernes, où loin d'être synonyme de catastrophe elle aurait provoqué un cri de soulagement. En outre si elle était née en de tels lieux elle avait toutes les chances de devenir « la fin des fayots » — « terme d'argot militaire et scolaire », le mot, de la famille de flageolet, date du début du XVIIIᵉ siècle.

En effet on dit la fin des haricots lorsqu'on envisage une dernière avanie qui viendrait s'ajouter à des difficultés déjà existantes. En période de crise économique, s'il survenait une catastrophe quelconque ce serait la fin des haricots : c'est-à-dire la fin du bricolage avec lequel, tant bien que mal, on fait aller cahin-caha... On ne pourrait même plus haricoter quoi que ce soit.

C'est là une filiation d'idées qui me paraît raisonnable, mais elle n'est pas prouvée !

Mettre en capilotade

Autre mésaventure, autre ragoût. L'expression sort directement des fourneaux. Une capilotade est une « sausse qu'on fait à des restes de volailles & de pièces de rôt dépecées » (Furetière). Le mot a été emprunté au XVIᵉ siècle à l'espagnol *capirotada*, « ragoût fait avec des œufs, du lait & d'autres ingrédients ». Dans sa jeunesse, Gargantua déjeunait dès le matin « pour abattre la

rozée et maulvais air : belles tripes frites, belles carbon-
nades, beaux jambons, belles cabirotades et force souppes de prime ». En 1626 Charles Sorel emploie déjà
l'expression dans son sens agressif actuel : « Comment,
coquins, estes vous bien si osez que de vous battre
devant moy ?... Si j'entre en furie, je vous mettray tous
deux en capilotade. »

Trois ans plus tôt le même Sorel gardait le mot plus
près de la marmite, lorsque Francion raconte ses études, à une époque où les collèges n'étaient pas encore
devenus des lieux de création tout en fleurs et poésie.
Son professeur, le Régent, « estoit le plus grand asne
qui jamais monta en chaire. Il ne nous contoit que des
sornettes, et nous faisoit employer nostre temps en
beaucoup de choses inutiles, nous commandant d'apprendre mille grimauderies les plus pédantesques du
monde... S'il nous donnait à composer en Prose, nous
nous aydions tout de mesme de quelques livres de
mesme estoffe, dont nous tirions toutes sortes de pièces
pour en faire une capilotade a la pedantesque : cela
n'estoit il pas bien propre a former nostre esprit et
ouvrir nostre jugement ? Quelle vilennie de voir qu'il
n'y a plus que des barbares dans les Universitez pour
enseigner la jeunesse ? Ne devraient-ils pas considérer,
qu'il faut de bonne heure apprendre aux enfants à
inventer quelque chose d'eux mesme, non pas de les
r'envoyer a des recueils a quoy ils s'attendent, et s'en-
gourdissent tandis ? »

Ces réflexions, trois siècles et demi plus tard, paraissent bien démodées !...

Trempé comme une soupe

Si l'on dit de celui qui ruisselle sous l'averse qu'il est
trempé comme une soupe, c'est parce que, avant d'être
un potage, la soupe était seulement une tranche de pain
trempée dans du bouillon. « Soupe se dit aussi des tran-
ches de pain fort déliées qu'on met au fond du plat, sur

lesquelles on verse le bouillon. Donnez moi une soupe de pain, pour dire une tranche », dit Furetière, preuve que le mot était encore distinct à son époque, mais sur le point d'être définitivement confondu. Il ajoute : « Dans les gargottes pour un sou l'on trempe la soupe. »

Ce système de la mouillette était le seul au Moyen Age. On trempait aussi la « soupe » dans la sauce ou le jus de viande. Dans *Le Roman du comte d'Anjou*, lorsque la pauvre pucelle au papa concupiscent, fuyant avec sa copine, se restaure chichement dans une chaumière, son amie affamée se résout à tremper un peu de mauvais pain dans l'eau :

Toutefois d'une piececte
De pain fist une soupelecte
En l'iaue et manjut a grant paine,
Car grant famine la demaine.

Au XVIᵉ siècle c'est encore la tranche de pain trempée dans une sauce qui est le seul usage; on parle de « soupes de prime » — celles du premier déjeuner. Elles étaient grasses et passaient pour les délices des moines gourmands. Ainsi Panurge, ayant jeûné la veille, dit à frère Jan, dans le *Tiers Livre* de Rabelais : « Mon stomach abboye de male faim comme un chien. Jectons luy force souppes de prime : plus me plaisent les souppes de levrier [avec viande], associées de quelque piece de laboureur sallé à neuf leçons [pièce de bœuf cuit longtemps]. »

Là, décidément, ça n'était plus de la soupe, mais du rata !

Trié sur le volet

On parle beaucoup de sélection. C'est la furie de l'époque. On sélectionne les pommes, les pêches, les arbres, les chevaux, les veaux et les étudiants. Partout, on recherche la fine fleur de toutes choses, on n'accepte des mains d'experts sourcilleux qu'êtres et marchandises dûment triés sur le volet...

Quel volet ? Le volet était au Moyen Age une sorte de voile, étymologiquement un tissu qui « volette » au vent, et par extension un tamis destiné à trier les graines — peut-être parce que la vieille méthode de vannage consistait à faire sauter les graines au vent sur une toile, ce qui s'appelle aussi « berner » (voir p. 386). Au xve siècle le volet était une « assiette de bois », ustensile de cuisine sur lequel on triait patiemment les pois et les fèves. Au xvie on trouve déjà l'expression figurée dans Rabelais : « Esleus [élus] choisis et triés comme beaux pois sur le volet. » Montaigne parlant du choix de ses amis emploie la célèbre comparaison : « Cette complexion délicate me rend délicat à la pratique des hommes : il me les faut trier sur le volet. » Plus tard, Furetière explique méthodiquement : « On dit proverbialement et figurément que des gens sont triez sur le volet, que des choses sont choisies sur le volet, quand ce sont des personnes & des choses triées ou choisies, comme si on les avait mises sur un ais [planche], ou une tablette, sur un volet pour les éplucher et pour les choisir. »

Je signale ici qu'emportés par l'homonymie les gens confondent quelquefois ce volet-là avec l'autre, celui qui bouche nos fenêtres, et rapportent l'expression à l'étal des anciennes boutiques qui se rabattait sur le trottoir pour exposer les marchandises. Il faut préciser que les volets des fenêtres ne datent que du xviie et qu'ils étaient alors exclusivement des panneaux intérieurs, cela jusqu'au xixe siècle. Les autres, à l'extérieur, du reste plus anciens, étaient et sont toujours des *contrevents*. Ce n'est que depuis la fin du siècle dernier que l'on confond « volet » et « contrevent ».

Casser du sucre sur le dos

« La volupté est bien plus sucrée quand elle cuit », a dit Montaigne qui s'y connaissait sûrement ! Dès le

94

début, le sucre (du sanskrit *çarkarâ,* grain, par l'inter-médiaire de l'arabe *soukkar*) a été associé au miel comme symbole de douceur. On a dit **tout sucre, tout miel** à une époque où il était encore un produit rare pour apothicaires, et quasiment délivré « sur ordonnance »! Au XIIe siècle, peu après son apparition, l'Amour en usait comme d'un baume : « Mais de çon çucre et de ses bresches [rayons de miel] li radoucit nouvelles amours » (Chr. de Troyes). Plus tard, et déjà au XVe, on a **fait la sucrée :** la douce, la chattemite, la mijaurée...

Casser du sucre sur le dos de quelqu'un est une expression relativement récente, créée au moment où le sucre devenait à la portée de toutes les tasses. Elle a relayé « dauber sur quelqu'un » : lui « taper » dessus, et résulte sans doute de l'enchaînement : « casser le morceau », dénoncer, « casser le morceau de sucre », dire du mal, calomnier (on a dit au XVIIIe « se sucrer de quelqu'un » pour « le prendre pour un imbécile »). En 1898 *Le Père Peinard* emploie « sucrer » au sens le plus violent : « Ils indiquaient à la flicaille alliée les bons bougres à sucrer et à passer à tabac ». Je crois que c'est par jeu que l'on a ajouté « sur le dos » (aux dépens de), créant ainsi une curieuse et fausse image du temps où l'on devait réellement briser les pains de sucre avant de les déguster.

Rester en carafe

On se demande pourquoi certains ustensiles de ménage entrent traditionnellement dans des comparaisons malveillantes et sont l'objet d'éternels quolibets. On dit : « Vous raisonnez comme une casserole », ce qui est désobligeant, mais se comprend à cause du jeu de mots avec « résonner ». Mais vous êtes une outre, gonflée de vent ? Une cruche, une gourde ?...

A part la bouteille, dont nul ne médit, pour laquelle on a inventé un adjectif unique, **la dive bouteille** —

c'est-à-dire la *divine* — sauvée probablement par son contenu, tout semble attirer la vindicte, jusqu'à la malheureuse potiche qui irrite par sa placidité, pourtant bien naturelle! Pour la gourde encore, qui vient de la « courge », citrouille séchée servant de calebasse, on peut comprendre à la rigueur qu'elle puisse souffrir de ses origines de potiron. Mais la pauvre cruche, celle qui « tant va à la fontaine qu'elle y perd le cul »?

Pourquoi tant de dédain? Peut-être précisément parce que ces récipients sont destinés à ne recueillir que de l'eau, la boisson des femmes, des enfants et des pauvres en général!...

Il semble aussi que la raillerie s'adresse de préférence à des formes pansues : on se moque de la tête en la traitant de cafetière, ou de bouille (récipient qui sert à transporter le lait). Faut-il y voir une assimilation inconsciente avec un stéréotype des formes féminines et l'expression larvée de la misogynie séculaire? « Outre » vient de *uter,* ventre, comme utérus...

En tout cas la carafe (de l'arabe *gharrâfa,* pot à boire) n'échappe pas à la malédiction commune des formes rebondies. « C'est une vraie carafe d'orgeat, pour dire un homme que rien n'excite, froid jusqu'à l'apathie », explique Littré. Il s'ensuit naturellement que l'on *reste en carafe,* en plant (planté là) comme un imbécile! Un empoté en quelque sorte! C'est le sort d'un orateur qui a un trou de mémoire, les bras ballants... C'était aussi l'infortune des premiers automobilistes dont le glorieux véhicule tombait en panne dans le paysage. Ces orgueilleux devaient êtres secourus en rase campagne par un paisible attelage de bœufs! Quelles carafes!

Les jeux

Qui croit meschine et dés carrés
Ja ne moura sans pauvreté.

Vieux proverbe
à la fois hostile au 421
et aux jeunes filles !

« Les jeux supposent le loisir — dit Ch. Béart[1]. Les peuples de l'Antiquité et toutes les civilisations dites archaïques réservent le travail aux esclaves, ce qui laisse de grands loisirs aux hommes libres [...]. Les paysans du Moyen Age, alors qu'un jour sur trois au moins était chômé, donnaient au jeu tout le temps interdit au travail. Il faut attendre la période moderne et les débuts de l'industrialisation pour voir les ouvriers travailler seize heures par jour et davantage, ne pas même toujours pouvoir disposer du dimanche. C'est le temps aussi où l'ouvrier agricole connaît la pire misère. Alors le loisir disparaît. Il reviendra au second tiers du xxe siècle, mais la tradition du jeu est perdue, le loisir se gaspille sur les routes, on se rue sur les jeux modernes qui ne sont plus des jeux. »

Peut-être. Il n'empêche que l'engouement des foules pour le tiercé ou les matches de foot témoigne de beaux restes d'esprit ludique, et permet d'apprécier ce qu'a pu être la ferveur de ces époques relativement désœuvrées pour une multitude de jeux de hasard et de jeux sportifs. Au xviiie siècle, le jeu de paume était devenu dans les villes un vice national, au point que les ouvriers désertaient les ateliers pour s'y rendre, imitant d'ailleurs nobles et bourgeois.

1. *In* R. Caillois, *Les Jeux et les Sports*, Ed. Gallimard, 1967.

La langue conserve la trace de ces passions anciennes de nos princes et de nos manants — comme la langue sportive est actuellement un des plus bouillants creusets d'expressions imagées, nées dans l'excitation du moment et répercutées par une foule complice, mais dont il est trop tôt pour deviner lesquelles survivront aux pistes et aux stades.

LES DÉS

C'est fou ce que le hasard fait bien les choses! Les gens qui jouent au 421 leur apéritif du dimanche sur le comptoir d'un bistrot animé savent-ils qu'ils perpétuent un geste et une tradition plusieurs fois millénaires?... les dés constituent un des plus vieux amusements des hommes et ils ont commencé par être des osselets, avec seulement quatre faces. Les dés cubiques, inventés par les Lydiens, étaient déjà en usage chez les Grecs et bien sûr les Romains en étaient passionnés, comme plus tard notre Moyen Age tout entier.

Au petit bonheur la chance

La notion même de *hasard* est liée au jeu de dés : le mot est dérivé de l'arabe *az-zahr*, le dé. La *chance* est, si je puis dire, du même côté. Le mot vient du vieux verbe « choir », tomber, qui a donné « chute » et aussi « chéance » — comme croire a donné créance. La chance/chéance est d'abord simplement la chute des dés. Elle peut être favorable ou défavorable, cela dépend comment tournent les petits cubes, et nous avons bien sûr « bonne chéance » ou « male chéance » (malchance), sans compter la « déchéance » tout court! — « Tournée lors est la chéance du dé en perte et meschéance », dit un texte du XIIIe siècle.

On peut compliquer et jouer à la « chance à deux dés » ou à la « chance à trois dés » — comme le 421 !... Les chanceux, en somme, sont ceux pour qui tout « tombe bien » ! Certes, cela ne va pas sans **comporter des aléas :** le mot, du latin *alea,* signifie justement « coup de dés ». Jules César en prononçant son fameux *Alea jacta est* n'a pas dit autre chose que : les dés sont jetés. Ainsi va souvent le sort des nations.

Etre bredouille

Un de ces jeux nettement aléatoires a été le célèbre trictrac, en grande faveur du XIIe au XIXe siècle, et qui n'est pas encore tout à fait perdu. C'est une sorte de record ! Il se joue « à deux personnes sur un tablier divisé en deux compartiments portant chacun six flèches ou cases du côté du joueur et autant du côté de l'adversaire. Chaque joueur a deux dés, un cornet pour les agiter, et quinze dames à jouer. La partie consiste à gagner douze trous » (Littré).

Evidemment, un joueur habile peut les gagner tous les douze; on disait dans ce cas, au XVIIe siècle, qu'il « jouait bredouille » : « jouer que l'on gagne toute une partie sans que les autres prennent un seul coup » (Oudin). « La tante était alors en affaire, & occupée à une partie de triquetrac qu'elle faillit gagner à bredouille », dit Furetière dans le *Roman bourgeois* (1666).

Le terme a passé très vite au perdant malheureux et acquis le sens figuré que l'on sait. Dans son dictionnaire, Furetière précise déjà en 1690 : « On dit qu'une femme est sortie bredouille du bal, quand elle n'a point été prise pour danser. » Autre manière de revenir sans gibier !

Les cartes, venues beaucoup plus tard que les dés, sont apparues en Europe au xive siècle. Elles se sont développées au xve et au xvie. Au xviie siècle la Cour et la Ville y passaient leurs jours et parfois leurs nuits. On y jouait au piquet, à l'hombre, au triomphe, à la bruscambille, à l'écarté, au lansquenet, au reversis, à la comète (inventée par Louis XIV), au coucou, au hoc, au brelan, à la bassette et même au baccara. Pour de l'argent naturellement, et quelquefois beaucoup d'argent selon les fortunes...

Tel jour à la table du roi jouant au reversis « mille louis » sont sur le tapis, en pièces d'or — somme difficile à traduire : entre dix et vingt millions de nos anciens francs. « Le jour de Noël 1678, Mme de Montespan perd sept cent mille écus[1] » — une paille : à peu près deux milliards de centimes actuels ! Ce que c'est que le vrai loisir, à une époque où le pays affamé allait bientôt manger des racines !

Le jeu n'en vaut pas la chandelle

Vieille locution que l'on trouve chez Montaigne aussi bien que dans Corneille :
Et le jeu, comme on dit, n'en vaut pas la chandelle. A croire que les hommes n'ont jamais utilisé leurs soirées d'hiver autrement qu'avec des dés, des cartes, et des mises d'écus sonnants. L'expression signifie littéralement que les gains du jeu ne suffiraient pas à payer la chandelle qui éclairait les joueurs, lesquels d'ailleurs, dans les maisons modestes, laissaient en partant quelques deniers de cotisations pour rembourser cet éclairage !

1. R. Callois, *op, cit.*

Il est compréhensible que nos ancêtres aient accordé une attention continue à cette flammèche, et qu'ils aient refusé, comble du gaspillage, de la **brûler par les deux bouts !** Ce bâton de suif, ou de cire dans les cas les plus luxueux, qu'il faut allumer, souffler, moucher, a été la source de maintes comparaisons, à commencer par la vie elle-même qui s'éteint parfois tout pareil. (Notons que vers 1300 une chandelle de grand luxe, faite de cire d'abeille très fine, s'est appelée « Bougie », du nom de la ville mauresque où l'on fabriquait les plus belles.)

Toujours est-il que ce lumignon a constamment servi de référence aux épargnes futiles :

> Moult est fol qui tel chose épargne
> c'est la chandelle en la lanterne

dit le *Roman de la Rose;* et un auteur du XVᵉ donne cet exemple d'économie domestique :

> Mais quand ce vint au fait de la dépense
> Il restreignit œufs, chandelle et moutarde.
>
> (E. Deschamps.)

C'est dire que les **économies de bouts de chandelles** ne datent pas d'hier. Il a même existé, paraît-il, une ordonnance royale mesquine qui obligeait le chancelier du royaume à restituer au trésorier les tronçons des chandelles dont il s'était servi.

Dans le même ordre d'idée on cite une anecdote sur Voltaire, que son tempérament fantasque poussait à de curieuses extravagances. Il était l'hôte, comblé d'honneurs et de présents (en plus d'une solide pension), du roi de Prusse Frédéric, et chaque soir après les causeries intimes ou les réceptions, il montait dans sa chambre en emportant du salon deux chandeliers à plusieurs branches sous prétexte de guider ses pas dans les corridors du palais, déclinant fermement l'offre des domestiques qui voulaient l'éclairer. Arrivé dans ses appartements il soufflait en hâte toutes ces bougies et il les revendait le lendemain pour quelques sous à un marchand de la ville ! Ce manège dura plusieurs mois avant d'être découvert. Etonnant Voltaire, qui écrivait par ailleurs : « Amusez-vous de la vie, il faut jouer avec elle; et quoique le jeu n'en vaille pas la chandelle il n'y a pas d'autre parti à prendre. »

Pour illustrer complètement ce sujet lumineux il convient de rappeler que l'on peut **voir trente-six chandelles** en plein jour, davantage autrefois si l'on en croit Scarron : « L'hotesse reçut un coup de poing dans son petit œil qui lui fit voir cent mille chandelles et la mit hors de combat. »

Citons également pour mémoire cette pratique du temps où les lampes de chevet n'existaient pas et où les soubrettes et les valets de pied (ça pourrait faire un jeu de mots!) étaient conviés par leurs maîtres ou par leurs maîtresses à **tenir la chandelle** pendant leurs ébats amoureux.

Etre un as

L'as a beaucoup de prestige dans presque tous les jeux de cartes. Pourtant ce point unique n'a pas toujours été aussi bien considéré. Au jeu de dés, l'*as*, ou « un », du même mot latin désignant une unité de monnaie et de mesure, n'a jamais été un signe de gain ou de chance dans le maniement des petits cubes à six faces.

Et mieulz doit on aimer le six que l'as
dit avec bon sens un auteur du XIIIe, tandis qu'un pessimiste calculateur de probabilités du XIIe nous avertissait ainsi des revers de fortune qui nous guettent tous :

Li dé seront molt tost sur ambes as* *deux as*
tourné
Qui ont esté souvent sur sines* *double six*
rouellé.

Donc, ne pas valoir un as, dans l'ancienne langue, c'était moins que rien, quantité négligeable.

Le pire d'ailleurs est d'être **fichu comme un as de pique.** Celui-ci doit sa fâcheuse réputation au fait qu'il ressemble au croupion d'une volaille, que l'on appelle justement as de pique à cause de sa forme. « On s'en sert figurément pour injurier quelqu'un qu'on méprise », dit calmement Furetière. Oui, être traité d'as de pique équivaut à être traité de croupion, peut-être même de « trou du cul » !... L'as de trèfle n'avait guère meilleure presse, et l'on disait d'un nez gros et plat que c'était un « nez d'as de trèfle ».

Ce qui a tout changé c'est la guerre de 14 ! On est devenu un as au cours de la première guerre mondiale, en particulier dans l'aviation naissante. Entre deux missions aériennes les aviateurs avaient du temps libre. A force de jouer à la manille (inventée à la fin du XVIIIe) où le dix vient juste avant l'as, ils voyaient des cartes partout. Ainsi, il paraît qu'un pilote qui avait mis dix avions ennemis à son tableau de chasse devenait un as par assimilation... On a vite extrapolé à toutes sortes d'exploits, mais Georges Guynemer demeura l'**as des as** avec ses cinquante-quatre victoires !

A présent, n'est-ce pas, tout est relatif : n'allez pas croire qu'il faille envoyer dix voitures « adverses » à la ferraille pour devenir un as du volant !

Etre plein aux as

Encore une expression relativement récente puisqu'elle est tirée au poker, lequel date de la fin du siècle dernier, en Amérique. Un « plein » c'est un full, que l'on ne traduit plus, et un full aux as, composé d'un brelan d'as et d'une paire est un jeu avec lequel on peut voir venir — et parfois ramasser une forte somme !... Le jeu de mots sur avoir de l'argent « plein les poches » et « être plein aux as » est un de ceux qui parlent d'eux-mêmes.

Avoir à la bonne

Cette expression courante chez les employés de toutes les fabriques, mais qui à cause de cela a un arrière-ton argotique de basse consommation, est peut-être — je dis bien peut-être — de fastueuse origine. Elle pourrait venir du *reversis,* introduit en France au cours du XVIᵉ siècle, et dans lequel « gagne celui qui fait le moins de levées et où le valet de cœur, appelé quinola, est la carte principale ». On a vu que Louis XIV en était friand : « Il trouve le temps — s'émerveille un contemporain — non seulement d'expédier les affaires de l'Etat, mais même de voler la pie [terme de chasse] et de jouer au reversis. » On sait aussi qu'à ce poker royal les mises n'étaient pas des haricots : « deux, trois, quatre cents pistoles s'y perdent fort aisément », confie Mme de Sévigné — disons autant de millions de centimes.

Donc à ce jeu la « bonne » est le « nom de différents payements. A la bonne se dit quand on place le quinola ou un as sur la dernière levée, afin de recevoir un double payement » (Littré).

En tout cas, si votre patron vous a à la bonne, il ne doublera sans doute pas votre salaire, mais il pourra fermer les yeux sur, par exemple, dix minutes de retard...

Etre à la bourre

Ces mots sont de plus en plus fréquents dans la bouche de nos contemporains pour qui le temps est toujours compté. Il est difficile de retracer l'origine exacte de cette expression que les textes ignorent. Pour ma part, je la crois tirée du jeu de cartes populaire appelé la *bourre.*

La bourre, à présent passée de mode, mais très en faveur à la campagne il y a trente et cinquante ans, se joue à deux, à trois ou à quatre, chacun pour soi, avec cinq cartes par joueur. L'ordre de valeur y est : roi, dame, valet, as, etc. Chacun mise une somme égale, décidée en commun, laquelle est partagée en fin de tour selon le nombre de levées que chacun a faites. Le joueur qui n'a pas fait un seul pli est « bourru », il doit mettre sur le tapis le double de la somme qui vient d'être partagée par ses adversaires. Il peut y avoir plusieurs perdants, plusieurs fois consécutives, et le pot atteint alors une certaine importance.

Si la malchance, ou la maladresse, persiste chez quelqu'un, il peut perdre un joli pécule dans la même soirée. C'est alors qu'il est véritablement « à la bourre » — probablement parce qu'il se retrouve « plumé », comme un pigeon auquel il ne reste que le duvet !

L'expression du parler parisien **être en pleine bourre** (en pleine forme) me paraît sans rapport. « Bourrer », par évolution argotique du sens très ancien (XIVe siècle) de maltraiter, a voulu dire « lutter, se concurrencer », qui ont donné la « bourre » au sens d'énergie et d'acharnement.

Ce qui me fait douter de l'origine purement « parisienne » d'être à la bourre, c'est que la locution existe aussi en occitan, liée au contexte du jeu : *es a la bora* (il est à la bourre) s'applique également par plaisanterie à d'autres jeux, tels que la belote, lorsqu'une équipe est très en retard dans le compte des points. Il semble que de cette idée d'être « à la traîne » on est passé à la notion générale de retard, un peu comme « être capot » s'est appliqué à toutes sortes de défaites (voir p. 110).

Se tenir à carreau

Pour éviter ces mésaventures rien de tel que de se tenir à carreau ! Du moins c'est ce que dit le proverbe : « Qui garde (ou se garde) à carreau n'est jamais capot. » Dicton qui, selon Littré, « n'est fondé que sur la consonance ».

Est-ce bien sûr ? L'expression me turlupine et je me demande si sa forme « tenir quelqu'un à carreau » n'est qu'une simple extrapolation fantaisiste de la première, ou si après tout on ne pourrait pas y voir une origine oubliée dans le véritable carreau — la flèche — de l'arbalète ? « Si mit un quariel en coche et traïst [tira] au roi » (XIIIᵉ). Cette façon de dire existe également en occitan : *se tener a carrel*, où le mot a le même double sens.

Roger Caillois rappelle que « les quatre emblèmes des jeux français sont ordinairement tenus pour les symboles des différentes armes », et qu'il faut voir « dans le cœur, le courage, vertu distinctive de la noblesse, laquelle compose exclusivement la cavalerie; dans le pique, le rappel caractéristique de l'infanterie; dans le carreau, c'en est d'ailleurs le nom, le projectile lourd lancé par l'arbalète, où s'annonce l'artillerie; dans le trèfle, enfin, le fourrage dont l'intendance a la responsabilité[1] ».

Il faut reconnaître que tenir quelqu'un au bout d'une arbalète est une position stable, et garder une place forte avec cette artillerie-là confère un certain sentiment de sécurité. Dans le *Roman de la Rose*, Guillaume de Lorris décrit ainsi les défenses de l'imprenable château de Jalousie :

> Vous peussiez les mangoniaus˙   *hommes d'armes*
> voir par dessus les créniaus
> et aux archières˙ tout entour   *meurtrières*
> sont les arbalètes à tour˙   *à touret*
> qu'armure ne peut tenir.
> Qui près des murs voudrait venir
> il pourait bien faire que nices˙.   *sottement*

De quoi ne pas s'y frotter !

Il se pourrait que le jeu de cartes ait créé le jeu de mots entre l'arme et la couleur... Cela expliquerait du même coup la détestable réputation du valet de carreau : « On dit aussi pour mépriser quelqu'un que c'est un valet de carreau », dit Furetière. Or selon la symbolique traditionnelle le valet de carreau est Hector, le héros de Troie. (César est le roi, et Rachel la dame de la même couleur.) Il n'y a pas de quoi en faire

---

1. R. Caillois, *op. cit.*

un « homme méprisable ». Et si c'était un valet — un servant — d'arbalète : un soudard, un ruffian ?... C'est une hypothèse.

Ce qui est certain c'est que **rester sur le carreau** veut bien dire ce qu'il dit : sur le carrelage, sur le pavé. La grosse chute, déjà au XIIᵉ siècle :

> Tôt furent esfrémi et viel et jouvencel
> La nouvelle espandue du saint martyr nouvel
> Qui gisait au moustier occis sur le quarrel.

Etre sous la coupe de quelqu'un

On sait ce qu'est couper les cartes : diviser le paquet en deux. Ce geste détermine l'ordre définitif dans lequel elles seront distribuées dans le jeu. Aujourd'hui simple routine, on lui accordait autrefois une valeur quasi magique dans la fixation du sort. Au point que le joueur qui se trouvait placé immédiatement après le coupeur se considérait comme sous son influence directe, dans une dépendance qu'il redoutait. Il était « sous la coupe » d'un tel et sa chance en dépendait. « Les joüeurs ont cette sotte croyance qu'il y a des gens qui ont une coupe malheureuse, qui ne veulent point être sous leur coupe », dit très raisonnablement Furetière. Il ajoute en passant : « Ils appellent une coupe foireuse celle qui n'est pas nette, et dont on laisse échapper quelques cartes en coupant. »

A propos de coupe foireuse, il existe celle des tricheurs, sous laquelle effectivement il vaut mieux ne pas se trouver. Une façon d'obliger quelqu'un à couper là où on le désire est le système du pont : « carte cintrée, introduite dans un jeu de manière que la coupe se porte à l'endroit où elle est placée ». (Esnault.) C'est ce que l'on appelle **couper dans le pont,** c'est-à-dire, au figuré, être la victime crédule d'un stratagème quelconque. On a dit par la suite « couper dans la combine ». Aucun rapport avec « couper les ponts », sauf, bien sûr, si la dupe se fâche !

Savoir de quoi il retourne

Bref, en toutes choses, il vaut mieux savoir à l'avance de quoi il retourne. Furetière, encore, l'explique très bien : « Retourne. Terme du jeu du Berlan, de l'Homme, & de la Triomphe. C'est la carte qu'on découvre sur le talon des cartes. La retourne ou la triomphe est de cœur. Les bons joüeurs condamnent le tricon de retourne. Il retourne de pic, de carreau. »

En somme la retourne c'est l'atout. C'est vrai qu'il vaut mieux le connaître !

Etre capot

Cela évite en particulier d'être capot, ne pas faire un seul pli. Le mot s'employait au XVIIe siècle : « Vous allez faire pic, repic et capot tout ce qu'il y a de galant dans Paris », dit Molière. Le Bloch & Wartburg explique ainsi la tournure : « Celui qui n'a pas fait de levée au jeu est dans un extrême embarras, comme si on lui avait jeté un *capot* (manteau avec capuchon) sur la tête. »

La métaphore ayant été rajeunie au féminin par un manteau mieux connu, nous disons aussi **prendre une capote**. Il est à signaler que l'allemand *Kaputt*, beaucoup employé naguère, a été emprunté du français à l'époque de la guerre de Trente Ans !

Les cartes ont fourni bien d'autres locutions à la langue courante, dont certaines gardent un rapport direct et évident avec le jeu lui-même. Je citerai pour mémoire : **connaître le dessous des cartes, brouiller les cartes, jouer cartes sur table** (éviter d'en garder dans sa manche !), **avoir de sérieux atouts, passer la main** (passer son tour de distribuer), **jouer son va-tout** (miser tout l'argent dont on dispose en une seule fois), **amuser le tapis** (jouer un petit jeu), etc.

Peut-être aussi **annoncer la couleur,** mais ce n'est pas certain, non plus que son abrégé argotique **être à la coule;** il s'agit plutôt là d'un chevauchement. Il semble également que **mettre au rencart** n'ait aucun rapport avec les cartes, contrairement à ce que l'on a prétendu. Bloch & Wartburg y voient une altération du normand « mettre au récart » avec le sens de « répandre du fumier, éparpiller ».

LES ÉCHECS

Inventé en Inde au VIᵉ siècle, le jeu d'échecs pénétra en Iran où les Arabes le trouvèrent vers l'an 651 à la faveur d'une invasion, et l'adoptèrent. Par eux il se répandit à la suite de l'« étendard du Prophète », dès le haut Moyen Age, dans tout le bassin méditerranéen et la chrétienté. « Haroun al-Raschid aurait offert à Charlemagne un jeu dont la Bibliothèque nationale conserve dix-sept pièces[1]. »

Les échecs furent très en usage dans la société médiévale. Ils étaient particulièrement adaptés aux mœurs de la chevalerie dont ils sont une sorte de reflet, et constituèrent la distraction favorite après souper des princes et des chevaliers du Moyen Age. En 1316 le *Roman du comte d'Anjou* de Jehan Maillart commence par une fatale partie d'échecs entre le comte et sa fille, excellente joueuse, au cours de laquelle le père est pris d'un tel éblouissement devant la beauté de la pucelle qu'il lui propose séance tenante d'aller l'attendre — ô Freud ! — dans sa chambre !... Au moment, en plus, où elle allait gagner :

1. R. Callois, *op. cit.*

111

> Et elle avoit, si je ne ment,
> Chevalier, auffin, roc et fierce
> Qui fut de paonnez lui tierce,
> Et pour lui tout'part desconfire
> Vouloit eschec pour le roc dire.

Chevalier, auffin, (ou alfin), roc, fierce (ou fers) sont les anciens noms des pièces qui deviendront dès le xve siècle, respectivement : le cavalier, le fou, la tour et la dame.

Les paonnez (ou péons) sont les pions — c'est-à-dire les « piétons », ces soldats à pied armés de crocs et de piques qui protégeaient les chevaliers à la guerre et aux tournois. Si, hors de l'échiquier, cette « piétaille » était rarement couverte de gloire, elle n'en était pas moins habitée : je dirai pour l'amusement des curieux que le célèbre *morpion* est étymologiquement un « mors pion », une vermine qui s'attaque de préférence au pubis du fantassin !

Damer le pion

Contrairement à une idée répandue cette expression ne signifie pas que l'on « prend un pion » à son adversaire, mais que l'on acquiert sur lui un avantage soudain et décisif, au point de lui souffler brusquement une victoire que tout lui laissait prévoir. C'est le battre « sur le poteau », et cela vient d'une règle particulière du jeu d'échecs : « Lorsqu'il arrive sur une case de la huitième rangée (à partir de son camp), c'est-à-dire à l'extrémité d'une colonne, un pion doit se transformer obligatoirement et immédiatement en une figure de son camp, sauf un roi. On dit que le pion " va à dame ", et, quand il arrive à sa huitième case, qu'il " dame ". Cette expression tient au fait qu'il y a — sauf exceptions — toujours intérêt à le transformer en une dame, plutôt qu'en des figures moins puissantes », explique F. Le Lionnais[1].

En effet, cette pièce mineure brusquement anoblie confère un avantage décisif, qui, même si l'adversaire occupait jusque-là une position de force, permet de renverser totalement la situation. Qui parvient à « damer un pion » a toutes les chances de gagner la partie dans les plus brefs délais. D'autant qu'il peut en damer plusieurs : « On connaît quelques rares parties où l'un des joueurs a eu jusqu'à trois dames simultanément[1]. » L'expression s'emploie aussi par analogie lorsqu'on « va à dame » au jeu bien connu du même nom.

Voltaire jouait aux échecs avec un jésuite qu'il avait invité chez lui, ce qui attira l'inquiétude de son ami d'Alembert : « Je crains — écrivait-il — que le prêtre ne joue quelque mauvais tour au philosophe et ne finisse par lui damer le pion, et peut-être le faire échec et mat. »

L'échec et mat, qui termine une partie par le blocage

1. *In* R. Callois, *op. cit.*

du roi, vient du persan *'shah màt* qui signifie « le roi
est mort ». « *Etre mat* » a très tôt voulu dire être
vaincu. Au xiiie siècle le *Roman de la Rose* joue déjà sur
les mots :

D'estre mat n'avoient-ils garde
puisque sans roi se combattoient.

LE JEU DE PAUME

Le jeu de paume, cet ancêtre direct du tennis et de la
pelote basque, était à nos aïeux ce que sont aujourd'hui
le football, le rugby, et tous les autres jeux de ballon
réunis : dans certains cas, un culte. Périodiquement, on
essayait de l'interdire, quand la ferveur populaire passait les bornes, et que les ouvriers, qui n'avaient pas les
mêmes droits aux loisirs que leurs maîtres, quittaient
leurs ateliers pour s'y rendre !

La paume — longue lorsqu'elle était jouée en plein
air, courte lorsqu'elle était jouée en salle — s'organisa à
la fin du xive siècle, au moment où la raquette, oubliée
depuis l'Antiquité, refit son apparition. Jusque-là on
renvoyait la balle avec la paume de la main, d'où son
nom. Elle fut à son apogée en France aux xvie et xviie siècles et dura jusqu'au début du xixe. Le dernier jeu de
paume fut fermé à Paris en 1837.

J'emprunte au *Grand Larousse* l'essentiel de la description d'une de ces salles qui jusqu'au début du
xviiie siècle s'appelaient des tripots : « On joue à la
paume dans un espace clos et couvert. L'emplacement
doit avoir au moins 28,50 m sur la longueur et 9,50 m
sur la largeur. Le sol est ordinairement pavé de car-
reaux unis ou cimentés. Une galerie se trouve sur un
des côtés et aux extrémités de l'emplacement, galerie
qui est couverte d'un toit en pente de 45°, fait de planches unies et jointives. Ce toit — nommé toit de service

[car la balle devait le toucher avant de rebondir dans l'aire de jeu] — est soutenu par des piliers qui s'appuient sur un petit mur élevé de 1,15 m. Les ouvertures entre les piliers le long de la galerie transversale et au-dessus des murs de batterie, munies de grilles pour empêcher les spectateurs de recevoir les balles, se nomment les ouverts. En face le filet, soutenu par une corde à 0,92 m au centre et à 1,20 m aux extrémités, qui divise le jeu en deux parties, se trouve la porte où se tient le marqueur. »

Amuser la galerie

C'est aux spectateurs enclos dans cette galerie, et passablement excités j'imagine, que se réfèrent des expressions telles que **jouer pour la galerie.** « On dit aussi la galerie, pour dire les spectateurs qui sont dans la galerie. La galerie ne lui est pas favorable » (*Dictionnaire de Trévoux*, 1710).

On pouvait aussi, dans ce jeu aux règles précises et compliquées, se livrer à quelques extravagances, par exemple, pour montrer son adresse et sa décontraction, renvoyer la balle **par-dessous la jambe.** Comble de désinvolture ! Mais cela « amusait la galerie » !

Ces locutions sont passées dans la langue du théâtre, voici comment : à la scène on a dit longtemps pour un jeu à effets faciles ou des bons mots un peu lourds **amuser le parterre.** En effet, dans les anciennes salles de spectacle, le parterre — ou devant de la scène — n'avait pas de sièges à cause du suintement permanent des chandelles du plafonnier. L'emplacement était réservé, à prix réduit, au menu peuple qui se tenait là debout, attentif à la fois au jeu des acteurs et aux remarques des voisins, tâchant d'esquiver les gouttes de suif qui tombaient du plafond, et qui s'amusait bien quand même.

Avec l'installation de l'éclairage au gaz, peu de temps

après la fermeture des derniers jeux de paume, les théâtres à l'italienne se réorganisèrent : le beau monde occupa le parterre devenu habitable, tandis que la piétaille gagnait les derniers balcons, la plus haute galerie. L'expression « amuser le parterre » n'étant plus de mise à cause de la gravité des nouveaux occupants, elle fut naturellement remplacée par « amuser la galerie », qui justement était libre, et trouvait désormais, avec une justification nouvelle, une nouvelle vie. Un échange en somme. Si l'on songe que jusqu'au milieu du XVIIe siècle les pièces de théâtre se jouaient dans les jeux de paume, c'était même un prêté pour un rendu !

Pour la curiosité j'ajouterai qu'il existait autrefois une autre sorte de « gallerie ». On appelait ainsi − du vieux verbe « galler », s'amuser (qui a donné « galant ») − une partie de plaisir, ou une joyeuse compagnie. Ainsi les assemblées de femmes qui festoyaient jadis pendant plusieurs semaines au chevet d'une accouchée pour la distraire pendant ses relevailles. Dans les *XV Joies de mariage* (XVe siècle) il en est fait un commentaire avaricieux : « Les commeres viennent et se font les levailles belles et grandes. [Elles] s'esbatent en la meson de l'une d'elles pour galler et parler de leurs chouses (...) et confondent plus de biens a celle gallerie que le bon homme n'eust pas en huit jours pour tout son mesnage. »

Faire faux bond

On ne peut pas toujours compter sur ses amis, certains ont l'habitude, sans être particulièrement légers, de faire faux bond. Furetière explique pourquoi : « Se dit particulièrement dans les jeux de paume, pour marquer le saut que fait la balle en s'élevant en l'air de dessus le carreau. C'est un coup perdu quand on prend la balle au second bond. On dit aussi qu'un homme a fait faux bond lorsqu'il a fait banqueroute, ou qu'il a

116

manqué à quelque devoir d'amitié, à quelque chose qu'il avait promise. Cette fille a fait faux bond à son honneur. »

Il est vrai que l'on peut aussi **saisir la balle au bond !**

Un enfant de la balle

> Un enfant d'la balle
> Ça fait ses malles
> Et ça s'trimbale
> Partout, n'importe où...

Avec cette chanson de René Rouzeaud, Eddy Constantine a beaucoup fait, dans les années 50, pour cristalliser le sens de l'expression sur le cirque et les gens du voyage... L'explication traditionnelle veut que ces enfants de la balle soient à l'origine ceux des tenanciers des jeux de paume — appelés « paumiers », et quand c'était une femme, cela arrivait, une « paumière ».

Ces enfants, nourris dans le sérail et joueurs depuis la petite enfance, devenaient en grandissant de redoutables virtuoses de la raquette à qui il était imprudent de se mesurer. Dès la fin du XVIIe l'expression s'était étendue à tous ceux qui sont élevés dans le métier de leurs parents : « On appelle enfans de la balle, les enfans qui suivent la profession de leur père, & entre autres les enfans d'un maître de tripot avec qui il est dangereux de faire partie » (Furetière).

Donc, si les gens du cirque sont bien pour la plupart d'authentiques enfants de la balle, nombre de médecins, de magistrats et de notables peuvent en dire autant — même si tous ne fredonnent pas :

> Il m'a dit : pour gagner ta pitance,
> La danse, y a qu'ça !

M. Albert Doillon dans son remarquable *Dictionnaire permanent du français en liberté*[1], très érudit en

---

1. Parution périodique, 81 bis rue Lauriston, Paris.

matière de langage populaire, signale qu'à son avis cette interprétation classique de la citation de Furetière est erronée. Il remarque que « chez Furetière l'exemple du tripot n'est qu'un cas particulier de la définition générale et qu'il a pu naître d'un jeu de mots sur *balle* ». S'appuyant sur l'opinion de Jean Baudez il voit dans « enfant de la balle » : « un fils de ces marchands forains qui, mêlés aux saltimbanques, ont sillonné les routes de France à partir du Moyen Age; la *balle* serait donc le ballot ou la caisse du colporteur et non la pelote du joueur de paume. Cette lointaine tradition expliquerait la survivance de l'appellation chez les " gens du voyage " ».

Ils ont peut-être raison. Pourtant ces colporteurs, merciers et besaciers d'autrefois ne se promenaient pas, que je sache, avec une famille au grand complet et des marmots à leurs basques. C'était même, si je ne m'abuse, une profession plutôt solitaire... Quant au métier de portefaix — que l'on appelait aussi porte-balle — c'est bien un de ceux qui se prêtent le moins à la descendance. On a beau dire « tel père tel fils », beaucoup de costauds ont des rejetons tout à fait gringalets ! Je ne vois donc pas par quelle bizarrerie l'usage aurait fait justement de ces états singuliers le symbole de la succession automatique.

J'ai peut-être tort, mais je croirais plutôt que la citation de Furetière indique qu'à son époque la locution s'était déjà étendue de vieille date et avait perdu le contact direct avec son origine chez les paumiers. En 1690 le jeu de paume avait tout de même trois cents ans de glorieuse existence derrière lui !

Se renvoyer la balle

Jusqu'à cette expression banale du langage quotidien qui doit son existence aux échanges sportifs des « tripots » ! On connaît la célèbre citation de Pascal :

« Qu'on ne dise pas que je n'ai rien de nouveau; la disposition des matières est nouvelle; quand on joue à la paume, c'est une même balle dont on joue l'un et l'autre; mais l'un la place mieux. »

LE BILLARD

Le billard est un mail de table; un peu ce que le ping-pong est au tennis. Il faut savoir qu'avant d'être le vaste tapis vert que l'on connaît, le billard a été simplement la queue elle-même, la canne qui sert à pousser les boules. Le mot est dérivé de « bille », dans le sens bille de bois, tronc d'arbre. En 1399 un billard était un « bâton recourbé pour pousser des boules ». Le jeu lui doit son nom.

Au XVe siècle le jeu se développe et au XVIe il apparut à peu près sous sa forme actuelle. Sauf que la table, portative et placée sur tréteaux, comportait des trous et aussi des arceaux — dont a hérité le croquet. Ces trous, « en forme de poche », s'appelaient des « belouses », contracté en « blouses » — ils s'appellent toujours ainsi. Ce mot, d'origine inconnue, avait d'ailleurs été emprunté au jeu de paume où il désignait le « creux qui est au bout de la galerie pour recevoir les balles ».

Etre blousé

Dès qu'il y a des trous quelque part les hommes ont tendance à y voir paillardise. Ces belouses où entraient les boules devinrent aussi « sexe de la femme ». A. Doillon donne une première attestation de ce sens en 1585. Il donne également en 1610 : « Mettre Maitre cas dans la belouse : faire l'amour. » Il s'établit ainsi un double sens égrillard sur belouse, blouse, et blouser (faire entrer la boule, et autre chose) qui a cheminé en sous-langue, et dont il reste des traces inconscientes encore aujourd'hui dans des phrases comme « il lui en a mis plein sa blouse ». On pense qu'il s'agit du tablier... Ce sous-entendu éclaire par exemple ces alexandrins curieux de La Fontaine « à Mme de La Fayette en lui envoyant un petit billard » :

Les belouses, ce sont maint périlleux
                              détours,
    Force pas* dangereux où souvent *passages*
                              de soi-même
    On va se précipiter. (*In* Littré.)

Qui croirait que notre anodin « être blousé » — être abusé — a une origine aussi résolument gaillarde ? Qu'il n'est que la forme affaiblie par le temps de l'actuel et brutal « être baisé » ?...

Dévisser son billard

En tout cas, au XVIIe siècle, le billard se développa et prit son véritable essor. Il fut frénétiquement à la mode à la cour de Louis XIV — où décidément on se ruait sur tout ce qui passait ! On se demande où il a pu trouver le temps de faire tant de guerres celui-là !... C'est vrai qu'il les faisait faire. Il restait chez lui. Il attendait les nouvelles. Il lui fallait bien tuer le temps. Ou bien il les déclenchait sur des paris ?... On apprendra peut-être un jour qu'il avait joué l'édit de Nantes au brelan, ou au piquet, ou à la bruscambille... Quel dommage qu'il n'ait pas connu le poker ! C'est ça qui fait les bons gouvernements !

Toujours est-il que le vif engouement pour le billard dans l'entourage affectueux du monarque provoqua même une première régression du jeu de paume dans la noblesse. Le billard se répandit partout.

Or les queues — les « billards » donc — étaient des cannes légèrement recourbées et évasées vers le bout portant sur la boule : ce bout qui est précisément la

120

« queue » du billard. Formées de plusieurs parties, elles se vissaient et se... dévissaient! Les queues droites modernes à bout mince garni de cuir ne datent que du siècle dernier. Elles ont permis par l'étroitesse de leur pointe d'affiner le jeu en inventant les différents effets, à droite, à gauche et rétrogrades — mais elles se vissent et se dévissent toujours! « Dévisser son billard » — mourir — n'est donc pas une phase saugrenue du rituel des pompes funèbres — ni de celui des salles d'opération! C'est simplement démonter sa queue, la ranger, et quitter la partie. Une image à la Beckett si j'ose dire... Cela évoque les arrière-salles de café, l'animation, le bruit des voix, des boules qui s'entrechoquent, le claquement du cuir sur l'ivoire. C'est quitter la fête en somme...

LES BARRES

    Tousjours courez et racourez;
    Il semble qu'aux barres jouez

dit Charles d'Orléans au XVᵉ siècle. Le jeu de barres qui a passionné mon enfance, et des millions d'autres, est vieux comme le monde. Tué par le foot chez les écoliers il commence à être oublié. Il a pourtant été un jeu pour tous les âges et on le retrouve cité à toutes les époques, pratiqué par les manants comme par les chevaliers. Ce n'est pas à des galopins que font allusion ces vers du XIIᵉ siècle :

    Desor la mer, en un gravier,
    As barres prenent à jouer.

« Il faut attendre le XIXᵉ siècle pour que les adultes cessent de jouer aux barres — dit Charles Béart[1] — ce jeu qui avait eu son origine dans l'*ostrakinda,* l'ensemble

1. *In* R. Caillois, *op. cit.*

de formalités qui accompagnaient à Athènes le bannissement par ostracisme. Au XVᵉ siècle elles avaient provoqué une rixe à La Haye : les ambassadeurs frisons, qui logeaient au-dessus des seigneurs bourguignons, jouant aux barres la nuit en sabots, empêchaient ceux-ci de dormir. Ce fut le divertissement préféré des hommes de guerre. Bonaparte y fut fait prisonnier par Joséphine. Les élèves de l'école de Saumur y jouaient à cheval; on y jouait encore, à âne, à Montmorency et à Robinson en 1900! » Saint-Simon dit quelque part : « Je n'ai jamais été connu du roi d'Espagne que pour avoir joué aux barres avec lui. »

Avoir barre sur quelqu'un

Aux barres le jeu est « divisé en deux camps, dans lesquels les joueurs de chaque camp s'engagent successivement à la poursuite les uns des autres ». Le dernier sorti d'un des camps « a barre » sur tous les joueurs du camp adverse qui sont sortis avant lui : il lui suffit de les toucher pour les prendre et les ramener captifs à son camp. Réciproquement il doit éviter n'importe quel adversaire sorti après, qui a barre sur lui. « On dit, Avoir barre sur quelcun; pour dire, Avoir avantage sur lui. » (Furetière.) C'est en somme la haute main, le monopole dans la galopée...

Faire la pige

Le camp vainqueur est celui qui a réussi à faire prisonniers tous les adversaires. Il a donc intérêt à avoir les coureurs les plus rapides et les esquiveurs les plus habiles. Au début du jeu, deux capitaines sont désignés qui se partagent les joueurs en les choisissant un par un et tour à tour, peu importe le nombre pourvu qu'il soit égal dans les deux camps. Il y a avantage à choisir le premier pour améliorer ses chances de former la meilleure équipe.

Il faut donc déterminer lequel des deux capitaines aura l'initiative. On peut faire ça à pile ou face. Généralement, on utilise le vieux système qui consiste à avancer un pied devant l'autre, « porter barres » (mais qui n'est pas exclusivement lié à ce jeu), que certaines régions appellent « faire la pige ». « Faire la pige, " surpasser quelqu'un dans une compétition " — dit P. Guiraud[1] — est une forme dialectale de " piétiner, mettre le pied sur ", et une allusion aux enfants qui tirent au sort l'initiative du jeu en avançant un pied devant l'autre, le vainqueur étant celui qui au bout de la rencontre met son pied sur celui de son adversaire. »

LES QUILLES

Le jeu de quilles est un autre de ces jeux traditionnels depuis le XIVe siècle. Au bâton ou à la boule, il semble avoir été pour la France du Nord ce que la pétanque est demeurée pour le Midi, un jeu essentiellement populaire. « De tous temps, les pouvoirs publics se sont intéressés aux quilles, soit pour les interdire, soit pour les limiter. Ils leur reprochaient de troubler l'ordre public, d'inciter les hommes à la brutalité et au blasphème, de les détourner de la religion et du travail, de leur faire dilapider l'argent qu'ils gagnaient. » (Hélène Tremaud[2].) Ce ne sont pas là des tracas que cause la noblesse !

Faire chou blanc

J'emprunte à Maurice Rat, qui se réfère au Dictionnaire du comte Jaubert, l'explication de cette expres-

1. P. Guiraud, *Les Locutions françaises, op. cit.*
2. R. Caillois, *op. cit.*

sion bizarre qui signifie que l'on a manqué son coup dans une entreprise quelconque : « Il semble bien que cette vieille locution n'ait rien à voir avec la plante nommée *chou*, mais qu'elle soit empruntée au jeu de quilles, où l'on disait d'un joueur qui n'avait rien abattu qu'il avait fait " coup blanc ", coup se prononçant " choup " en dialecte berrichon[1]. »

Comme dit Littré se référant à la même source : « Si on n'admet pas cette explication, la locution reste tout à fait obscure. »

LES MATS DE COCAGNE

Il faut parler du pays de cocagne, fabuleuse contrée qui, depuis le Moyen Âge, a alimenté les rêves de générations entières de ventres creux, de pauvres hères, hanté les siècles de famine. Cocagne, archétype de toutes les terres promises où il n'est qu'à tendre la main pour se gorger des friandises les plus douces au palais — où la fortune vient en dormant :

Li païs a nom coquaigne
Qui plus i dort, plus i gaigne*   *gagne*

dit un fabliau du XIIIe siècle, lequel présente à l'envi des maisons dont les murs sont faits de sucreries, des rivières charriant de l'excellent vin, ainsi que des pluies bienfaisantes de galettes chaudes plusieurs fois la semaine !

Décrocher la timbale

Il faut parler des mâts de cocagne, ces anciens jeux des villages en fête. On dressait sur les places publiques

1. M. Rat, *Dictionnaire des locutions françaises,* Ed. Larousse, 1957.

un mât haut et lisse, enduit de suif ou de savon noir pour le rendre plus glissant. Un cerceau fixé au sommet offrait des victuailles : jambons, pâtés, bouteilles de champagne se balançaient en guirlande, aguichant les grimpeurs qui devaient aller les cueillir à la force des bras et des jambes pour la plus grande joie des spectateurs. Dans certains cas, vers le milieu du siècle dernier, on plaçait à la cime du mât une timbale, sans doute en argent, que le plus valeureux champion allait « décrocher » sous les applaudissements de la foule.

Bien sûr les jeux forains sont toujours le reflet naturel des préoccupations ordinaires d'une société, et ces grimpettes des dimanches en fête sont sorties de l'usage. Nous avons des supermarchés, des kilomètres de rayons pliant sous des montagnes de nourriture, des chariots débordants pour la quinzaine... Cocagne, cette illumination d'affamés chroniques, nous en venons ! — la panse lourde, du cholestérol plein les veines, les yeux bouffis... Nous avons beaucoup peiné pour ça, grimpé à des cordes raides, usé nos reins, blessé nos genoux, accepté bien des peaux de banane — et peu dormi !

Certes, nous avons décroché la timbale, sous les regards avides et les rires jaunes des peuples immenses et mal nourris du tiers monde... Qui sait ? Ils nous attendent peut-être au pied du mât !

LES ÉPINGLES

Une histoire moralisante remportait naguère un franc succès sur les bancs des écoles : celle des débuts édifiants du célèbre banquier Laffitte, pauvre jeune homme engagé dans son premier emploi après avoir essuyé un refus poli, parce qu'il avait pris la peine en sortant, tête basse, de ramasser dans la cour une épingle et de l'accrocher au revers de son veston. L'employeur qui le suivait machinalement du regard avait été séduit par ce geste d'épargne d'excellent augure et l'avait rappelé sur-le-champ : « Jeune homme, je vous engage ! »

Evidemment les temps ont bien changé ! On se demande ce que la jeunesse actuelle pourrait bien ramasser par terre pour éviter le chômage et tirer aussi brillamment son épingle du jeu !

Tirer son épingle du jeu

Jeu de mots mis à part c'est du côté des petites filles qu'il faut chercher l'origine de cette expression. Vers le xve siècle les fillettes jouaient à placer des épingles dans un rond au pied d'un mur et à les faire sortir à l'aide d'une balle qui devait d'abord frapper le mur avant de ricocher dans le cercle. Une joueuse habile parvenait au moins à récupérer sa mise, c'est-à-dire à retirer son épingle du jeu. Le sens figuré en découle très tôt, comme en témoigne d'Aubigné au xvie : « Mais, ne pouvant rien contre vents et marée, il tira son épingle du jeu. »

Cela dit, les épingles ont eu autrefois dans la vie des femmes une importance dont on ne se doute guère. C'était apparemment un objet d'un certain luxe, dont la fabrication était strictement réglementée. Au xiiie siècle le *Livre des métiers* précise : « Que nul maître ni maîtresse ne puisse acheter fil cher pour faire espingles, si ce n'est à ceux du dit métier [les espingliers], sous peine de l'amende. » On offrait des épingles aux dames et les testaments du xive et du xve siècle disposaient parfois de legs particuliers destinés à leur achat, en particulier pour les « longues espingles à la façon d'Angleterre ». Du reste le pécule que les maris accordaient à leur épouse pour leurs menues emplettes personnelles ou bien les sommes qu'elles pouvaient amasser d'elles-

mêmes par un truchement quelconque s'appelaient tout
bonnement les « épingles ». « Madame d'Etampes
prend de pension, pour ses épingles, cinq cents livres. »

Il s'agit là, semble-t-il, d'un trait de civilisation occidentale car l'anglais connaît aussi l'expression *pin-
money* qui désigne l'argent de poche des femmes et des
jeunes filles. Témoin ce dialogue d'une comédie classique de Vanbrugh où une jeune fiancée se réjouit ingé-
nument de la munificence de son futur époux : « Dis-
moi, nourrice, s'il me donne deux cents livres par an
pour m'acheter des épingles, qu'est-ce que tu crois qu'il
me donnera pour acheter des beaux jupons ? — Ah ! ma
chérie, il te trompe vilainement ! Ce que ces Londoniens
appellent l'argent des épingles c'est pour acheter à leurs
femmes tout ce que peut offrir le vaste monde, et jusqu'aux lacets de leurs chaussures ! »

La pratique des « épingles » a duré longtemps, et s'il
faut en croire Littré, jusqu'à l'époque de nos arrière-
grand-mères, où le mot désignait une sorte de pour-
boire particulier à l'intention des femmes : « C'est pour
les épingles des filles, se dit de ce que l'on ajoute en
payant une marchandise ou un ouvrage au prix
convenu... Ce sont les épingles de madame. »

Monter en épingle

On comprend dès lors que l'on puisse être **tiré à quatre épingles** — ajusté sans aucun faux pli ! Et aussi naturellement qu'il vaille parfois la peine de monter une
chose en épingle, afin de la mettre en valeur. Tout est
dans la tête, si j'ose dire, et dépend de la grosseur et du
prix de celle-ci. On peut monter une émeraude en épingle par exemple, et faire d'une simple épingle de cravate
ou d'une épingle à chapeau un véritable bijou.

Que l'on en juge par cette description somptueuse,
extraite d'un traité des émaux du XVIᵉ siècle : « Un
saphir enchâssé à jour, sur un espingle d'or, garni de

127

douze petites perles. » Pas du tout le genre que vous iriez chercher dans une meule de foin !

Dormir comme un sabot

A première vue, le sabot, qui aux pieds s'agite et claque, et fait un bruit d'enfer sur le pavé, ne fournit pas une image du sommeil particulièrement évidente. Il est vrai que, par contraste, dès qu'il est laissé dans un coin il a l'air de dormir comme une bûche...

Cette seconde image a certainement aidé l'expression dormir comme un sabot à se perpétuer jusqu'à nous. C'est pourtant une image fausse. Le « sabot » dont il s'agit est en réalité une « toupie de forme conique en bas et cylindrique en haut, que font pirouetter les enfants en la frappant avec un fouet ou une lanière » (Littré). C'est un sens connu dès le Moyen Age : « [Un enfant] respondit que, einsi com il se jooit à son çabot, il chei [tomba] el celier » (xiiie). « Fouetter un sabot » a été une expression courante : « La Furie qui agitait Amate, et qui la fouettait comme un sabot », dit Voltaire; et par ailleurs un certain Picard : « Nous tournons au gré de nos passions comme un sabot sous le fouet de l'écolier. »

Le mot est d'une étymologie incertaine. Selon un auteur cité par Littré ce *sabot* serait appelé ainsi « parce que ces toupies sont faites la plupart d'un morceau de vieux sabot ». Il me semble pour ma part que l'occitan *cibót*, « toupie, pomme de pin », fournit une origine plus vraisemblable, du latin *caepa ottu*. C'est ce mot que chante une célèbre comptine des enfants bordelais :

« Jean Couillon, veux-tu faire à la paume ?

— Non, maman, je veux faire au cibot ! »

En tout cas, on sait qu'une toupie bien lancée demeure immobile; elle « dort » sur place, et même elle ronfle doucement — précisément : dormir comme un sabot c'est dormir en ronflant. Villon le savait déjà : « Tous deux yvres dormans comme ung sabot. »

La chasse

L'aboi du vieux chien doit-on croire.

Vieux proverbe.

La chasse a toujours été la distraction favorite des hommes de guerre en temps de paix — c'est-à-dire dans les périodes plus ou moins brèves où la chasse à l'homme n'est pas ouverte. En fait, s'il reste quelques cerfs, daims, chevreuils, sangliers, et même des lièvres sur la planète, c'est que le gibier a toujours fait l'objet d'une protection toute particulière et d'une surveillance pointilleuse. Par exemple il a presque toujours été interdit au commun des mortels de chasser. La chasse, comme le port de l'épée, était autrefois l'apanage de la noblesse qui en faisait son principal loisir de plein air. Louis XI, chasseur passionné du XVe siècle, avait établi, déjà, des réserves de chasse, et se souciait beaucoup de la reproduction et de la protection des espèces. Il adorait les animaux cet homme, au point qu'il fut le premier à se constituer une ménagerie privée.

LA VÉNERIE

La vénerie — autrefois « venaison » — est l'art de chasser le gibier à poil, généralement le gros gibier, à l'aide de chiens courants, et de chevaux pour courir après les chiens. Un veneur est un chasseur en cet équipage. La chasse à courre — « courre » est ni plus ni moins l'ancienne forme du verbe courir — est la chasse par excellence, la « mère de la chasse », la « chevauchée fantastique », selon les auteurs. C'est un sport d'origine et d'usage hautement aristocratiques, une survivance dans les temps modernes des mœurs de la chevalerie. On n'y emploie que des termes d'ancien français, sorte d'argot huppé qui exprime des codes, des lois, des traditions presque immuables depuis quatre ou cinq siècles.

Sous l'Ancien Régime ces gens qui chassaient en grande pompe tout en interdisant aux autres de le faire avaient suscité une telle haine, et probablement une telle frustration, que ce fut — jointe à quelques autres vexations, bien sûr ! — une des causes les plus épidermiques de la fureur populaire lors de la révolution de 1789. La rage était si intense que les paysans profitèrent de l'occasion pour massacrer méthodiquement les chiens de chasse — les pauvres bêtes, elles, n'avaient pas pu émigrer ! Ils exterminèrent ainsi toutes les meutes de France, au point que la race des lévriers venue du Moyen Age se trouva éteinte. C'est un fait peu connu, mais le génocide fut si complet que lorsque, par la suite, certains s'avisèrent de reconstituer des meutes, il leur fallut importer des chiens de l'étranger, principalement d'Angleterre.

Décidément, les bonnes choses ont toujours provoqué des excès !... Je me demande d'ailleurs — c'est une parenthèse — quelle sorte de ressentiment peut produire aujourd'hui en Afrique l'habitude de certains aristocrates des ex-colonies anglaises de choisir, faute de gibier convenable, un indigène jeune, résistant et léger, et de le chasser à courre sous le soleil des savanes avec meutes, musique, uniformes, tout le cérémonial féroce que l'on réserve aux renards et aux loups...

Si dans le détail de son déroulement la chasse à courre exige une habileté et une science des animaux et des terrains assez extraordinaire, son principe est simple : il consiste à débusquer un animal choisi, et au

lieu de le tuer tout de suite, ce qui rendrait la plaisanterie un peu courte et ne vaudrait guère le dérangement,
on le traque avec des chiens et des chevaux jusqu'à ce
que la bête haletante et totalement épuisée s'offre sans
résistance au couteau de son saigneur qui la « sert » —
c'est le terme technique — d'un coup au cœur.

Ce divertissement d'une très grande noblesse, et qui
s'apparente du reste un peu à la corrida espagnole,
occupe largement une journée entière, de l'aube au crépuscule. Il arrive aussi parfois que la nuit tombe sans
que l'animal ait été rejoint, qu'il réussisse à échapper à
la vigilance de tout le monde et sauve ainsi sa peau et le
reste. Cette éventualité ne rend l'aventure que plus pal-
pitante.

Un fin limier

La première phase de l'entreprise consiste donc à
déterminer qui sera le héros de la journée. Pour cela la
« quête » est organisée dès la veille au soir afin de
repérer les bêtes dignes d'intérêt. Elle est effectuée par
les « valets de limiers » qui se livrent à un premier
repérage dans les bois. Elle est reprise au petit matin
par les piqueurs qui localisent alors avec précaution les
« enceintes » où se tiennent les bêtes, afin que le « maître d'équipage » puisse faire un choix définitif. (On ne
court qu'un seul animal par chasse, et le même du
matin au soir, quelles que soient les péripéties.)

Le limier — de « liem », lien — est un chien en laisse.
« Il ne doit pas être un chien comme les autres. Sa
première qualité est d'être haut de nez, mais il doit
également être obéissant et secret, c'est-à-dire ne donner de la voix, et encore de façon discrète, qu'à bon
escient[1]. » Mais c'est son maître qui, tel un Sioux, utili-

---

1. Paul Vialar, *La Chasse*, Ed. Flammarion, 1973. Ouvrage dont j'ai
tiré l'essentiel de la documentation pour ce chapitre.

sant différents indices (traces au sol, branches frois-
sées, etc.) détermine, sans l'avoir vu, la nature, l'emplacement, et même l'âge de l'animal à traquer. Le limier
au bout de sa laisse lui sert pour ainsi dire de pifomètre
avancé !

Aller sur les brisées

L'endroit où l'animal a passé est marqué par une
branche brisée. Ces repères, disposés d'une façon particulière, font penser aux flèches des jeux de piste. Un
piqueur averti suivra ce conseil du XIVe siècle : « Où tu
en perdras la vue [du cerf] gette une branche brisée,
quand tu t'en yras. »
   Les brisées, dit Furetière, sont les « marques que
laisse un chasseur dans un chemin où a passé le gibier,
qui sont ordinairement des branches d'arbres qu'il brise
ou qu'il coupe, et qu'il jette aux chemins dans l'étendue
des quêtes ». Il ajoute : « On dit figurément, marcher
sur les brisées de quelqu'un pour dire, suivre ses traces,
imiter son exemple. On le dit aussi de ceux qui entreprennent le même dessein, qui écrivent sur le même
sujet, quoy qu'ils le traitent diversement. »
   Le Petit Poucet n'avait sûrement pas eu le temps, vu
son jeune âge, de s'initier aux subtilités de la chasse à
courre... Les brisées, appliquées à lui-même, lui auraient
évité bien des déboires.

Etre d'attaque

Une fois les bêtes possibles dûment localisées, les
piqueurs reviennent vers la clairière où la compagnie
les attend. La casquette à la main, ils font au maître
d'équipage leur « rapport ». Le veneur « choisit alors de
chasser tel cerf plutôt que tel autre, et donne ses ordres
en conséquence [...]. On se rend à l'enceinte désignée.
Les chiens d'attaque y pénètrent, cherchent le cerf, le

136

mettent debout, le lancent, le forçant à s'enfuir »
(P. Vialar).

Cela évidemment si tout va bien ; il peut arriver que la
bête, avertie par on ne sait quel pressentiment, lève le
pied sans attendre.

Faire buisson creux

Au Moyen Age cette première partie de la chasse s'appelait « buissoner ». Un buisson était alors non seulement n'importe quel arbuste, mais aussi un taillis. En
1228 le jeune et bel empereur du *Guillaume de Dole,*
voulant se débarrasser des maris gêneurs et des fiancés
pointilleux pour festoyer avec leurs dames, organise au
petit jour une grande chasse où il envoie gaiement tout
le monde à l'exception de lui-même et de quelques
joyeux compagnons :

Aux jalous et aux envieux
faisoit bailler épées et cors...
aux uns a prié qu'ils allassent
buissoner avec les archers;
et li autres aux liemiers
poursuivre, qui sont bons aux cerfs.

Faire buisson creux c'est donc venir à l'enceinte alors
que l'animal a déjà déguerpi. « On dit aussi — précise
Furetière — qu'on a trouvé buisson creux lors qu'on n'a
pas trouvé en une affaire ou en un lieu, ce qu'on espe-
roit d'y rencontrer. Ce proverbe est figuré, & tiré de la
chasse, où on dit qu'on a trouvé buisson creux, quand
on n'a rien trouvé, ou qu'un cerf s'en est allé de
l'enceinte. »

Mettre sur la voie

C'est tout de même une déconvenue exceptionnelle.
Dès que le cerf est lancé, « on arrête les chiens d'atta-

que et l'on met la meute sur la voie ». Une petite sonne-rie de fanfare, puis : « Tous les chiens alors empaument la voie, c'est-à-dire partent sur la piste, en poussant des clameurs magnifiques. Cette voie, sur laquelle le cerf les a précédés, ils en suivent, au nez, tous les détours, où qu'elle les mène, pendant des heures » (P. Vialar).

Le problème est que la meute peut s'égarer momenta-nément, tomber dans une des ruses du gibier; il faut alors que les veneurs la « remettent sur la voie ». La locution, comme on peut le constater, est plus ancienne que le chemin de fer !

A cor et à cri

Le côté spectaculaire de la chasse à courre tient pour une grande part aux sonneries des cors — les veneurs emploient le mot « trompe » — lesquelles ponctuent ou soulignent les différentes phases de la poursuite. Outre les sonneries finales, l'hallali, la curée, et même la retraite, de nombreux airs diversifiés constituent un véritable langage, aussi bien pour les hommes que pour les chiens.

Après que le « lancé » ait prévenu tous les partici-pants du début effectif de la chasse, un piqueur bien posté qui a vu le cerf de ses yeux peut sonner la « vue », laquelle donne au passage des précisions sur l'animal — par exemple l'air varie selon l'âge du cerf. Si la bête s'est réfugiée dans un étang, dans l'espoir naïf d'égarer ses poursuivants, on sonnera le « bat-l'eau », puis la « sortie de l'eau » quand elle sort, le « vol-ce-l'est » quand on a aperçu la trace de son pied, le « trébuchet », etc. Quand tout va bien les veneurs sonnent des « bien-aller ». « Hommes et chiens les comprennent et s'appuient sur ces sonneries. Elles sont le langage sonore et musical de la chasse, en commentent chaque aspect et chaque surprise. »

Tout cela n'empêche pas les appels de voix, les cris et

les huées. Vieille tradition, déjà dans le *Roman de Renart* :

> Un cor a pris, ses chiens apele,
> si commande a metre sa sele,
> et sa mesnie crie et huie.

Furetière résume très bien la situation : « On dit proverbialement par une métaphore tirée de la chasse, qu'on a cherché quelqu'un à cor & à cri, pour dire qu'on a fait toute la diligence possible pour le trouver. »

Donner le change

Parmi les ruses dont dispose la bête pour essayer de sauver sa peau, détours, retours sur sa piste, traversées de rivières, etc., l'une des plus subtiles est le « change » : « Change, en terme de vénerie, se dit quand des chiens qui poursuivaient un cerf ou quelque gibier, le quittent pour courir après un autre qui se présente devant eux. Un vieux cerf donne le change, & laisse son écuyer à la place. On le dit aussi du lièvre lorsqu'il se dérobe des chiens & leur donne à courre quelque autre lièvre que lui » (Furetière).

Ce n'est pas très héroïque, évidemment ! « Notre cerf, se sentant pressé — explique Paul Vialar — n'a eu de cesse, rencontrant une harde, d'en faire partir, et souvent à coups d'andouillers, un autre cerf, obligeant celui-ci à fuir avec lui afin que les chiens chassent ce dernier plutôt que lui-même. » Oui, c'est gênant de penser que l'instinct de conservation puisse ainsi manquer de panache... Il faut se faire une raison : en ces extrémités les animaux réagissent curieusement comme les humains, toujours prêts à sacrifier un frère à leur place si le besoin se fait vraiment trop pressant. La Fontaine voyait dans cette conduite une preuve de l'intelligence animale :

> ... quand aux bois
> Le bruit des cors, celui des voix

N'a donné nul relâche à la fuyante proie,
        Qu'en vain elle a mis ses efforts
        A confondre et brouiller la voie,
L'animal chargé d'ans, vieux cerf, et de dix cors,
En suppose un plus jeune, et l'oblige par force
A présenter aux chiens une nouvelle amorce.
Que de raisonnements pour conserver ses jours !
Le retour sur ses pas, les malices, les tours,
        Et le change, et cent stratagèmes
Dignes des plus grands chefs, dignes d'un meilleur
                                                sort !

        On le déchire après sa mort :
        Ce sont tous ses honneurs suprêmes.
            (Livre X, à Mme de La Sablière.)

« On dit figurément qu'un homme a pris le change, qu'on lui a donné le change, quand on lui a fait quitter quelque bonne affaire pour en poursuivre une autre qui lui est moins avantageuse », dit Furetière. Pratique courante, assurément. Mais il faut reconnaître que l'on peut quelquefois « gagner au change » !

Etre aux abois

    « L'animal est sur ses fins.
    « On le sait par les chiens, d'abord, et souvent pour l'avoir aperçu, recru, malmené, au bout de ses forces, tirant la langue, portant la hotte, les membres raidis, ses articulations enflammées ne répondant plus et le faisant trébucher sur quelque obstacle. » Quelques minutes encore et les chiens le rattrapent, s'accrochent à lui. « Parfois il leur tient tête et demeure ainsi, dressé encore, aux abois devant eux, fier et digne et sachant que ses derniers moments sont arrivés, capable encore de découdre quelque attaquant d'un coup d'andouiller » (P. Vialar).
    L'expression a eu très tôt le sens figuré que l'on connaît : « être réduit à la dernière extrémité faute de

ressources ». En 1623 Sorel évoque ainsi les premiers pas de Laurette dans le métier de courtisane tandis qu'un soupirant lui donnait la sérénade : « La nuict que son gentil pucelage estoit aux abbois de la mort, Valderan amena un Musicien de ses amis devant nos fenestres... » L'année précédente l'auteur des *Caquets de l'accouchée* rapporte les fantaisies fiscales du temps : « [Les thrésoriers] font à toute heure croire au roy qu'il n'y a point d'argent dans ses coffres, et l'obligent par ce moyen à trouver de nouvelles inventions pour en avoir, ce qui ne se fait jamais qu'à la foule [oppression] du pauvre peuple, lequel est à présent aux plus grans abbois du monde. »

Ce qui diffère avec le peuple, c'est que lorsqu'il est aux abois il risque de mordre !

Aller à la curée

Dernière phase : la bête étant « servie » — c'est-à-dire achevée au couteau — on la dépèce sur place et l'on donne leur récompense aux chiens. « Il faut distinguer deux sortes de curées : la curée chaude et la curée froide. La première est celle qui se fait sur le lieu même où la bête a été prise, aussitôt qu'elle a été mise à mort; c'est celle que les chiens préfèrent et qui les encourage le mieux. La curée froide est celle que l'on donne en rentrant au logis. »

Curée, anciennement « cuirée », est dérivé de « cuir », car c'est sur la peau étendue un peu à l'écart que l'on offre aux chiens les entrailles de la bête. Voici la manière du XIVe siècle : « L'apprentis demande comme on doit faire la cuirée aux chiens. Modus répond : pren le foye du cerf, le poumon, le jagel et le cuer, et soit découpé par morceaux sur le cuir et sur le sang qui est sur le cuir, et fay effondre la panse et vuider et très bien laver, et puis des coupper sur le cuir, avecques les autres choses, et soit la brouaille ou bouelle [boyaux] gardée à part; et puis pren du pain, et soit descouppé par morceaux, et qu'il y ait plus pain que chair; puis soit soublevé le cuir hault aux mains d'un chascun costé, et soit meslé ensemble aux mains la chair et le pain dedans le cuir; et quand il sera bien meslé, si soit estendu le cuir à terre, et soit ce dedans esparty sur le cuir; et puis doit on laisser aller les chiens sur le cuir à la cuirée » (Modus, *in* Littré).

Il faut signaler du reste que les chiens ne sont pas tout à fait les premiers servis. Il existe d'abord, avant le dépeçage proprement dit, la cérémonie du pied, soulignée comme il se doit par une sonnerie des cors. « Le veneur sert la bête. Puis, selon la coutume, il lève le pied de l'animal en le coupant proprement à la première jointure, et en ayant soin de laisser un lambeau de peau taillée sur le genou, il le pose sur une cape, revient vers les invités et fait au plus important d'entre eux, à celui qu'il veut particulièrement honorer, les honneurs du pied » (P. Vialar).

La chasse à courre est, bien sûr, une longue jouissance, mais c'est bien là l'ultime façon, pour un des participants au moins, de prendre son pied !

Donc la vénerie nous a légué à elle seule un joli bouquet de locutions courantes — en fait toutes les étapes de la poursuite ont passé dans la langue commune, transposées dans la vie par des veneurs hautement aristocrates, voire des princes, lesquels possédèrent longtemps le double privilège de chasser à courre et de parler français. Cela va à l'encontre de l'idée reçue selon laquelle la langue française a toujours refusé les termes de métiers. Tout dépend à quel niveau se place la technique dans l'échelle sociale.

Pour terminer je ne peux résister au plaisir de signaler un autre avantage de la vénerie que Paul Vialar indique dans sa propre conclusion. Selon lui, la chasse à courre a l'extraordinaire mérite d'abolir la lutte des classes. Elle est « faite de beauté et de noblesse, au point que les grands comme le peuple, réunis en une même compréhension, en une même passion, parviennent, j'en ai eu le témoignage bien souvent, à se rejoindre à travers elle et ainsi à se mieux comprendre. A travers la nature, à travers ce grand thème de la chasse à courre, ils s'identifient au point qu'il n'est plus d'envie des uns envers les autres, mais bien l'emploi de mêmes mots, la vérification de mêmes sentiments qui les réunissent et font, du plus simple comme du plus titré, des hommes semblables ».

Ça c'est bien. Il faudra y penser, à l'occasion, lors de l'établissement de la société égalitaire que l'on réclame, justement, à cor et à cri !...

LA FAUCONNERIE

La fauconnerie se perd. On le sait, elle consistait à faire capturer le gibier par des oiseaux de proie particulièrement dressés à cet exercice. C'était un loisir princier, pour ne pas dire royal, tant l'entretien des faucons réclame un soin et une vigilance de tous les instants, et suppose un personnel abondant et hautement qualifié : les fauconniers et leurs aides. La fauconnerie a eu ses heures de gloire jusqu'au XVIIIe siècle. Chasse d'hiver, débutant après la Sainte-Croix, elle a connu son apogée dans les cours fastueuses du XVIe.

J'emprunte à nouveau à Paul Vialar la description de ces réjouissances d'antan : « Dames et seigneurs mêlés, galants faisant l'hommage de leur prise à leur maîtresse après avoir suivi l'oiseau lâché au bon moment, l'avoir soutenu de la voix, lui avoir arraché la proie des serres, l'avoir repris en le faisant revenir au leurre et le rapportant alors plein d'orgueil, enchaperonné, pour le remettre sur le poing de leur belle ! Tout le monde chassait et prenait ardent plaisir à la chasse. Les dames portaient sur leur poing petit, ganté de cuir et de velours, un épervier ou un émerillon, et derrière Catherine de Médicis la " petite bande " faisait merveille.

« C'était aussi une marque de fortune et de naissance et chaque gentilhomme voulait être suivi de fauconniers à cheval portant ses oiseaux, parvenant même parfois à obtenir permission de garder leur préféré sur leur poing à la messe. Un homme suivi d'un chien ou d'un oiseau montrait ainsi qu'il n'était pas du commun et qu'il lui était de cette manière permis, à tout instant de sa promenade ou de son voyage, de se livrer à son sport favori[1]. »

Des pratiques de haut vol

On appelait oiseaux de haut vol — ou de haute volerie — le faucon pèlerin, le gerfaut, qui « montent haut dans le ciel pour dominer leur proie et fondre sur elle ». On chassait ainsi la perdrix, le faisan, le canard, la pie et l'alouette. Cette chasse, la plus spectaculaire mais aussi la plus délicate, fait un peu penser aux combats aériens de nos amusantes époques.

La technique de basse volerie est pratiquée en sousbois, sur les lièvres et les lapins, par des oiseaux plus petits qui « partent directement du poing du fauconnier et, sans s'élever, filent en droite ligne sur la proie ».

Avoir de l'entregent

Pendant les déplacements et les préparatifs le faucon était donc perché sur le poing ganté de cuir de son maître, et ce n'était pas une mince affaire que de l'habituer à circuler ainsi dans le brouhaha et l'agitation

1. Paul Vialar, *op. cit.*

144

ambiante. Bien sûr il était attaché par des « gets » — lanières de cuir — et sa tête était enveloppée d'une coiffe, un chaperon également de cuir, qui l'empêchait de voir et qu'on ne lui ôtait qu'au moment de la chasse proprement dite, mais cela exigeait un dressage particulièrement constant de l'accoutumer ainsi à la fréquentation des hommes et des chevaux. Un fauconnier du XIVᵉ siècle donne ces conseils précis : « Il vous continuer à le tenir souvent sur le poing et entre gent tant et si longuement que vous pourrez, le porter aux plaids et entre les gens aux églises et autres assemblées. »

Autrement dit, le volatile acquérait ainsi de l'« entregent »; il ne s'effarouchait plus de rien, à l'aise dans les situations les plus animées... Brave bête ! « On l'appelait autrefois l'autour, cuisinier, parce que son maître le menait à la cuisine pour qu'il s'habitue à rencontrer beaucoup de monde, et du plus bruyant » (P. Vialar).

L'expression s'est appliquée aux hommes rompus à tous les usages mondains : « Le comte de Roucy avait, avec toute sa bêtise, un entregent de cour que l'usage du grand monde lui avait donné », rapporte Saint-Simon ! C'est vrai que pour faire son chemin dans les relations publiques il vaut mieux s'attendre à tout et ne s'effaroucher de rien !

Faire des gorges chaudes

Bien entendu dans cette catégorie-là aussi il faut encourager l'animal. Rien de plus efficace que de lui faire goûter quelques morceaux de sa proie immédiatement après la capture — ou encore le détourner de cette proie en la remplaçant par un « leurre », un pigeon par exemple, que le faucon déchire à sa guise. (Ce qui a peut-être renforcé le sens d'**être un pigeon**, une dupe, usuel déjà au XVIᵉ avec le verbe *pigeonner*.)

« Gorge, en terme de fauconnerie, est le sachet supé-

rieur de l'oiseau, qu'ailleurs on nomme poche; et lorsque l'oiseau s'est repus, on dit qu'il s'est gorgé. On
appelle gorge chaude la viande chaude qu'on donne aux
oiseaux du gibier qu'ils ont pris », explique Furetière.
C'est en somme l'équivalent de la curée pour les chiens.
La Fontaine rapproche d'ailleurs les deux mots dans *La
Grenouille et le Rat* :

[La Grenouille]
S'efforce de tirer son hôte au fond de l'eau,
Contre le droit des gens, contre la foi jurée;
Prétend qu'elle en fera gorge chaude et curée :
C'était, à son avis, un excellent morceau.

Cependant, il existait dans l'ancienne langue un mot
« gorge », ou « gorgie », qui signifiait « insulte, raillerie
piquante » (ne li fist ire ni gorge). Il en a résulté une
superposition de sens, et l'expression vorace s'est trou-
vée vouée à la moquerie. « On dit aussi par une double
figure, quand quelcun a fait une sottise, ou imprudence,
qu'on en a fait une gorge chaude dans les compagnies;
c'est-à-dire, qu'on s'en est raillé » (Furetière). Saint-
Simon emploie déjà ce sens figuré : « Le duc de Saint-
Aignant trouva l'aventure si plaisante qu'il en fit une
gorge chaude au lever du roi. »

Quelle que soit la transposition, les motifs de nos
hilarités ne sont pas innocents; faire des gorges chaudes de son prochain revient souvent à le déchirer à
belles dents !

LES PIÈGES

Les pièges, que l'on appelait autrefois « engins », ont
toujours été les auxiliaires discrets et efficaces du chasseur sans gloire... Ils le sont encore pour les bracon-
niers, et aussi d'ailleurs pour les ornithologues qui
prennent au filet les oiseaux qu'ils veulent baguer.

Tomber dans le panneau

L'expression tomber dans le panneau est elle-même traîtresse si l'on ne comprend pas que le panneau est un filet tendu sur le passage des bêtes :

Au trou où le lapin se glisse
Ma bourse et mon pannel tendrai. (xve.)

« Le panneau n'est qu'une petite pantière, dans laquelle bondissent les lièvres ou les lapins pour s'y prendre. Il en existe de merveilleusement pratiques, en fil de soie, contenues dans un sac dorsal et accompagnées des piquets et des ficelles nécessaires à les installer sur le sol », dit P. Vialar qui définit la pantière comme « un filet très long qui barre tout un espace — en général repéré et où passeront les oiseaux — vertical d'abord et qu'on fait, à l'aide d'une commande de ficelle placée loin, s'abattre sur le gibier ».

Dès lors le sens figuré s'entend de lui-même. Il est amusant de noter à cet égard que les « panneaux publicitaires » font un jeu de mots involontaire mais charmant... Pour ne rien dire, bien sûr, de certains panneaux électoraux.

Tomber dans le lacs

Il y a longtemps que le sens premier de cette locution n'est plus compris, car elle est confondue avec le dérivé qu'elle a créé : **tomber à l'eau.** En réalité le lac — c'est-à-dire le lacs — était un « nœud coulant qui sert à prendre des oiseaux, des lièvres et autre gibier », autrement dit un collet — le lacet (de chaussure) est le diminutif du mot. « A tart crie la corneille quand le lacs la tient par le col », dit un vieux proverbe. Tomber dans le lacs, c'est donc tomber dans le piège :

li morsiau qui fu en l'enging
fu de fromage de gaain

et li laz estoit estendu

par dessus deus paissons fendus. (*Roman de Renart.*)

On a peu à peu confondu « lacs », collet, avec « lac », étendue d'eau, à cause d'une similitude de prononciation, et la deuxième notion a prévalu. C'est aussi de cette équivoque « eau-piège » que nous vient l'expression d'origine voyoute **être mouillé**. Dans l'argot du célèbre Vidocq, au xixe siècle, « être mouillé » voulait dire « être remarqué par la police », sens toujours actuel, et qui reste près de son origine : lacs-piège. Il est vrai que les policiers traquent en principe le « gibier de potence »...

Les dés sont pipés

Autre vieille technique de chasse : imiter le cri des animaux pour les attirer vers soi. « Le braconnier — dit P. Vialar — se sert aussi des appeaux, des chanterelles. Il faut s'y connaître bien pour faire venir à soi en les appelant certains gibiers afin de les tuer ensuite au fusil, et imiter à la perfection la caille comme la perdrix, ou mieux, la chevrette afin qu'accoure le mâle. »

Autrefois on attirait les oiseaux sur des branches d'arbres que l'on avait préalablement enduites de glu. On prenait ainsi les oiseaux « à la pipée » — le mot étant de la famille de pipeau. « La saison de piper au bois as oyseaulx si commence après la Saint-Michel archange et dure tant comme les feuilles sont as arbres », dit un texte du xive siècle. Furetière explique plus tard comment la méthode est passée à d'autres domaines : « Au figuré il s'emploie communément pour dire tromper, & particulièrement au jeu. Les filous font métier de piper les dez, de les charger de mercure ou de plomb, d'y marquer de faux points. Ils pipent les cartes en y faisant quelques marques pour les connaître ou en les escamotant. » Scarron, visitant la foire de Saint-Germain, commente à ce propos :

> Icy le bel art de piper
> Très-impunément sa pratique;
> Icy tel se laisse attraper
> Qui croit faire aux pipeurs la nique.

Un pipeur est un filou. Ils abondent. « On peut dire au féminin pipeuse — dit Littré qui ne doute de rien — et, dans le style un peu élevé ou poétique, piperesse. »

Si l'on considère tous les pièges où l'on peut tomber, les embûches de la vie courante, les traquenards qui nous attendent, si l'on songe à tous les appeaux vers lesquels on court, les leurres, miroirs aux alouettes, attrape-nigauds de tous bords — sans parler des peaux de banane et des planches pourries — on se dit qu'un homme averti en vaut une bonne demi-douzaine !

Bestiaire

Dieu garde la lune des loups.

Vieux proverbe — valable
depuis la création du monde
jusqu'au 20 juillet 1969.

LE CHEVAL

La plus noble conquête de l'homme a été mise un peu sur la touche par les temps modernes. A part le prodigieux intérêt pour les courses télévisées, et dans une moindre mesure les randonnées forestières des dimanches d'été, le rôle et le prestige du cheval se sont réduits comme peau de chagrin au cours de ce siècle.

Pourtant, principale source d'énergie pendant un millénaire et moyen de transport presque unique, le cheval qui a révolutionné en son temps aussi bien la manière de cultiver la terre que de se battre aux armées a joué dans le développement de la civilisation occidentale un rôle aussi capital que celui de l'électricité depuis une centaine d'années. Il n'est pas étonnant qu'il soit resté de ses bons et loyaux services un nombre remarquable de façons de parler.

Tirer à hue et à dia

Ce n'est pas le signe d'une bonne organisation dans aucun domaine que de tirer sans cesse à hue et à dia !... Ce sont là des termes, dit Furetière, « dont se servent les chartiers pour faire avancer les cheveaux par le droit chemin. Il est venu en usage dans cette phrase figurée et proverbiale : Il n'entend ni à *dia*, ni a *hurhaut;* pour dire, C'est un brutal qui n'entend point

153

la raison, quelque parti qu'on lui propose. Les Chartiers se servent de *dia* pour faire aller leur cheval à gauche, & de *hurhaut* pour les détourner à droite ». En effet, Roger de Collerye disait très justement au XVIe siècle :

>   A propos un chartier sans fouet
>   Qui ne dit dea ni hurehau
>   Pourrait-il toucher son chevau ?

Droite ou gauche, un choix capital certes, mais souvent difficile à opérer. « Il est normal que les uns tirent à hue et les autres à dia — disait R. Escarpit dans un de ses billets du *Monde*. A ne pas vouloir choisir, au mieux on reste immobile, au pire, on est écartelé. »

Enfourcher son dada

Dia ! Dia !... criaient donc les cochers, claquant leur fouet en guise d'accélérateur. Da ! Da !... reprenaient les bambins, dès le plus jeune âge. C'est ainsi que le noble animal est devenu *dada* dans la langue enfantine, dès les temps anciens, comme naguère l'automobile était devenue « toto ».

Il est naturel qu'un animal à la fois aussi prestigieux pour un enfant et aussi familièrement quotidien ait toujours constitué le jeu favori et obstiné des petits garçons, sous la forme de substituts divers, allant du simple bâton empanaché au cheval de bois toutes catégories, dont la chaise à bascule ornée d'une tête de bidet constitue la version bébé. Selon Rabelais un ancêtre de Pantagruel avait échappé au Déluge en chevauchant l'arche de Noé dans laquelle, vu sa taille, il n'avait pu trouver place : « Il estoit dessus l'Arche à cheval, jambe deçà, jambe delà, comme les petitz enfans sus des chevaulx de boys. »

La fascination pour le jouet s'est transportée naturellement sur les amusettes et autres idées fixes du monde adulte, qu'il s'agisse d'une collection de castagnettes andalouses, ou bien des obscurs branchements des radio-amateurs. Notons en passant que l'anglais *hobby*, de *hobby-horse* (cheval de petite taille), a exactement le même sens et la même évolution.

Enfourcher son dada est donc à peine une métaphore. « Un homme qui n'a point de dada ignore tout le parti que l'on peut tirer de la vie », affirme Balzac. Je dirai que dans bien des cas un dada aide à vivre, tout simplement.

Se mettre à poil

« A poil ! Tout le monde à poil ! » chantait P. Perret. L'expression, dans son acception tout à fait ordinaire de « nu comme un ver », paraît s'entendre d'elle-même puisque dans la tenue d'Adam et Eve tout un chacun montre ses poils là où ils sont. Il s'agit pourtant là d'une motivation secondaire qui fait aujourd'hui la drôlerie et peut-être le plaisir du mot.

En réalité à poil s'est d'abord appliqué aux chevaux, et constitue une variation de l'expression *à cru*, qui signifie à même le poil, sans selle ni couverture : « On dit aussi qu'on monte un cheval à poil, quand on le monte sans selle, & le dos tout nud » (Furetière). Autrefois, les deux expressions s'employaient indifféremment en équitation. Ne pas confondre : « un garçon d'écurie vint à poil et au grand galop me trouver » (Barbey d'Aurevilly) ne veut pas dire que le gaillard était tout nu !

Cela dit, *à cru* s'employait également pour les personnes dès le xviie siècle pour « à peau nue ». « Leurs transparents seraient plus beaux si elles voulaient les mettre à cru », suggère Mme de Sévigné (les transparents étant des robes de dentelles portées sur des habits de brocart). Il est difficile de savoir si l'on disait également « à poil » dans le même sens dès cette époque, mais il est probable que non. A poil avait alors un tout autre sens : celui de « brave, courageux ». « Un homme à poil, un homme résolu », dit Littré. C'est ce sens qui a donné les fameux « poilus » (les intrépides), dès avant la guerre de 14-18.

Le poil de la virilité, de la bravoure, le poil guerrier — lequel a donné aussi *avoir du poil au ventre,* et même « au cul » (avec son euphémisme « aux yeux ») — nous vient de loin.

> Si notre estomac est velu
> Mars, comme nous, l'avait pelu

dit Du Bellay, évoquant le dieu de la Guerre. Avant lui Rabelais rapporte la tradition de vertu et de force accordée à la pilosité. Lorsque Pantagruel naquit, les sages-femmes s'émerveillèrent : « ... Voicy sortir Pantagruel, tout velu comme ung ours, dont dist une d'elles en esperit prophétique : " Il est né à tout le poil : il fera choses merveilleuses; et, s'il vit, il aura de l'eage [âge] ". »

En tout cas, les deux sens de *à poil* — force et nudité — ont coexisté un certain temps avant que le second l'emporte. En 1889 *Le Père Peinard* use simultanément des deux acceptions — d'abord dans le récit d'une bagarre : « [Les petits crevés des cercles catholiques] avaient à faire à des gars à poil et qui ne sont bougrement pas manchots : les chaises volent que c'est un vrai beurre ! » — puis dans le compte rendu d'une exposition de peinture : « [Vallotton] nous montre une tripotée de femmes, des jeunes et des vieilles à la baignade, y en a à poil, d'autres en chemise. » On ne saurait être plus clair.

On peut toutefois être certain d'une chose : dans les salles de garde de la cavalerie, la perspective de monter tantôt un cheval à poil, tantôt une femme de même, a dû faire rire aux larmes plus d'un grenadier !

A bride abattue

La bride est le « harnais placé à la tête du cheval et destiné à l'arrêter ou à le diriger, selon la volonté du conducteur ». Une façon de laisser à la bête l'entière liberté de ses mouvements est naturellement de lui **laisser la bride sur le cou,** symbole de parfaite non-directivité. On peut aussi **tourner bride :** faire un demi-tour complet, et généralement détaler dans le sens inverse. Avant de pouvoir « mettre l'accélérateur au plancher » les gens se déplaçaient *à bride abattue,* autre façon de laisser à la monture tout son élan et toute son impétuosité. Ainsi c'est « sans réserve ni retenue » qu'il faut comprendre dans ce mot de Mme de Sévigné : « Elle a un amant à bride abattue », et non pas une allusion à l'extrême rapidité de la chose.

On disait autrefois « à bride avallée », c'est-à-dire au sens propre « descendue ». Après leur débarquement en l'île d'Utopie, Pantagruel et ses compagnons voient « six cent soixante chevaliers montez à l'advantaige sur chevaulx légiers, qui accouroient là veoir quelle navire c'estoit qui estoit de nouveau abordée au port, et couroient à bride avallée pour les prendre s'ils eussent peu ».

Ronger son frein

Le cheval n'a pas d'embrayage mais il a un frein ! C'est la barre de fer — elle pouvait être d'argent ou d'or chez les princes — qui, comme dit Furetière, « se met sur la bouche du cheval pour la tenir sujette ». C'est la même chose que le mors. Le cheval au repos mâche et remâche cet instrument en attendant d'avoir à nouveau l'autorisation de se dégourdir les jambes. « On dit proverbialement Ronger son frein, pour dire, cacher le dépit qu'on a d'une injure dont on ne se peut venger » (Furetière).

Prendre le mors aux dents

Quand le cheval en a assez de suivre la volonté de son maître, il agrippe les branches du frein — ou mors —

157

avec les incisives, empêchant ainsi l'engin de lui tirer douloureusement les commissures des lèvres. Il peut dès lors en faire à sa tête. « On dit figurément, Prendre le mors aux dents, pour dire, prendre une bonne résolution & l'exécuter » (Furetière).

Une vieille habitude apparemment chez les chevaux; vers 1225, dans le *Roman de la Rose* de G. de Lorris, Raison conseille à l'amoureux de se ressaisir contre sa propre passion :

> Prens durement au denz le frain
> Si dente* ton cuer et refrain.   *dompte*
> Tu doiz metre force et desfense
> encontre ce que tes cuers pense.

Prendre ombrage

Le cheval est un animal soupçonneux, qu'un rien inquiète. Il a fallu toute la persévérance et la ruse humaines pour le convaincre de participer, par exemple, aux batailles. Normalement le cheval est effrayé par tout ce qui bouge de façon soudaine, même si c'est une ombre, ce qui fait placer sur son harnais des œillères, spécialement destinées à éviter qu'il ne « prenne ombrage » à tort et à travers.

Une histoire célèbre de cheval particulièrement ombrageux est celle que raconte Pline du cheval d'Alexandre, et que Rabelais met dans la bouche de Grantgouzier : « Philippe, roy de Macedone, congneut le bon sens de son fils Alexandre à manier dextrement un cheval. Car ledict cheval estoit si terrible et efrené que nul ne ouzoyt monter dessus, par ce que à tous ses chevaucheurs il bailloit la saccade, à l'un rompant le coul, à l'aultre les jambes, à l'aultre la cervelle, à l'aultre les mandibules. Ce que considérant Alexandre en l'hippodrome (qui estoit le lieu où l'on pourmenoit et voltigeoit les chevaulx), advisa que la fureur du cheval ne venoit que de frayeur qu'il prenoit à son umbre.

158

Dont, montant dessus, le feist courir encontre le soleil, si que l'umbre tumboit par darrière, et par ce moien rendit le cheval doulx à son vouloir. »

C'est donc à l'imitation de son ami le cheval que l'homme s'emporte sur un soupçon. « Les fréquentes visites d'un cavalier donnent de l'ombrage aux maris jaloux », note Furetière.

Prendre la mouche

« Volonté de folle et vache qui mouche sont trop fors à tenir », dit un ancien proverbe. Tout autant que le cheval c'est en effet la vache qui prend la mouche. P. J. Hélias fait une description précise de la chose dans le cas d'un bœuf : « Un taon peut se glisser sous sa queue et c'est la déroute, aveugle, éperdue, la corde entre les jambes, le pieu battant les flancs et l'échine quand la bête secoue vainement les cornes » (*Le Cheval d'orgueil*). En effet la notion de « mouche » était autrefois très extensible, et allait jusqu'à la mouche à miel : l'abeille. Comme on s'en doute c'est surtout la mouche à bœufs, ou mouche bovine, autrement dit le taon, énorme, au dard aigu, qui provoque ces fureurs soudaines et à première vue inexplicables.

« On dit aussi Prendre la mouche, pour dire, se piquer, se fâcher sans sujet et mal à propos. Et lorsque quelqu'un s'emporte, se met en colère sans qu'on sache pourquoi, sans qu'il paraisse en avoir eu le moindre sujet, on demande quelle mouche l'a piqué » (Furetière).

Naturellement c'est affaire d'épaisseur de cuir. On disait au XVIIe siècle « être tendre aux mouches », pour dire « avoir le cœur facile aux moindres émotions, ressentir vivement les moindres désagréments ». C'était le cas de Mme de Sévigné : « En vérité — dit-elle — la vie est triste quand on est aussi tendre aux mouches que je le suis. »

Un coup de pied en vache

Le cheval rue. C'est-à-dire qu'il est capable de vous lancer noblement les deux pieds à la fois en pleine figure, à condition que vous soyez placé juste derrière lui. La vache non, ou très exceptionnellement. Elle est trop lourde. Elle ne sait guère lancer qu'un seul pied à la fois. Par contre, elle peut vous l'envoyer à l'improviste, aussi bien vers l'avant, que par côté, un peu à la façon d'un karatéka... Chacun sa technique. La sienne est si connue qu'on en a fait un temps un pas de danse. « En terme de danse — signale Furetière — on appelle " rut de vache ", un pas où l'on jette le pied à côté. »

Or, il arrive que certains chevaux particulièrement vicieux, négligeant la belle ruade spectaculaire de leur espèce, puissent eux aussi vous allonger un coup de pied en travers, d'une seule jambe, lorsque vous passez à côté d'eux. C'est cela que les cavaliers appellent le coup de pied « en vache », précisément parce que cette technique n'appartient pas en principe à leur catégorie. Mais il est fréquemment employé dans le commerce, l'industrie, et généralement dans une foule d'activités humaines !

Tenir la dragée haute

L'honneur d'être parrain s'accompagne traditionnellement de celui d'offrir des dragées à la ronde à l'issue de la cérémonie du baptême. Au temps où les messes étaient carillonnantes et les friandises rares, dans certains villages les gamins s'attroupaient devant le porche de l'église et guettaient la sortie du nouveau chrétien inconsolable, que l'onction sacrée et l'eau froide venaient brutalement d'arracher au sommeil. L'heureux parrain plongeait alors la main dans un sac et, du haut des marches, lançait à la volée des poignées de dragées, roses pour les filles, bleues pour les garçons, que les gosses cueillaient sur les pierres, arrachaient à la poussière et aux touffes d'herbe avec une précipitation joyeuse, couvrant momentanément de leurs cris les hurlements sincères de l'enfant oint !...

Ce geste d'aimable prodigalité s'accorde mal avec l'expression autoritaire « tenir la dragée haute » à quelqu'un, qui signifie lui faire attendre longtemps, et ne lui accorder que parcimonieusement, ce qu'il désire. C'est qu'en effet il s'agirait selon certains d'une autre sorte de dragée, en l'occurrence une botte de fourrage vert, ou dragée de céréales, anciennement « dragie », « mélange de grains qu'on laisse croître en herbe pour les bestiaux ». La *dragée de cheval* en particulier est composée de froment et de sarrasin. Il s'agirait donc aussi d'une manière de dessert, une friandise dont la bête est particulièrement gourmande, et qu'il convient de lui prodiguer avec modération en la plaçant à une hauteur convenable dans le râtelier, hors de sa portée, de sorte à l'habituer à maîtriser sa gloutonnerie. Tenir la dragée haute serait donc un exercice de dressage analogue à celui du « sussucre » offert à un chien sous certaines conditions d'obéissance ou d'équilibre sur ses pattes de derrière.

Cela dit la dragée de sucre ou de miel est elle aussi une friandise ancienne, le prototype de tous les bonbons, convoitée par les bambins de toutes époques, les pages, les chambrières, et je pense que la hauteur où elle était tenue a autant de sens pour eux que pour les quadrupèdes.

Avoir la fringale

Avoir la fringale est un signe de bonne santé lorsque l'on dispose de tout ce qu'il faut pour l'apaiser... La fringale est pourtant à l'origine une maladie des chevaux : la boulimie. Selon les étymologistes le mot est une transformation de *faim-valle*, ou mauvaise faim :

161

« sorte de névrose qui force les chevaux à s'arrêter tout à coup, et ne leur permet de reprendre le travail qu'après que le besoin de manger qui les saisit est satisfait » (Littré). Au XVIᵉ siècle Antoine Baïf résume ainsi les malheurs de l'imprévoyante cigale :

Tout l'été chante la cigale.
Et l'hiver elle a la faim-vale.

Le cheval qui a faim s'agite. Il est probable que la « faimvalle » s'est croisée en chemin avec le vieux verbe « fringuer », gambader, qui a donné « fringaller » et aussi l'adjectif « fringant ».

Jeter sa gourme

Il semble que la gourme soit une maladie passagère et nécessaire chez les jeunes poulains, chez qui elle est une inflammation de la bouche. De là on est passé aux enfants auxquels il pousse des croûtes, que l'on considérait autrefois comme purificatrices. Furetière l'a définie ainsi : « Gourme, mauvaise humeur & corrompüe qui sort du corps des enfans. Ce n'est pas un mauvais signe, quand les enfans sont galeux, il faut qu'ils jettent leur gourme. On dit figurément des jeunes gens qui entrent dans le monde & qui ne savent pas encore vivre, qu'ils n'ont pas encore jeté leur gourme. »

ANIMAUX DIVERS

En Europe occidentale le loup, ancienne terreur des petis enfants, n'est plus qu'un souvenir, un vieil animal de fable. Il continue à vivre dans le langage, mémoire mythique des nations — une faim de loup, un froid de loup. En France, il a été un réel prédateur jusqu'au milieu du XIXᵉ siècle, mais nous nous sommes habitués à son absence. Nous sommes devenus trop nombreux sur ce coin de planète, où nous instituons nos propres prédations, pour coexister avec l'habitant des bois. Un loup chasse l'autre !...

A la queue leu leu

Le mot *leu* n'est pas autre chose qu'une ancienne forme de *loup*. « Hareu, le leu ! le leu ! le leu ! » criaient les bergers picards. Il a laissé des traces dans le nom *Saint-Leu*, pour Saint-Loup, et naturellement dans la description de gens marchant l'un derrière l'autre — « queue à queue, comme les loups quand ils s'entresuivent » : *à la queue leu leu !* Cela bien avant que les romans de Fenimore Cooper nous fassent parler de « file indienne ».

Pourtant, le redoublement du mot leu n'est qu'une erreur d'écriture, déjà très ancienne. Il constitue une mauvaise (ou amusante) interprétation de la vieille langue où « de » et « du » ne s'employaient pas toujours pour désigner l'appartenance : Château-Gaillard veut dire « le château *de* Gaillard » et Choisy-le-Roi, « Choisy *du* Roi ». Ainsi la queue du loup était simplement « la queue le loup », et en Picardie : « la queue le leu », qu'on a fini par écrire « leu leu ». Du reste, Rabelais cite la forme « à la queue au loup ».

Si l'expression a eu autant de vitalité c'est qu'elle servait à désigner « un jeu de petits enfans », un jeu tout bête, et toujours amplement pratiqué dans les cours d'écoles maternelles, qui consiste à courir en rang d'oignons en tenant le tablier de celui qui précède... C'est le petit train ? Bien sûr ! Simple changement de motivation. Des centaines de générations de bambins se sont diverties de la sorte, bien avant que les trains existent. Celui qui court en tête de file, avant de faire la locomotive, faisait tout bonnement le « leu » !

C'est à se demander si ce ne sont pas les trains qui

ont réellement copié sur les petits enfants, et à travers eux sur les loups ?... On comprend mieux dès lors la perplexité des vaches le long des voies ferrées, et l'abîme de réflexions où les plonge la « récupération » humaine des instincts ancestraux.

Connu comme le loup blanc

Quand un loup rôdait à proximité d'un village, la nouvelle avait vite fait le tour de ses habitants. La menace qu'il représentait pour les troupeaux, et aussi pour les enfants, bien que réelle, était aussitôt exagérée par un vent de panique dont il est difficile de cerner la part de l'imaginaire. Toujours est-il que c'était un animal rapidement identifié et qu'il était bien difficile à un brave loup de se promener incognito dans la campagne. De là la comparaison classique : « On dit aussi qu'un homme est connu comme le loup — dit Furetière — pour dire qu'il est extrêmement connu : & cela ne se dit que d'un homme de qui on peut se donner liberté de dire ce qu'on en pense. »

Dans nos contrées, les loups avaient un pelage noirâtre, au mieux gris foncé, alors que leurs confrères sibériens ont quelquefois le poil plus clair. Il est possible que certains migrants, à l'occasion d'hivers particulièrement rudes, se soient avancés jusque sous nos climats, et que le passage d'un loup plus clair ait produit dans l'imagination populaire le mythe du « loup blanc », forcément le plus connu de tous, et le plus redoutable ! Car c'est bien en tant qu'animal mythique que Rutebeuf le cite déjà au XIIIe siècle :

Car ce siècle est si changé
Que un leu blanc a tous mangé
Les chevaliers loyaux et preux.

Peut-être à cause d'une incompréhension due à la forme populaire « leu », peut-être par un jeu de mots tentant, au lieu de « connu comme le loup blanc » on tentant, au lieu de « connu comme le loup blanc » on dit souvent dans le nord de la France « connu comme le houblon » — variante assez naturelle chez des buveurs de bière !

Entre chien et loup

La distinction entre les deux bêtes est essentielle pour le voyageur, encore faut-il y voir assez clair... Entre chien et loup, dit Littré, est « à petit jour, le soir ou le matin, c'est-à-dire quand le jour est si sombre qu'on ne saurait distinguer un chien d'avec un loup ».

Peut-être aussi le chien est-il le temps du jour, de la lumière, de l'activité; le loup le temps de la nuit, de l'ombre, de la peur, où l'on se réfugie chez soi, dans le sommeil et aussi dans les cauchemars. Le jour guide et protège, la nuit égare et menace... Entre les deux c'est l'hésitation, le crépuscule, le passage, lui aussi inquiétant, d'un état à l'autre. « Je crains l'entre chien et loup quand on ne cause pas », avoue Mme de Sévigné.

L'expression remonte... à la nuit des temps ! On lit au XIIIe :

En un carrefour fist un feu

Lez un cerne* entre chien et leu. *près d'un « chêne » ?
Les Anglais disent *between dog and wolf*, et les Romains, déjà la même chose : *inter canem et lupum*.

Dès potron-minet

Dès potron-minet, de grand matin, est une façon de parler qui se fait rare, mais elle intrigue encore ses derniers utilisateurs. Savoir que l'on dit aussi *patron-minet* n'éclaircit guère la locution, qui désigne **le point du jour** — comprenez « dès que le jour point » (du verbe poindre). Son ancienne forme est d'ailleurs *potron-jacquet;* en normand un « jacquet » est un écureuil. Quant au potron, il est une altération de *poitron* — on disait au XVIIᵉ siècle : « il s'est levé dès le poitron-jacquet » — lequel vient de « poistron », du latin *posterio,* postérieur, révérence gardée : le cul. « ... et la boele [les boyaux] Vous saudra fors [sortira] par le poistron », menace quelqu'un dans le *Roman de Renart.*

Selon la grammaire de l'ancienne langue (voire *Queue leu leu*), potron-jacquet signifie donc « le derrière de l'écureuil », partie fort visible de cet animal tout en queue et de surcroît extrêmement matinal; l'expression veut dire : « quand l'écureuil montre son derrière, se lève, dans la fraîcheur de l'aube naissante »...

Naturellement, il s'agit là d'un langage très agreste; dès que les peuples commencent à s'urbaniser ils se coupent de certaines préoccupations, et en particulier du mode de vie des écureuils! C'est sans doute pourquoi le mot a glissé vers le chat, plus familier et tout aussi matinal — on disait dans le même sens « dès que les chats seront chaussés ». Il a fourni le bizarre « potron-minet ».

Quant au reste, j'ignore si c'est avec ou sans malice que pour certains le postérieur est devenu le « patron », mais c'est sans doute une blague involontaire que le langage a faite tout seul!

Donner sa langue au chat

Cette formule qui marque la fin des devinettes se noie dans le brouillard des temps et des jeux enfantins. Cependant le chat, comme dévoreur de langue, qui rend les petits enfants muets, semble avoir pris à une époque relativement récente la place du chien, ordinairement plus vorace. « Ne sauriez-vous deviner ? — demandait Mme de Sévigné. *Jetez-vous votre langue aux chiens ?...* » Il semble bien que ce soit là l'ancienne formule : jeter quelque chose aux chiens c'est en faire très peu de cas, voire un acte infamant, et ne pas être « bon à jeter aux chiens » le comble de l'indignité.

C'est probablement parce que « langue au chat » est plus joli, moins brutal que « langue aux chiens » que s'est effectué ce changement d'animal domestique. L'expression consacrée s'éloigne ainsi de la réalité féroce dans laquelle elle a certainement vu le jour, à des époques où les mutilations humaines n'étaient pas de simples façons de parler. Couper les mains en guise de châtiment, couper les oreilles, le nez, la langue, à des ennemis vaincus, à des captifs, par représailles ou pour le simple plaisir, ont été — sont encore parfois ! — des pratiques odieuses mais bien réelles. Les jeux d'enfants qui miment — innocemment ? — la plus grande bestialité des peuples (on joue à la guerre, n'est-ce pas ?) sont souvent comme l'écho de ces coutumes barbares, et c'est sans doute dans un châtiment cruel qu'il faut voir la véritable origine du gentil renoncement de nos devinettes. Car donner sa langue à manger aux chiens, ou aux chats, c'est par une automutilation symbolique, devenir irrémédiablement muet, et donc le plus sûr moyen de ne jamais pouvoir répondre à la question posée.

Ménager la chèvre et le chou

A vouloir plaire aux uns on s'attire souvent la colère des autres, et il est parfois difficile de ménager la chèvre et le chou !... Dans cette curieuse locution il faut comprendre le verbe *ménager,* non pas dans le sens actuel d'épargner, mais dans celui qu'il avait autrefois de « conduire, diriger » — que l'anglais a conservé sous la forme quasi internationale de *manager* et *management.* Une « bonne ménagère » est étymologiquement celle qui dirige bien les affaires de sa maison. « Le fait d'un bon mesnager — dit La Boétie au XVIᵉ siècle — c'est de bien gouverner sa maison. » On comprend que l'on soit passé de là au sens d'économie domestique !

C'est donc « conduire la chèvre et le chou » qu'il faut

entendre à l'origine de l'expression, ces deux antagonistes ancestraux, prototypes du dévoreur et du dévoré, du faible et du fort, du couple dominant-dominé qui a toujours besoin d'un arbitre, d'un gardien, d'un législateur; le duo a donné aussi **mi-chèvre, mi-chou,** moitié agressif, moitié soumis, donc incertain, hésitant à pencher vers un bord ou un autre.

En tout cas, il faut être habile pour faire cohabiter ces deux ennemis, ou les emmener en voyage. Une histoire fort ancienne illustre la difficulté de leur « conduite » : c'est le fameux problème du passage d'un loup, d'une chèvre et d'un chou.

Un homme doit faire traverser une rivière à ces trois « personnages », mais le pont est tellement étroit, ou la barque si frêle, qu'il ne peut en passer qu'un seul à la fois. Bien sûr il ne saurait à aucun moment laisser ensemble sans surveillance ni le loup avec la chèvre, ni la chèvre avec le chou! Il doit donc faire appel à une astuce particulière, sujet de la devinette, et vous pouvez mettre la sagacité de vos amis à l'épreuve de ce classique qui a fait la joie de nos aïeux. Solution : on passe d'abord la chèvre, le loup et le chou restant seuls ne se feront aucun mal. On la laisse de l'autre côté et on revient « à vide » chercher le chou. Une fois celui-ci sur l'autre rive — c'est là l'astuce — on ramène la chèvre avec soi. On la laisse seule à nouveau, pendant que l'on fait traverser le loup que l'on ré-abandonne avec le chou, mais sur l'autre bord. On a alors tout le loisir, dans un aller-retour supplémentaire, d'aller rechercher la chèvre, afin que les trois protagonistes se retrouvent sans dommage sur la rive opposée, en compagnie de leur habile gardien.

Cette histoire était déjà célèbre au XIIIᵉ siècle, où savoir « passer la chèvre et le chou » était déjà une expression figurée d'habileté dans la discussion, comme en témoigne ce passage du *Guillaume de Dole* en 1228 :

Si lui fait lors un parlement*   *discours*
De paroles où il lui ment :

> Pour passer les chèvres, les chous,
> Sachez que il n'estoit mie fou.

Comme on voit, la locution ne date pas des dernières neiges.

Payer en monnaie de singe

Le singe est parmi les animaux exotiques celui qui a été connu le plus tôt sous nos climats. Dès le Moyen Age, il a fait l'objet d'une curiosité soutenue de la part des foules, et il semble qu'à partir de la Renaissance nombre de maisons cossues hébergeaient un singe domestique qui faisait la joie des petits et des grands. Saint Louis, pour sa part, avait émis un règlement qui dispensait les amuseurs de payer le droit de passage sur le Petit-Pont, à Paris, notamment les montreurs de singes, lesquels faisaient exécuter quelques tours à leurs bestioles en manière de paiement. Ce serait l'origine de l'expression « *payer en monnaie de singe* », qui veut dire ne pas payer du tout, souvent en lanternant son homme avec des simagrées et des compliments.

Il faut croire que les anciens gardiens de ponts étaient des amateurs de grimaces, de très joyeux lurons guichetiers ! On a certes restitué les péages (droit de poser le « pied ») sur les autoroutes, mais la nouvelle vague de péagers et de péagères me paraît infiniment plus morose : la monnaie de singe n'a guère plus cours sur nos chemins !

Peigner la girafe

Par contre, la girafe est un des animaux exotiques de première grandeur, si j'ose dire, qui est demeuré le plus longtemps mystérieux, voire carrément fabuleux pour les Français. A la fin du XVIIᵉ siècle Furetière n'hésite pas à écrire : « Giraffe : Animal farouche dont plusieurs

169

auteurs font mention mais que personne n'a vu... Mais la plupart des curieux croient que c'est un animal chimérique. »

On imagine donc l'enthousiasme des foules lorsque la première girafe, en chair, en os et en cou, posa pour la première fois le pied sur notre sol au XIXe siècle. Elle débarqua à Marseille le 26 octobre 1826, envoyée en présent à Charles X par le pacha d'Egypte, Mohamed Ali. Hébergée tout l'hiver à la préfecture de Marseille, elle fut conduite à Paris à pied, en cortège, dès le printemps suivant, et pendant les quarante jours du voyage la foule s'amassa sur le parcours dans une préfiguration de ce qui serait plus tard le public du Tour de France! La plupart des auberges où la caravane avait fait halte prirent l'enseigne *A la girafe*!

Elle atteignit Paris en triomphe le 30 juin 1827, et quelques jours plus tard elle fut présentée au roi en grande pompe avant de rejoindre ses appartements au Jardin des Plantes. « La France entière — écrit le docteur P. Thévenard[1] — s'éprend alors littéralement de la girafe; on accourt de tous les points du pays pour la voir; au pont d'Austerlitz, dont la traversée était encore payante à l'époque, les recettes du péage s'enflent démesurément... Bientôt, d'ailleurs, la girafe ne se contente plus d'attirer à ses pieds les foules admiratives : elle pénètre en effigie au foyer des citoyens français, et s'y mêle intimement à leur existence quotidienne : l'on fond des plaques de cheminée à son image; l'on tapisse les appartements de papiers peints dont elle constitue l'élément décoratif essentiel, inlassablement répété; à ceux qui le préfèrent on propose pour suspendre au mur un tableau en perles aux tons chatoyants; enfin, les céramistes n'entendent pas demeurer en reste, les services de table font fureur, tandis qu'il n'est pas de coiffeur à la mode qui ne possède son plat à barbe " à la girafe ".

1. *Naturalia*, n° 49, oct. 1957.

« On rime sur elle, on la chante, elle inspire un vaudeville, et on lui adresse une invocation en chœurs et couplets, que soutient une musique originale. »

Il faut dire aussi qu'à la veille de la révolution de juillet 1830, les commentaires n'étaient pas tous délirants : « Rien n'est changé en France, il n'y a qu'une bête de plus ! » ironisaient d'aucuns. La vedette donna également naissance à des comparaisons et à des quolibets que Littré donne comme « populaires » : « Femme grande et qui a un très long cou. Il dansait avec une grande girafe. » De cette époque date sans aucun doute l'expression incongrue « peigner la girafe », qui n'a pas tout de suite voulu dire comme aujourd'hui « ne rien faire », mais d'abord plus logiquement « perdre son temps à une vaine et fastidieuse besogne[1] ».

Je rappellerai pour terminer que la girafe mourut à Paris en janvier 1845, un peu oubliée. Elle fut néanmoins empaillée avec soin et conservée au Muséum, avant d'être transférée en 1931 au Muséum d'histoire naturelle de La Rochelle où elle trône toujours, superbe, sur le palier de l'escalier principal, faut d'avoir pu entrer dans aucune des salles.

Laisser pisser le mérinos

Pour compléter ce qui est dit au sujet de cette locution à la page 14, on ne voit pas bien au premier abord ce qui a pu valoir aux besoins naturels du mérinos, plus qu'un autre mouton, ce petit air de nonchalance que l'on connaît... Il me paraît tout à fait raisonnable de penser, avec Pierre Guiraud, que l'expression a simplement pris le relais de la plus ancienne « laisser pisser la bête », pour « ne rien précipiter, prendre son temps ». C'est une habitude chez les conducteurs d'attelages,

---

1. Faut-il voir aussi une malice : long cou, girafe, pour pénis ? Et une allusion du genre « peigne-zizi » ?...

quelle que soit l'urgence, de faire une petite halte pour laisser pisser les chevaux ou les bœufs dès que ceux-ci en éprouvent le besoin. En effet, alors que ces animaux peuvent déféquer en marchant en toute tranquillité, ils souffrent d'uriner en plein effort. Cela leur coupe l'envie et peut leur provoquer des troubles graves. C'est donc une loi du charretier, du cocher ou du laboureur : il faut toujours laisser pisser la bête.

Pourquoi passer au mérinos ?... D'abord par jeu, parce que le mot est amusant et donne à la locution un air absurde qui fait le ravissement du langage. Mais il doit y avoir une raison plus technique : le terme mérinos semble s'être popularisé au début du XIXe siècle pour désigner, comme nouveauté, un drap épais tissé avec la laine de mouton mérinos. G. Esnault signale en 1866 « manger du mérinos » pour « jouer au billard », ce qui se réfère évidemment au tapis vert. Il est possible que laisser pisser le mérinos ait pris naissance, par croisement avec la « bête », autour des tables de billard, où il convient particulièrement de garder son calme, de prendre son temps et ne rien précipiter avant d'ajuster un coup... C'est une hypothèse.

Poser un lapin

Poser un lapin c'est ne pas venir à un rendez-vous et laisser attendre l'autre au lieu fixé. Certes le lapin est un animal instable, qui bondit dès qu'on veut l'approcher, mais cela n'explique guère la création de cette tournure qui date environ de la fin du siècle dernier, et dont le mystère demeure à peu près entier. L'hypothèse avancée par certains, selon laquelle le lapin serait celui que produit le prestidigitateur devant son public, ne paraît pas convaincante dans la mesure où il crée une agréable surprise et non une méchante blague !

On trouve par contre, dans le passé du lapin, si j'ose dire, trois significations annexes qui peuvent jeter quelque lueur sur ce délicat problème de paternité. D'abord au XVIIIe siècle on appelait « lapin » un passager en surnombre qui montait sur le siège à côté du cocher d'une diligence, et voyageait ainsi plus ou moins gratuitement au bon gré de son hôte. « Sur le devant de cette voiture, il existait une banquette de bois, le siège de Pierrotin, et où pouvaient tenir trois voyageurs, qui, placés là, prennent comme on le sait le nom de lapins. Par certains voyages, Pierrotin y plaçait quatre lapins... », explique Balzac dans *Un début dans la vie.*

Deuxièmement, un « lapin » a eu également le sens d'histoire fausse. Esnault cite pour 1718 : « Celui-là est de garenne, votre récit est incroyable. » Enfin il est bien connu que le « lapin », en terme de prostitution est — était déjà en 1880 — le client qui se sauve sans avoir rétribué les faveurs d'une fille. Il est évident que ces deux derniers sens — qui sont peut-être liés — paraissent se rapprocher du contexte d'un rendez-vous manqué, sans toutefois l'expliquer de façon tout à fait satisfaisante.

Personnellement je crois qu'il faut aussi prendre en compte un vieux sens de « poser », ou « faire poser », qui est « faire attendre quelqu'un ». « Depuis trois mois, elle le faisait poser, jouant à la femme comme il faut, afin de l'allumer davantage » (Zola, *Nana*). Le mot était en usage en 1897 où G. Darien l'emploie dans un sens étrangement proche de celui de la locution : « Je t'ai laissé poser hier soir; excuse-moi car je n'ai pas pu faire autrement », dit un personnage du *Voleur* qui n'a pu se rendre à un rendez-vous.

Y a-t-il eu croisement entre le lapin insolvable et l'action de « poser » dans l'attente ?... Evidemment, on peut imaginer qu'une fille, pour se venger d'un client sans scrupule, lui donne de faux rendez-vous, auquel cas elle « ferait poser un lapin » — mais rien n'indique que l'expression se soit ainsi abrégée, et avec des « si » on mettrait Paris en bouteille !

Avaler des couleuvres

Avaler des couleuvres c'est subir un affront, une vexation sans être en mesure de protester. Accepter bouche cousue est le lot de tous ceux qui sont en position d'infériorité et qui jugent plus utile, ou plus prudent, de se taire, soit par esprit courtisan, soit pour leur sécurité. L'accession à tous les pouvoirs suppose naturellement une forte consommation de ces reptiles : « Il faut savoir regarder d'un œil sec tout événement, avaler des couleuvres comme de la malvoisie », dit Chateaubriand qui s'y connaissait.

Mais pourquoi ces serpents particuliers ?... L'expression semble dater du xviiᵉ siècle où Furetière la définit ainsi : « On dit qu'un homme a bien avalé des couleuvres, lorsqu'on a dit ou fait devant lui plusieurs choses fâcheuses qu'il se peut appliquer, ayant été cependant obligé de cacher le déplaisir qu'il en avait. » Mme de Sévigné fait un grand usage de la tournure : « Il faut que le goût qu'il a pris pour elle soit bien extrême, puisque ce goût lui fait avaler, et l'été et l'hiver, toutes sortes de couleuvres. »

Je pense pour ma part qu'il y a là quelque part « anguille sous roche ». L'anguille, poisson d'eau douce à forme de serpent, constituait, du temps qu'il foisonnait dans nos pures rivières, un mets courant et particulièrement apprécié. Il est probable que c'est par opposition à elle que la couleuvre, considérée comme répugnante et même dangereuse, intervient. Des hôtes mauvais plaisants auraient-ils servi des couleuvres en lieu d'anguilles pour éprouver la docilité de leurs convives ?... Le coup du chat à la sauce lapin ? Après tout la couleuvre est comestible, et de chair fine au dire de certains. On l'appelle aussi anguille de haie.

Sotte ignorance et jugement léger
Vous ont jadis, on le voit par vos œuvres,

Fait avaler anguilles et couleuvres

dit J.-B. Rousseau.

Evidemment, à force d'avaler de tels plats l'estomac le plus solide finit par s'aigrir. En d'autres termes : qui avale trop de couleuvres finit toujours par cracher du venin !

Fier comme un pou

Etre fier comme un pou est une expression incompréhensible au premier abord, et qui comme beaucoup d'autres doit son succès à son absurdité. Les poux sont des petites bêtes noires pleines de pattes qui se promènent parfois sur les mèches de cheveux, assez gravement sans doute, mais sans aucune fierté. Ils se sauvent dès que l'on approche le doigt, ils s'enfuient lâchement dans l'épaisseur de la chevelure comme un cafard sous un balai. Que l'on dise « moche comme un pou », cela se comprend, mais fier ?...

En réalité le « pou » en question — ou *poul*, ou *pol* — est l'ancienne dénomination du *coq*, le mâle de la « poule » précisément, et le papa du « poulet » ! En fait, fier comme un pou veut dire « fier comme un coq ». Un petit coq même, un coquelet fringant, tout en plumes et en crête arrogante. Cela à une époque où le coq adulte s'appelait aussi *jal*, ou *gal*, du latin *gallus*, alors que la vermine des coiffures était encore un *pouil*, ce qui explique les « pouilleux ». L'expression se rattache donc légitimement à la panoplie du cocorico national — le mot « coq » vient d'ailleurs de « cocorico », imitation de son cri.

Quant au **coq gaulois,** l'emblème, il résulte d'un jeu de mots en latin entre *gallus*, coq, et *Gallus*, Gaulois, sans que nos ancêtres bien connus aient marqué une préférence particulière pour cet oiseau de basse-cour !

Sauter du coq à l'âne

Francion dit d'un jeune Ecossais qui voulait être son soupirant : « Il n'entendoit pas encore bien le français, aussi ne faisois je pas son langage corrompu : de manière que nostre entretien fut un coq a l'asne perpetuel » (Sorel).

L'origine de cette locution pose un autre de ces problèmes de parenté quasiment insolubles. « Coq a l'asne — dit Furetière — est un propos rompu, dont la suite n'a aucun rapport au commencement : comme si quelcun, au lieu de suivre un discours qu'il aurait commencé de son coq, parloit soudain de son asne, dont il n'étoit point question. Ménage dit que Marot a été le parrein de cette façon de parler, et qu'il fit une épître qu'il nomma du coq a l'asne en suite de laquelle plusieurs Poètes ont fait des Satires qu'ils ont intitulées de ce nom, où ils disoient plusieurs véritez qui n'avoient ni ordre ni suite. »

Or Ménage se trompait, car si Marot a bien instauré le coq-à-l'âne comme genre littéraire, créant ainsi une mode qui eut un vif succès au XVIe siècle, il n'a pas inventé l'expression. On disait déjà au XVe « sauter du coq a l'asne », et Wartburg signale au siècle précédent « saillir du coq en l'asne », qui paraît être la forme la plus ancienne de l'expression.

Cela dit on n'avance guère : pourquoi un coq et pourquoi un âne ? Il y a peut-être une allusion à une histoire ou à une réalité oubliées... Faut-il penser par exemple à des pratiques obscures de ce qui était au Moyen Age la Fête des fous, pendant laquelle l'âne, symbole d'ignorance et de perversion, était tout à coup mis en vedette avec des honneurs parodiques qui allaient jusqu'à le placer momentanément dans le chœur de l'église ? Alors que le coq était le symbole de Jésus-Christ, de la lumière et de la résurrection ?... Cela ne conduit à aucune conclusion possible.

J'ai longtemps caressé une hypothèse qui pour n'être pas plus fondée qu'une autre me paraît du domaine du possible, et que je livre ici à titre d'élucubration personnelle parce qu'elle me fait plaisir. L'*ane* est aussi, jusqu'à la fin du XIIIᵉ siècle au moins, le mot propre désignant la cane, femelle du canard. Le mot survit dans le « bédane », ce burin de forme évasée, en réalité « bec-d'ane » : bec de cane. Le terme s'est peu à peu confondu avec « asne », le baudet, à mesure que l'« s » de celui-ci n'était plus prononcé. Dans le *Jeu de Robin et Marion*, vers 1285, il s'installe un quiproquo volontaire lorsqu'un chasseur cherchant une *ane* (cane), Marion fait mine de comprendre *âne* :

> *Li chevaliers*
> Si m'aït Dieu, bele au cors gent,
> Ce n'est pas ce que je demant.
> Mais veïs tu par ci devant,
> Vers ceste rivière, nule ane?
>
> *Marion*
> C'est une beste qui recane?
> J'en vis hier trois sur ce chemin
> Tous chargés aler au moulin.
> Est ce ce que vous demandez?

L'origine de l'expression pourrait-elle se situer de façon plus « logique » du côté de ce volatile?... Il s'agirait alors du rapport incongru d'un coq à une cane.

Si l'on considère que le sens premier du verbe « saillir », sauter, du latin *salire*, est « couvrir une femelle » — sens qu'il a conservé jusqu'à nos jours — on peut se demander s'il n'y aurait pas là une clef possible. Il arrive en effet, dans n'importe quelle basse-cour ordinaire, qu'un coq à l'esprit mal tourné offre soudain ses assiduités à une femelle parente, telle une dinde ou une cane alanguie par le mal d'amour. Cette saute d'humeur passagère, et que la morale des oiseaux réprouve probablement, est toujours amusante à observer. Le coq, juché sur la femelle, ne sait plus comment s'y prendre et repart souvent sans arriver à ses fins. On peut penser qu'une « saillie du coq en l'ane » ait constitué cette incongruité divertissante au départ, et soit devenue pour nos lointains aïeux le symbole du manque de cohérence et de suite dans les idées !...

Mis à part le manque d'attestation sérieuse, je reconnais que cette interprétation présente quelques difficultés face à la forme verbale « saillir » du coq en l'ane. En outre les Anglais disent de leur côté *a cock and bull story* (histoire de coq et de taureau). C'est donc moi, sans doute, qui ai l'esprit mal tourné !

Un canard boiteux

Comme tous les canards sont plus ou moins boiteux de par leur démarche naturelle, on se demande pourquoi une quelconque vindicte s'attacherait à l'un d'eux en particulier. L'expression est curieusement absente de tous les dictionnaires. Si Littré l'ignore c'est probablement que le *canard boiteux* s'est répandu après lui, c'est-à-dire vers la fin du siècle dernier ou le début de celui-ci.

A mon avis le mot est venu de l'anglais *a lame duck* dont il représente la traduction littérale. *A lame duck* est une expression qui a son origine dans la finance britannique, plus précisément dans le monde de la Bourse où elle désigne un marchand de titres incapable de payer ses dettes, et par extension tout spéculateur insolvable. Cela, paraît-il, et sous toute réserve, à cause de la démarche vacillante d'un tel individu obligé de quitter le *Stock Exchange* honteusement dépouillé, sous les regards de glace de ses impitoyables collègues.

La locution est commune outre-Manche et le romancier Thackeray l'emploie déjà en 1847 dans *La Foire aux vanités* : « Les affaires de M. Sadley ont une allure qui ne me plaît guère, et tant que je n'aurai pas vu de mes yeux les dix millions d'Amélia, tu ne l'épouseras pas », signale à son fils un père soupçonneux qui ajoute : « Je ne veux pas d'une fille de canard boiteux dans ma famille. » C'est sans doute dans ce contexte implacable de la finance qu'il faut comprendre le célèbre adage : « Pas de pitié pour les canards boiteux ! »

Cela dit il faut remarquer qu'en anglais le mot *lame* a plutôt le sens de « boiteux par accident »; un autre mot désigne la démarche ordinaire et dandinante du canard : *to waddle. A lame duck* serait donc plus exactement un canard « blessé, éclopé ». L'image prend vraisemblablement sa source non dans l'animal de basse-cour, mais dans les fameuses chasses au canard sauvage, fort goûtées justement par l'aristocratie britannique du portefeuille. C'est en passant au français que l'expression aura pris, par le hasard d'une traduction littérale, cette redondance à effet cocasse qui a assuré, si j'ose dire, sa fortune. Il est possible aussi qu'un croisement se soit produit avec la notion, semble-t-il traditionnelle, de cheval boiteux. G. Esnault signale pour 1881 « pas de pitié pour les chevaux boiteux ». L'influence de ce dernier a peut-être favorisé l'extension du sens à tous les traînards, les malhabiles et les malchanceux de toutes sortes que la vie, en effet, n'épargne guère.

Parenthèse : un « canard », désignant un journal, vient du sens de « fausse nouvelle » qu'il avait au XVIIIᵉ siècle : « Conte absurde et par lequel on veut se moquer de la crédulité des auditeurs. Cette nouvelle n'est qu'un canard », dit Littré qui rend compte du passage à la presse par l'acception suivante : « Se dit ironiquement de faits, de nouvelles, de bruits plus ou moins suspects qui se mettent dans les journaux. »

Pourquoi cette mauvaise réputation ? Il existait préalablement et depuis le XVIᵉ siècle l'expression « vendre un canard à moitié », pour « mentir, faire accroire », laquelle en se raccourcissant est devenue « vendre un canard ». « Il est clair — précise Littré — que vendre un canard à moitié, ce n'est pas le vendre du tout, de là le sens de attraper, moquer. »

Caner, faire la cane

Pour en finir avec cet oiseau j'ajoute qu'il a fourni également la vieille expression *faire la cane* : « se dérober à propos, faire le plongeon à l'approche du danger », laquelle a donné plus simplement le verbe *caner* : « reculer, fuir », que Littré signale comme étant un « mot très familier ». Effectivement dans la prose de Marc Stéphane les gens du trimard causent ainsi : « A l'audience, et pis à l'taule, je fis l'cane, naturlich, car de tels matous ne se prennent pas sans mitaines » (*Ceux du trimard*). Mais c'est encore Furetière qui explique le plus délicatement l'origine de l'expression : « On dit aussi qu'un homme fait la cane; pour dire qu'il recule par lâcheté dans les entreprises périlleuses, ou qu'il manque à ce qu'il s'étoit vanté de faire, à cause que les canes sont si timides, qu'elles baissent la tête en passant par une porte, quelque haute qu'elle soit. » Pratique internationale sans doute, car les Anglais disent *to duck* dans le même sens.

Quant à *caner*, mourir, il semble venir d'un renforcement argotique du précédent par jeu de mots avec *canner*, s'en aller, quitter les lieux, c'est-à-dire « jouer des cannes » : jouer des jambes.

Bayer aux corneilles, bouche bée

Il y a bâiller et bayer ! Bâiller d'ennui, ou de sommeil, avec ou sans discrétion, et *bayer*, de l'ancien *baer*, ou *béer*, qui est tenir la bouche ouverte, de surprise ou d'innocente attention, lequel a donné la *bouche bée*, la gueule béante, les badauds (par l'occitan *badar*), et les bégueules (bée gueule) !

> Et Galopin, la gueule bée,
> Qui a la gorge longue et creuse,
> Tretout giete en comme en la heuse*   *botte*

dit *Le Roman du comte d'Anjou*, quand le messager avale une grande « hennappée » de bon vin. Pantagruel naquit au temps d'une telle sécheresse, après trente-six mois sans pluie, que « les loups, les regnars, cerfz, sangliers, daims, lièvres, connilz, bellettes, foynes, blereaulx et aultres bestes, lon trouvoit par les champs mortes, la gueule baye », dit Rabelais.

Bayer aux corneilles est donc une « manière de parler proverbiale, pour exprimer un homme oisif, et qui s'amuse à regarder niaisement toutes choses » (Furetière). Pourquoi les corneilles ?... Parce qu'elles sont en l'air probablement, et que ça donne l'air encore moins futé... Rabelais disait aussi « bayer aux mouches », mais il disait n'importe quoi !

Comme c'est chouette !

La chouette n'est pas un oiseau anodin. Peut-être à cause de son air insolite et de ses mœurs nocturnes, sa réputation a beaucoup varié au cours des âges. Naguère oiseau de malheur dont le cri étrange (le chuintement) annonçait la mort de quelqu'un, elle était volontiers clouée sur les portes des granges — du temps qu'il y avait encore des granges et des portes de bois. (Elle effraie aussi les rongeurs, ceci étant sans doute la raison pratique de cela.) Chez les anciens Grecs au contraire elle était le symbole d'Athènes, parce que les chouettes, paraît-il, abondaient dans la ville. En conséquence elle fut dédiée à la déesse Athéna, Minerve, et à ce titre tout à fait respectée.

Je ne pense pas que ce soit cet illustre antécédent qui ait valu à la chouette la réputation d'être très soignée de sa personne, mais elle passe pour un oiseau coquet. Dans l'ancienne langue le verbe *choeter* signifiait « faire le coquet » et naturellement « la coquette ». On a donc parlé d'une femme chouette, puis sans doute d'une chouette femme ! Panurge disait : « Ma femme sera jolye comme une belle petite chouette » — autre façon de déclarer sur un air connu : « Qu'est-ce que t'es chouette, que t'es chouette, ma poupée !... »

On disait aussi au jeu de paume — on pourrait le dire au tennis ou au ping-pong — « faire la chouette », pour jouer seul contre deux adversaires; selon Littré parce que la chouette, si elle sort de jour, est assaillie et poursuivie par les autres oiseaux. Seul contre tous, c'est en effet assez chouette !

Quoi qu'il en soit, la fortune de ce mot dans le français d'aujourd'hui constitue une belle revanche pour un animal si longtemps et si injustement persécuté.

De la roupie de sansonnet

La roupie de sansonnet, c'est rien du tout, une bagatelle, une quantité presque nulle, souvent employée dans une comparaison négative comme le fait Zola dans *L'Assommoir* : « Le zingueur voulut verser le café lui-même. Il sentait joliment fort, ce n'était pas de la roupie de sansonnet. »

On sait que la roupie, au sens propre si j'ose dire, est « l'humeur qui découle des fosses nasales, et qui pend au nez par gouttes » — autrement dit la « chandelle ». C'est assez écœurant; « la jeune paysanne crache sur son menton; elle a au nez une roupie gluante qu'elle essuie avec sa manche », décrit Fénelon qui était allé voir les pauvres de près. Le mot est ancien :

Si bourse eust tant de rübies
Comme li nez ad de rupies,
Riche sereit...

dit un texte du XIIIe; et Collerye en 1536 :

Par ce temps froit, or, argent m'ont en haine;
Roupye au nez, la toux, et courte alaine
M'ont assally...

Donc on comprend fort bien que la roupie en ellemême représente une valeur assez négligeable. Mais

182

pourquoi sous-entendre que celle du sansonnet est encore plus médiocre ?... On a dit autrefois « de la roupie de singe », ce qui s'entend, l'animal étant parfois roupieux de nature. Mais le sansonnet est un vulgaire petit étourneau dont on ne sache pas qu'il soit particulièrement morveux !... A moins qu'il n'y ait là un jeu de mots bien déguisé : de la roupie de « sens-son-nez » ? C'est bizarre tout de même...

Curieux aussi qu'en certains endroits « roupie » ait désigné le rouge-gorge, particulièrement dans la région d'Angers.

Enfin, l'essentiel c'est d'avoir la santé !

Une fine mouche

La mouche, j'ai le regret de le dire, a rarement été l'objet d'une grande considération parmi les peuples. On dit que jamais aucune mouche ne pénétra dans le Temple de Salomon, et selon une légende mahométane toutes les mouches sont destinées à périr, à l'exception d'une seule : la mouche à miel (voir p. 159). Les Grecs sacrifiaient un bœuf à Zeus pour le conjurer de les préserver des mouches, et Pline raconte qu'à Rome un sacrifice était dédié aux insectes eux-mêmes, mais c'était dans le même but de préservation. Pour les Hébreux, Belzébuth, dont le nom signifie le « dieu des mouches », est devenu l'exemple même de la fausse divinité, tandis que chez les chrétiens il apparaît, avec Lucifer et Satan, comme une des appellations du diable en personne.

On s'est moqué de la mouche; on l'a avilie. Dans le *Roman de Renart,* par exemple, Dame Hersant insulte en ces termes sa rivale, la femme de Renart :

   ... plus estez pute que mouche
   qui en esté les genz entouche.

C'est dans ce contexte de mépris généralisé que dès le xvᵉ siècle au moins une *mouche* a désigné un espion au service d'un puissant : « Il n'y a rien qui rende tant odieux les tyrans que les mouches, c'est-à-dire les espions qui vont partout espiant ce qui se fait et qui se dit », juge Amyot. Plus tard la mouche, avec son dérivé péjoratif le « mouchard », s'est appliqué également aux agents de police spécialisés dans la filature. « Mouche — explique Furetière — se dit figurément d'un Espion, de celui qui suit un autre pas à pas. Entre les sergents il y en a un qui fait la mouche, qui suit tous les pas de celui qu'ils veulent prendre, & qui marque la piste au coin de toutes les rues où il passe : c'est de là qu'on a dit, *une fine mouche,* pour dire un homme qui a de la finesse, de l'habileté pour attraper les autres. »

2

Les institutions

L'armée, la guerre

Aussi bien pleure bien battu,
comme mal battu.

Vieux proverbe.

La langue française doit beaucoup à l'armée. A toutes les armées, de tous les temps. Si l'on considère que le fond de notre langue vient pour une bonne part, non pas du latin classique des intellectuels romains, mais du « bas latin », sorte d'argot des légionnaires transmis aux peuplades pacifiées, on comprend l'étendue de la reconnaissance que nous devons aux soldats. Le mot *tête* par exemple, qui en latin *testa* signifiait « vase de terre cuite », représente au départ une plaisanterie aussi fine que nos « cafetières », « carafes » et autres « calebasses » pour désigner le siège de nos pensées...

Du Moyen Age jusqu'à nos jours la langue des militaires, langue du plus haut prestige, n'a cessé de fournir des vocables et des locutions d'autant plus imagées que la guerre était fréquente, active, et souvent glorieuse. Car il n'est rien de tel que le soldat pour distribuer à la ronde le vocabulaire de son métier. Parler boutique lui donne du mystère, lui qui revient toujours du seuil de la mort violente; il en acquiert du charme et de la grandeur.

Sous l'Ancien Régime les armées se débandaient l'hiver; les troupes prenaient leurs quartiers, tandis que les officiers supérieurs retournaient à la Cour, aux salons et aux dames, où ils véhiculaient naturellement les façons de parler nées de l'excitation du combat et du progrès des techniques guerrières. Ils avaient le verbe haut, mille anecdotes... Ils avaient des muscles, de la hardiesse, des balafres, ils sentaient bon le cheval et le crottin chaud. Les dames émoustillées se suspendaient à leurs lèvres, voulaient savoir, charmantes, comment on tuait. Ces nobles gens racontaient leurs batailles, faisaient des gestes, et employaient les termes techniques pour faire plus vrai, plus comme-si-vous-y-étiez... On les comprend : comme c'était trop tôt dans l'ère quaternaire pour qu'ils puissent rapporter des photos, tout devait passer dans le langage !

LES TEMPS ANCIENS

Monter sur ses grands chevaux

Il en était des chevaux du temps jadis un peu comme des automobiles du nôtre : tous n'avaient pas la même taille et la même fonction. En gros il en existait de trois sortes : les chevaux de parade, ou de voyage, les *palefrois* « por chevauchier a l'aise du cors », qui étaient aussi les montures des dames; les *roncins*, bêtes porteuses d'armes et bagages, aussi appelés *somiers* (de somme), qui servaient également aux écuyers et gens de moindre importance; enfin les *destriers*, étaient ainsi nommés parce que l'écuyer les conduisait de la main droite (la dextre) quand ils allaient « à vide ».

Mes sires Gauvains fu armez,
Et si fist a deus escuiers
Mener an destre deus destriers.

(Le Chevalier de la charrette, XIIe.)

C'étaient les chevaux de combat, de belle race et de haute taille — plus le cheval est grand, mieux on domine son adversaire — les *grands chevaux*.

190

Or sachiez que, quant ils monterent,
il i ot ploré maintes lermes.
Trois somiers a robes et armes
orent, et granz chevax de pris.

(*Guillaume de Dole*, XIIIᵉ.)

Monter sur ses grands chevaux c'est donc le signe de la bataille : « Atant guerpissent [abandonnent] les palefrois, si sont es destriers montés » (XIIIᵉ). Naturellement, ce n'est pas une action que l'on entreprend l'esprit calme et serein, il y faut de la fougue et de l'arrogance. « On dit aussi — dit Furetière — qu'un homme monte sur ses grands chevaux; pour dire qu'il parle en colère & d'un ton hautain. »

Entrer en lice

Si la guerre venait à manquer, restait toujours le dérivatif magnifique fourni par les tournois. Pendant le Moyen Age proprement dit — jusqu'au XVᵉ siècle environ — les tournois furent de vraies petites guerres d'un jour, sur un territoire non limité à partir d'un « centre » formé par une estrade où se tenaient les spectateurs et surtout les spectatrices. Les chevaliers s'affrontaient souvent en équipes, aidés par des « gens de pied » armés de piques et de crochets, tout comme à la guerre. Il y avait des captures et des rançons et certains gagnaient leur vie de cette façon, en professionnels aussi exacts que les joueurs de football aujourd'hui. Leur cote — très exactement leur *prix* — montait à la mesure de leurs prouesses.

Ce n'est que plus tard, et surtout à la Renaissance, que les tournois s'organisèrent de la façon dont on les représente le plus souvent au cinéma, dans des champs clos, avec des concurrents qui joutent entre des barrières, essayant de se désarçonner mutuellement du bout de leur lance. C'est ce « couloir » des derniers tournois que l'on appelle la *lice*, le mot signifiant « barrière, palissade ». « On l'appelait ainsi — explique Furetière — parcequ'il étoit fermé de pals de barrières ou de pieux, & de toiles. On a inventé en France les lices doubles, afin de faire courir les chevaliers l'un d'un côté, & l'autre de l'autre, & afin qu'il ne se pussent rencontrer que du bout de leurs lances; ce qui étoit moins dangereux. On dit tant au propre qu'au figuré qu'un homme fuit la lice, quand il évite le combat, ou la dispute. »

Mettre au pied du mur

Dans l'ancienne guerre, la prise des villes et des châteaux fortifiés constituait, mieux que les batailles en rase campagne, le terrain de prédilection des démonstrations d'adresse et de bravoure. La réputation de plus d'un capitaine des Grandes Compagnies du XVe siècle s'est faite sur leur habileté à s'emparer des places fortes et à les tenir à rançon, parfois à l'aide d'une poignée d'hommes judicieusement entraînés à grimper aux murailles et à étouffer le guet. Toujours est-il que l'assaut d'une fortification a été le siège d'exploits personnels longuement commentés. Or le récit des exploits, surtout quand ce sont les siens que l'on raconte, ne va jamais sans quelque hâblerie. Le meilleur moyen de vérifier les dires d'un soudard en taverne sur son habileté à escalader les murailles est encore de le mettre au pied du mur... de l'enceinte, et de voir comment il grimpe !

C'est là l'origine probable de la locution, plutôt que l'interprétation qu'en donne M. Rat, lequel la rapporte à l'escrime « où celui qui a poussé son adversaire jusqu'au pied du mur lui a ôté tout moyen de reculer, en sorte qu'il se voit obligé de riposter ou de demander merci ». Cette situation correspond en fait à une autre tournure : **être le dos au mur.**

J'appuie mon hypothèse sur ces vers de Collerye qui, au début du xvie siècle, emploie déjà l'expression au sens figuré :

> Au pied du mur je me voy sans eschelle,
> Plus je ne scay de quel bois faire fleches,
> Faulte d'Argent m'en donne les empeches,
> Triste j'en suis...

Il me semble par ailleurs que le proverbe, relativement récent : « C'est au pied du mur que l'on voit le maçon », en est une forme « détournée » par plaisanterie de métier, avec un jeu de mots sur le « pied » mesure : c'est à la rapidité avec laquelle il construit un pied de mur solide et bien aligné que l'on juge de la valeur d'un maçon.

Etre à la merci

Le mot « merci », qu'il est si difficile d'inculquer aux petits enfants, a une histoire curieuse. « Mercy — dit Furetière — se dit aussi en parlant de ce qui est abandonné au pouvoir, à la discrétion, à la vengeance d'autrui. Une ville prise d'assaut est à la mercy des soldats. »

La *merci* fut d'abord une faveur, une récompense. Cela lui vient de son origine latine : *mercedem,* d'abord « salaire » puis « prix ». Celui qui vous « tient à sa merci » est donc celui qui « fixe son prix » pour votre libération. La faveur devient extrême lorsque l'individu qui vous a mis son couteau sur la gorge le retire au lieu de l'enfoncer, vous laissant ainsi la vie sauve, et le soin de vous confondre en gratitude pour sa clémence et sa magnanimité. C'est la grâce accordée, généralement contre une petite ristourne financière. Un combat **sans merci**, au contraire, est un combat à mort, où le vainqueur ira au bout de ses intentions.

> Par le sien Dieu, qu'il ait mercit de moi

dit *La Chanson de Roland* (xie), et Grimbert le blaireau,

plaidant pour son cousin Renart, s'adresse au lion en ces termes :

> Ha ! gentix rois, frans debonaire,
> car metez pais en cest afaire,
> si aiez de Renart merci.

C'est la même requête que fait François Villon trois siècles plus tard :

> N'ayez les cuers contre nous endurcis,
> Car, se pitié de nous povres avez,
> Dieu en aura plus tost de vous mercis.

Dans cette lignée précisément, la vieille expression **Dieu merci** signifie « par la merci de Dieu », c'est-à-dire « par la grâce miséricordieuse de Notre Seigneur Dieu », ou quelque chose d'approchant. « Il a fait beau temps, Dieu merci », n'est pas un remerciement, mais simplement un commentaire d'inspiration prémétéorologique.

Quant au merci de politesse, il a pris racine dès le XIVᵉ siècle dans des phrases comme : « Sire, vous me faites grant honneur, la vostre merci »... Il s'est installé sous la forme « grand merci » à partir du XVIᵉ, époque où « grand » était encore à la fois masculin et féminin (d'où la grand-mère, la mère-grand, la grand-route, etc.). *La* grand merci a suivi l'évolution de son adjectif grand pour devenir, avant de se séparer de lui, *un* grand merci masculin.

En devenant la formule banale, le merci « tout court » semble d'ailleurs s'être raccourci comme à regret : Merci qui ?.. Hein ? Merci mon chien ?... Il a l'air de traîner dans la conscience des mères comme un remords étymologique... Merci madame ! — Voilà qui est mieux ! Merci *de* madame; on retombe ainsi par-delà les siècles sur « la vostre merci », le point de départ.

Il est intéressant de noter également que le « non merci » du refus a gardé de ses origines un curieux accent de prière.

« Voulez-vous une raclée de coups de bâton ? — Non merci ! Non merci !... Un verre de cet excellent vin du

quai de Bercy ? — Merci ! Merci ! Grâce ! Epar-
gnez-moi !... »

Naturellement, les petits enfants ne connaissent pas
toutes ces subtilités, mais je crois qu'ils sentent, par un
curieux instinct linguistique de débutants, que le mot
les oblige chaque fois à réavaler un millénaire d'humi-
liations et d'implorations piteuses... Ils savent aussi,
dans leur grande faiblesse, qu'ils sont « à la merci »
d'une lourde baffe maternelle s'ils n'exécutent pas bien
net et bien haut leur action de grâces !

LES TEMPS MODERNES

L'invention des armes à feu a beaucoup amusé leurs
premiers utilisateurs. En sonorisant les batailles elles
ont donné à la guerre sa véritable voix; et doublé sans
doute le plaisir des entr'égorgements.

Battre en brèche

Je l'ai dit, la prise des places fortes, comme leur
défense, a été un des points cardinaux de l'art militaire.
En effet pourquoi faire la guerre si c'est pour conquérir
un champ de navets ? Les villes, les châteaux, en dehors
de leur intérêt stratégique, ont d'autres séductions : l'or
qu'ils contiennent, que l'on pille directement ou que
l'on oblige les propriétaires à vous remettre sous forme
de rançon — sans compter la joie frivole de pouvoir
éventrer et égorger à chaud une population d'autant
plus drôle qu'elle est déjà morte de peur !...

De tout temps, la meilleure méthode pour franchir
des remparts a été de pratiquer dans la muraille un
trou suffisamment grand pour y engager les troupes, ce
qui s'appelle *faire une brèche*, du haut allemand *bre-*

cha, fracture : « ... En terme de guerre, se dit de cette ouverture qu'on fait aux murailles d'une ville assiégée, par la mine, sappe, ou coup de canon, pour ensuite monter à l'assaut. On dit qu'une batterie voit en brèche, quand elle la découvre de telle sorte qu'on puisse tirer dessus pour la défendre, ou l'attaquer; que le canon bat en brèche » (Furetière).

Battre en brèche est donc un des tout premiers usages de l'artillerie; cela constituait à l'époque un progrès décisif par rapport aux vieilles catapultes qui lançaient des pierres.

Tirer à boulets rouges

Une variante intéressante aux époques de tâtonnement consistait à provoquer un tel incendie dans le camp adverse selon la technique du « boulet rouge » : « Un boulet qu'on fait rougir dans une forge, dont on charge le canon pour mettre le feu aux lieux où il tombe, quand il y trouve des matières combustibles » (Furetière).

C'est donc l'ancêtre rudimentaire de l'obus explosif, et « tirer à boulets rouges » la première forme des bombardements dont on connaît les merveilleux développements ultérieurs et la prodigieuse réussite. Il semble du reste qu'un grand pas fut franchi en 1678, si l'on en croit cette lettre du 21 janvier que cite Littré : « Le sieur Brossier, qui vous rendra ce billet, prétend avoir inventé deux sortes de boulets creux propres à brûler les vaisseaux, et m'a demandé d'en faire l'épreuve à Toulon en présence des officiers de marine » — signé Seignelay, c'est-à-dire le fils du grand Colbert, secrétaire d'Etat à la Marine. Il est injuste que cet obscur inventeur n'ait sa statue nulle part.

De but en blanc

Des premières arquebuses aux actuelles fusées à tête chercheuse la balistique a fait des progrès miraculeux, mais les principes fondamentaux demeurent les mêmes depuis le tir à l'arc le plus lointain : on peut tirer soit en pointant l'arme directement vers l'objet visé s'il est à courte distance, soit en compensant l'éloignement au moyen d'une hausse fixée sur le canon, qui fait décrire à la balle une courbe en hauteur avant d'atteindre l'objectif — ou de le rater d'ailleurs ! Cette seconde manière exige un calcul et un réglage de la bouche à feu, la première aucun : c'est le tir tendu, direct, que l'on appelait autrefois *de but en blanc*, ou encore — c'est le même mot : *de butte en blanc*.

Avant d'être « ce que l'on vise », le *but,* ou *butte*, était l'endroit d'où l'on tire, généralement un monticule surélevé. Le *blanc* était la cible (le mot cible, venant de Suisse, ne s'est répandu qu'à l'époque napoléonienne). « De but en blanc — explique Furetière — est aussi une façon de parler adverbiale, qui dans le propre se dit en parlant d'armes à feu et de gens qui tirent. Cela signifie, depuis le lieu où l'on est posté pour tirer jusqu'à celui où l'on doit tirer, & où est attaché le blanc auquel on vise. " Le canon des arquebuses buttières peut porter de but en blanc mille pas ou environ " (Gaïa). On le dit aussi au figuré, pour dire, tout droit, sans biaiser, d'une manière ouverte. " En venir de but en blanc à l'union conjugale, il n'est rien de si marchand que ce procédé " (Molière). »

On a dit également à une époque « de pointe en blanc » : « De sorte que du dit bastion on tirait de pointe en blanc dans le passage » (M. du Bellay, *in* Littré).

Le mot butte avait déjà changé de camp, si l'on peut dire, au XVIe siècle, pour passer dans celui où nous le connaissons : l'objet visé. Bien qu'un peu compliqués, les exercices de tir du jeune Gargantua font allusion à la chose : « ... visoyt de harquebouse à l'œil, affeustoyt le canon, tyroit à la butte, au papagay [perroquet], du bas en mont, d'amont en val, davant, de costé, et en arrière comme les Parthes ».

Il est résulté de ce changement l'expression **être en butte** aux attaques, propres et figurées, c'est-à-dire exposé comme une cible peut l'être dans un champ de tir !

A brûle-pourpoint

Naturellement, ces histoires d'arquebusades nous ont valu aussi le très brusque « à brûle-pourpoint »; comprenez « à bout portant », en posant le bout du canon carrément sur le pourpoint — ce qui ne manque pas d'abîmer l'habit en question si l'on appuie sur la gâchette !... « La jalousie pouvait l'avoir excité à lui dire à brûle-pourpoint des vérités fâcheuses à entendre », dit Saint-Simon, et Littré ajoute : « Ce qu'on dit à brûle-pourpoint n'est pas toujours quelque chose de désobligeant; il y a des éloges, des flatteries à brûle-pourpoint. » Dans ce cas c'est moins brûlant !

Faire mouche

Les cibles s'étant perfectionnées en même temps que les armes augmentaient leur précision, on ajouta au centre du blanc un petit cercle noir semblable aux « mouches galantes » que les dames se collaient sur le visage comme des grains de beauté destinés à faire ressortir davantage la blancheur de leur peau.

Faire mouche, c'est placer la balle dans ce rond; ce n'est pas à la portée du premier venu. « Elle le comprenait sans qu'il s'exprimât, comme un tireur devine que sa balle a fait un trou juste à la place de la mouche noire du carton », dit Maupassant.

Faire long feu

Encore faut-il que la poudre soit sèche ! Ce qui n'était pas toujours le cas du temps où les armes se chargeaient par la gueule, avant l'invention des cartouches à percussion, convenablement étanches. Il y avait souvent un brouillard qui traînait, un crachin qui mouillait le salpêtre. Au lieu de produire une combustion vive et la belle explosion qui éjecte la balle à sa vitesse de croisière, la charge brûlait mollement, et envoyait le projectile sans force à quelques pas, comme un pet foireux. Le coup, techniquement, *faisait long feu* — et manquait son but !

Cette origine crée une ambiguïté dans l'emploi actuel de la locution. Si l'on dit qu'un projet a fait long feu, cela signifie qu'il a traîné en longueur pour, en définitive, ne jamais se réaliser, comme le coup de feu qui foire. Dans ce cas l'image est exacte. Mais on dit aussi qu'un tel « n'a pas fait long feu dans son nouvel emploi » — pourtant cela ne suggère pas qu'il ait particulièrement réussi son coup, puisqu'il a été mis à la porte, ou qu'il s'est sauvé, en un temps record... A moins qu'on ne veuille dire qu'il a « sauté » comme la poudre, et filé comme un boulet !

Un rhume carabiné

Contrairement à ce qu'on pourrait croire, un rhume carabiné n'est pas un rhume de tireur d'élite. Les carabins — différents des « carabins de Saint-Côme », l'ancienne École de chirurgie — étaient au XVIe siècle des soldats de cavalerie légère qui avaient troqué la lance traditionnelle contre une sorte de mousqueton court,

adapté à l'équitation : la carabine. Ces cavaliers redoutables adoptaient une tactique efficace et meurtrière :
ils arrivaient en trombe sur les rangs ennemis, déchar-
geaient leur arme et faisaient demi-tour avant d'attendre la riposte. Ces attaques soudaines, à bout portant,
faisaient des ravages chez les malheureux fantassins
et autres hallebardiers qui, si j'ose ce calembour, en
prenaient pour leur rhume !... Agrippa d'Aubigné
décrit ainsi une de ces charges : « La cavalerie du prince
avait quitté les lances, et avaient presque tous des cara-
bines, desquelles, avant de tirer le pistolet, ils avaient
abattu la plupart des piquiers de la longueur de leur
bois. »

Cette escalade dans la violence armée — un bien
timide premier pas ! — frappait les imaginations, un
peu comme de nos jours le passage d'une vague de
bombardiers lourds. Même combat, si l'on peut dire !
Ces « carabinades » furent donc vite célèbres et passè-
rent dans le langage :

On y redoute vos œillades
Autant que des carabinades

dit Scarron, sur un ton flatteur. Il en résulta le verbe
« carabiner », se battre en carabins : « Se dit figurément — explique Furetière — en parlant de ceux qui
entrent en quelque compagnie, & qui s'en retirent
aussitôt : ce qui se dit sur tout des joüeurs de dez de
bassette, de lansquenet, qui viennent jouer deux ou
trois coups, & qui s'en vont aussitôt sans vouloir tenir
jeu aux autres. »

Cette idée d'alternance fut appliquée à d'autres manifestations soudaines, et d'abord à un vent qui souffle en
fortes rafales : *un vent carabiné*. Cette violence brusque
passa ensuite, par analogie, aux accès de la fièvre, et de
là à toutes sortes de saletés — dont le rhume, qui précisément vous saisit lui aussi sans crier gare, en toute
saison !

200

Battre la chamade

Certes, je l'ai dit, la drague n'est plus ce qu'elle était. On entend pourtant au récit d'approches émouvantes, d'espoirs entrevus, d'attentes, baisers volés, des choses comme : « Mon cœur *battait la chamade.* » Ça se dit encore... Plus beaucoup. Ça se murmure. Françoise Sagan en a fait le titre d'un roman. Il est vrai qu'on l'emploie aussi à propos d'un simple escalier !

La *chamade* est un roulement de tambour militaire, et aussi une sonnerie de trompette. « C'est un ancien son du tambour ou de la trompette, que donne un ennemi pour signal qu'il a quelque proposition à faire au commandant, soit pour capituler, soit pour avoir permission de retirer des morts, faire une trève » (Furetière). Un cœur qui bat la chamade est un cœur près de succomber au charme de l'adversaire, qui n'en peut plus... Un cœur qui se rend.

Remarquez que selon la définition optimiste de Furetière c'est toujours l'ennemi qui veut capituler !

Battre la breloque

C'est le cœur aussi qui souvent bat la breloque, médicalement parlant cette fois, ce qui n'est pas du meilleur augure pour son propriétaire.

Le mot est un peu incertain. A l'origine il paraît désigner des « curiosités de peu de prix, petits bijoux qu'on attache aux chaînes de montre » (Littré). Dans ce sens, qui est celui du XVIIᵉ, le Bloch & Wartburg lui donne l'enchaînement suivant : *oberlique, brelique, breluque*, puis breloque par « croisement avec *loque*, qui désigne aussi un objet qui flotte au vent ».

De ces mouvements désordonnés viendrait une batterie de tambour sur laquelle les lexicographes ne semblent pas tout à fait d'accord. Littré en fait un mot différent des breloques de montre et l'appelle *berloque* : « Batterie de tambour pour les repas, les distributions. » Robert conserve breloque et l'explique ainsi : « Sonnerie militaire pour faire rompre les rangs. » Selon M. Rat : « Battre la breloque, c'est, proprement, battre sur le tambour des coups rompus et saccadés, et, au figuré, parler sans suite, d'une façon incohérente et saccadée. » Il ajoute, dans un effort de conciliation louable : « On disait autrefois, plus communément, berloque, comme dans la langue militaire et dans celle des pompiers, qui donnaient, pendant la première guerre mondiale, à Paris, le signal de fin d'alerte en sonnant la berloque. »

Passer l'arme à gauche

Parlant des « briffetons », des jeunes recrues poussées au désespoir par la bêtise et l'humiliation de la vie de caserne, *Le Père Peinard* remarque en 1889 : « Pendant les manœuvres [ils] glisseront dans leur flingot une cartouche pleine et ajusteront un des galonnés; ou bien dégoûtés tout à fait de la cochonne d'existence qu'ils mènent, ils passeront leur arme à gauche. » Ils se suicideront.

Passer l'arme à gauche c'est en effet le repos éternel. L'expression, qui date du début du xixe siècle, vient du maniement des armes, où la position « Repos! » se prenait avec le fusil au pied gauche — sans doute le même côté que l'épée au fourreau. G. Esnault cite pour 1833 : « [L'inspecteur de la charge en douze temps] nous tenait trop longtemps avant de nous faire passer l'arme à gauche... l'avant-bras me faisait mal. » Il donne aussi l'expression figurée ou non, chez un soldat du Premier Empire : « Il faudrait avoir le corps plus dur que le fer pour ne pas passer l'arme à gauche au bout d'une heure que l'on resterait ici. » En tout cas, cette façon de parler était courante dans la troupe, et commençait à s'introduire dans le grand public en 1832, comme en témoigne ce passage de *Stello* d'Alfred de Vigny : « Les crânes sont les six maîtres d'armes à qui j'ai fait passer l'arme à gauche. — Cela veut dire tuer, n'est-ce pas ? — Nous disons ça comme ça, reprit-il avec la même innocence. »

Le fait que l'expression soit née dans un milieu où, effectivement, on meurt beaucoup, le seul même où l'on meure, pour ainsi dire, professionnellement, a dû assurer sa réussite. Il s'agit en somme, dans les deux sens, d'un terme de métier !... Que « passer » constitue une équivoque supplémentaire sur le trépas, comme le souligne P. Guiraud, n'a pu qu'arranger les choses.

Il n'empêche que le mot gauche n'a pas de veine. Comme si en remplaçant vers le XVᵉ siècle le vieux mot « senestre », de même souche que « sinistre », il en prolongeait sa connotation de mauvais augure et de porte-malheur. « On le dit figurément de ce qui est mal fait & mal tourné — dit Furetière. Cet homme a l'esprit gauche. » Quelle idée aussi chez les premiers représentants du peuple d'aller s'asseoir justement du côté de la tribune qui aurait déjà effrayé un sénateur romain !

Etre mis à pied

La mise à pied c'est le renvoi, quelquefois temporaire, par suite d'une faute professionnelle. Il s'agit d'une sanction dans la cavalerie, où un grenadier était « mis à pied », c'est-à-dire privé de son cheval pour plusieurs jours ou plusieurs semaines; une sorte de dégradation provisoire pendant laquelle il était occupé à de basses œuvres d'écurie.

En fait, il semble que la locution ait été prise par l'armée dans le domaine public... Elle était connue du temps où la possession d'un cheval était le signe d'une relative opulence : « On dit aussi — dit Furetière — qu'on a mis quelcun à pied, quand on lui a fait vendre son équipage. »

Faire les pieds

Les expressions concernant notre support naturel se comptent par douzaines. Lorsqu'on dit : « Ça lui fera les pieds », on espère que l'épreuve que doit subir la personne va la dresser, lui « apprendre à vivre ». Cela est banal mais je pense qu'il y a là une allusion aux longues marches forcées du fantassin dont les pieds sont, suivant la formule consacrée, « l'objet de soins constants » !

Toutefois — c'est une hypothèse tout à fait personnelle — je me demande aussi s'il n'y a pas dans cette expression, parallèle à « se faire la main », la survivance lointaine des méthodes d'entraînement antiques à la course à pied. Les athlètes romains, en attendant le signal du départ, se livraient à des exercices d'échauffement intensifs pour s'assouplir les membres. Cela s'appelait « se faire les pieds ». Un rapprochement qui en tout état de cause ne tire guère à conséquence !

Tirer au flanc

Une armée, comme tout corps qui se respecte, possède un front et des flancs. Le front est naturellement l'endroit le plus chaud dans la bataille, celui où se produit le choc et où se précipitent les valeureux, les héroïques, les acharnés. Les flancs sont généralement plus calmes, moins périlleux, l'endroit où il fait meilleur se tenir en attendant que les choses se tassent... Naturellement celui qui, au fort du combat, a tendance à tirer au flanc, c'est-à-dire, à l'un des sens propres de *tirer*, « se diriger, s'acheminer » subrepticement vers cette zone

204

moins active, fait preuve d'une nonchalance qui est toujours du plus mauvais effet.

« Les traînards et les paresseux — dit P. Guiraud (qui en parle à son aise) — peuvent aussi s'attarder en queue, ce qui s'appelle **tirer au cul.** » Mais il s'établit là un double sens, avec l'image supplémentaire de celui qui freine le mouvement, ou même de celui qui tire le cul en arrière en refusant d'avancer...

Dans certains cas, il vaut mieux *se tirer* tout à fait! Par parenthèse le mot n'est pas précisément de formation argotique, on disait « tirez » au XVIIᵉ siècle pour « allez-vous-en », c'est le sens de : « Tirez, tirez, vous dis-je, ou bien je vous assomme », dans Molière. On disait aussi très « classiquement » : « tirer de long » et « tirer au large », pour s'enfuir.

Fausser compagnie

De là à ne plus vouloir du tout faire partie du groupe et, comme on disait au XVᵉ siècle, *jouer à la fausse compagnie*, il n'y a qu'un pas. « Honoré Collin n'estoit point assuré qu'on ne leur jouast à la fausse compagnie » (Monstrelet). « On dit, *fausser compagnie*, ou *joüer à la fausse compagnie*, pour dire, quitter un parti, trahir ceux avec qui on est associé », commente plus tard Furetière.

En effet, c'est l'idée de trahison que paraît contenir le verbe fausser, comme on « fausse » la monnaie : « Ceulz qui corrumpent ou falsent la monnoie » (XIVᵉ), ou bien sa foi : « Ce fut chose moult estrange à luy de ainsi faulser sa foi et soy ainsi abaisser » (XVᵉ). Les deux notions sont juxtaposées dans cette phrase de Montaigne : « Nostre intelligence se conduisant par la seule voye de la parole, celuy qui la faulse trahit la société. »

On parlait au XIIIᵉ siècle de la *compagnie Tassel*, « association frauduleuse, compagnie de traîtres », dit Godefroy qui cite le *Lay de l'Espervier :*

Vartilas, dit-il, ce sachiez
Que cest jeu ne m'est pas bel :
C'est la compagnie Tassel
Que vos me fetes, ben le voi.

L'expression se trouve aussi dans le *Roman de Renart* :
C'est la compaingnie Tassel
que vos me fetes voirement.

Est-ce cela une « fausse compagnie », une compagnie de traîtres, que l'on rejoint en s'en allant ? Quant à l'alternative récente *faire* fausse compagnie, au lieu de « jouer », elle paraît construite d'après « faire faux bond » (voir p. 116). Par contre la notion de « jeu », qui n'est « pas bel », semble être demeurée dans l'argotique « jouer les filles de l'air ».

Quoi qu'il en soit, il s'agit d'une très vieille habitude que n'ont probablement pas instaurée les soldats !

Filer à l'anglaise

Le moyen le plus discret de prendre de la distance est encore de filer à l'anglaise. M. Rat commente ainsi l'expression : « Partir sans prendre congé — par allusion au sans-gêne des Anglais. » A mon avis c'est un peu court, et pas très gentil pour les inventeurs du « fair play »...

En fait il faut se souvenir que si les Allemands nous ont servi d'ennemis héréditaires pendant quatre-vingts malheureuses petites années (bien remplies, c'est vrai !), les Anglais, eux, ont été nos ennemis mortels quasi permanents pendant sept longs siècles et davantage. Le temps de forger de part et d'autre une vraie, une solide antipathie dont il reste forcément quelque chose dans la langue... Du XVe au XIXe siècle un « anglais » désignait un créancier grippe-sou, un usurier :

Oncques ne vis anglais de votre taille
Car tout à coup vous criez : Baille ! Baille !

dit Clément Marot — sans doute en souvenir des

impôts et des taxes diverses levés, par le « parti anglais » au cours de la guerre de Cent Ans.

Bien entendu ce fond d'acrimonie dans le langage se retrouve intact de l'autre côté des falaises. L'équivalent exact de notre « filer à l'anglaise » est outre-Manche *to take French leave* : prendre congé à la française ! C'est que toutes les batailles font leurs prisonniers, et tout prisonnier n'a qu'une idée en tête : fausser compagnie à ceux qui le gardent, le plus discrètement possible, cela va de soi. Donc pendant plus d'un demi-millénaire, les deux pays ont eu des captifs de nationalités adverses, lesquels, périodiquement, partaient soit « à la française », soit « à l'anglaise », selon le point de vue d'où on les voyait filer !

Les Anglais ont débarqué

L'anglophobie nous a également valu cet « euphémisme » qui n'est pas très joli, et même beaucoup plus cru et désagréable que les mots qu'il est censé adoucir, ce qui est le comble pour un euphémisme. Je le cite simplement pour étayer mon propos, et signaler qu'il est bien antérieur aux célèbres galipettes de 1944 sur les plages de Normandie !

Dans son *Dictionnaire érotique moderne* de 1867 Alfred Delvau donne les explications suivantes : « Avoir ses anglais : avoir ses menstrues, à cause de la couleur rouge de cet écoulement qui est aussi la couleur de l'uniforme anglais.

Puis de son corps couvrant ma mère,
Dans le sang des Anglais baigné,
Que de coups a tirés mon père
Dans la montagne où je suis né.

(Chanson anonyme moderne.) »
Delvau note aussi *les Anglais ont débarqué*, avec cette citation beaucoup moins lyrique d'un certain Lynal : « Il n'y a pas moyen ce soir, mon chéri : les Anglais ont débarqué. »

Pour être juste, il faut rappeler que là aussi il y a échange de gracieusetés entre les deux langues. Les Anglais nomment hardiment *French gout* — la goutte française — leurs maladies vénériennes, particulièrement la blennorragie. Chacun a également à l'esprit les contraceptifs bien connus sous leur épithète « anglaises », qui s'appellent vulgairement *frenchies* de l'autre côté !

Avoir la mèche en bataille

On se souvient d'un petit homme, fort populaire en Allemagne dans les années 30, beaucoup moins dans les années 40, qui trancha le fil de ses jours dans un blocausse souterrain. Il aura marqué le siècle de sa célèbre petite moustache, sa voix éclatante et sa mèche en bataille ! Il ne faut pas en conclure qu'il soit le moins du monde à l'origine de cette locution.

« En bataille » vient en réalité du chapeau porter de travers, plus précisément du bicorne, couvre-chef militaire et officiel mis à la mode au début du Premier Empire, et que nos gendarmes et nos polytechniciens ont gardé longtemps. L'expression est tirée de la stratégie des armées. « En terme de théorie militaire, l'ordre dans lequel une troupe est déployée, par opposition à l'ordre en carré ou en colonne ou par le flanc », explique Littré qui précise : « Porter le chapeau à cornes en bataille, le porter de travers, de manière que les cornes tombent sur chaque oreille ; cette expression vient de l'assimilation à une troupe en bataille. » Il cite A. Daudet : « Les gens mariés le portent en bataille, comme les gendarmes ; les veufs, les garçons en tournant les pointes d'une autre manière. » (On disait d'ailleurs « en colonne » pour la position d'avant en arrière.)

Cela dit, je demeure persuadé que l'allure provocante d'un chercheur de noise, souvent un peu pompette, qui n'a plus le chapeau ou la casquette exactement où il faudrait — qui la retourne même, d'un brusque mouvement de colère ! — a beaucoup fait pour aider cette assimilation et propager le mot dans le langage courant. C'est le signe qu'il vaut mieux garder ses distances, de même que la mèche tombante, barrant le front du loulou agressif à l'affût d'un œil à beurrer... Dès qu'il y a bataille, tout va de travers !

Un vieux de la vieille

L'ancienneté dans les armées a toujours été une preuve de belle résistance, un gage d'expérience à tous crins, et donc un titre de gloire. « C'était un vieux routier, il savait plus d'un tour », dit La Fontaine. Dans les armées royales de l'Ancien Régime on appelait « vieux corps » les six régiments les plus anciens et les plus prestigieux : Picardie, Piémont, Champagne, Navarre, Normandie et Maine. Ils avaient des prérogatives, notamment celle de marcher en tête... On connaît le prestige inégalé de la Vieille Garde de Napoléon, celle qui « meurt mais ne se rend pas » ! C'est à elle que l'on faisait allusion plus tard, dans le courant du XIXᵉ siècle, en parlant de ses survivants : *les vieux de la Vieille* — sous-entendu « Garde ».

Heureusement il a existé depuis d'autres faits d'armes mémorables pour permettre à l'expression de se perpétuer. Les anciens combattants de 14-18 peuvent raisonnablement passer aujourd'hui pour d'authentiques « vieux de la vieille » !

Etre de la revue

L'habitude de passer les troupes en revue n'est pas nouvelle. Louis XIV raffolait, paraît-il, de ces inspections, et Saint-Simon fait allusion à « ce goût des revues, qu'il poussa si loin que les ennemis l'appelaient le roi des revues » !

Or si la chose présente un charme indéniable pour le général qui trouve dans ce spectacle imposé une manifestation flatteuse de son pouvoir, elle est beaucoup moins bien accueillie par le troupier qui, pendant des jours, doit fourbir son fourniment, qui voit les permissions supprimées en vue de cette glorieuse occurrence, et qui peste et sacre et envoie les pompes militaires à tous les diables. « Etre de la revue », pour le quidam, c'est d'abord être coincé dans une corvée dont il se passerait volontiers.

Ces circonstances sont sans doute à l'origine de l'expression commune, mais je crois que c'est le jeu de mots « revoir, revue » qui en a assuré la circulation. On est de la « revue » quand le coup est manqué, qu'il faudra revenir se « faire voir » à une prochaine occasion. Il faudra repasser !

La monnaie, le commerce

Petit gain est bel quand il vient souvent.

Vieux proverbe
(mis à profit par les grandes surfaces.)

De bon aloi

Je sais juments et vaches traire,
Faire soufflets, faire lanternes,
Harpes, vielles et guiternes,
Forger monnaie de bon aloi

proclame sans honte *Le Varlet à louer à tout faire* dans sa demande d'emploi du xve siècle.

Aloi est un vieux mot qui signifie alliage, d'un ancien verbe *aloier*. Ce fut très tôt un terme technique désignant le « titre égal de l'or et de l'argent » dans la fabrication des pièces de monnaie, c'est-à-dire la proportion de métal précieux définie légalement — entre 898 et 902 millièmes pour les pièces françaises. « Tous les mestres et li vallet doivent œuvrer de bonne œuvre et de loial et de bon loy selon ce qui a été accoutumé en la ville de Paris », précise le *Livre des métiers* du xiiie siècle.

De nos jours où il est bon de veiller aux étiquetages, aux minutieux dosages d'ingrédients suspects, *Le Bon Aloi* pourrait être le titre d'une revue du consommateur.

213

Les espèces sonnantes et trébuchantes

La première façon de vérifier l'aloi d'une pièce d'or était de la faire sonner sur un coin de table. Il fallait une oreille exercée et musicale, dont le papier-monnaie nous a privés depuis longtemps. Deuxième façon : si cette *espèce sonnante* (dans ce cas « chose » sonnante) était neuve, elle devait de surcroît être *trébuchante*, c'est-à-dire faire le poids requis sur le *trébuchet :* « Petite balance fort juste & fort délicate, que le moindre poids fait trébucher. Les trébuchets sont faits pour peser l'or, l'argent, les perles & les pierreries. Les Affineurs ont des trébuchets si justes, que la 4096ᵉ partie d'un grain[1] les fait trébucher » (Furetière).

En fait il était même nécessaire qu'elle fasse un peu plus que le poids réglementaire : « En frappant les monnaies — dit M. Rat — on leur donnait en effet un léger excès de poids qu'on appelait le trébuchant, afin que l'usure ne fasse que les ramener à leur poids exact. Une espèce trébuchante est donc celle qui a encore le trébuchant et qui est donc neuve ou presque neuve. »

Donc, aucun rapport avec la chute du franc.

Marqué au coin du bon sens

Une réflexion marquée au coin du bon sens n'est pas une gaudriole, une baliverne qui se situe à la limite, à l'extrême bord du raisonnable, mais au contraire une remarque pleine de sagesse. C'est que le « coin » dont il s'agit n'est pas une « encoignure », mais un « morceau de fer trempé et gravé, qui sert à marquer les monnaies et les médailles » (Littré), autrement dit l'instrument qui sert à frapper les pièces.

---

1. Le plus petit des anciens poids, représentant 1/24 de scrupule, soit 53 milligrammes.

Pipeur ou hazardeur de dez
    Tailleur de faulx coings, tu te brusles
    Comme ceux qui sont eschaudez
avertit François Villon.

Le coin est donc l'empreinte, le sceau, le cachet. « On dit figurément d'un homme qui a plusieurs bonnes qualitez, qu'il est marqué au bon coin. Cela se dit aussi des ouvrages qui ont quelque chose d'excellent & de sublime », explique Furetière. Voltaire disait encore : « C'est presque le seul ouvrage marqué au bon coin, depuis trente ans. »

Avoir maille à partir

On a souvent *maille à partir* avec quelqu'un. C'est toujours une situation désagréable, qui dégénère vite. *Partir,* en effet, signifiait « partager » dans l'ancienne langue, et on ne partage rien facilement. Encore moins une *maille :* « Petite monnoye de cuivre valant la moitié d'un denier. Il y a eu aussi des mailles blanches battües l'an 1303, sous Philippe le Bel. La maille & l'obole étoient la même chose, & ne valoient que la moitié du denier » (Furetière).

On se souvient peut-être du sou, le vingtième de l'ancien franc (notre centime); le sou valait donc cinq centimes anciens. Le denier était exactement le douzième du sou, déjà une très faible somme. Par conséquent la maille, moitié du denier, valait quelque chose comme le 480e de notre pauvre centime actuel ! C'était la plus petite pièce de monnaie en usage et **n'avoir ni sou ni maille,** n'avoir rien, la marque de l'indigence extrême.

    Pour Dieu, donnez maille ou denier
    A ce povre qui ne veut goutte !
clame Eustache Deschamps.

Avoir maille à partir avec quelqu'un veut donc dire : devoir partager une maille avec lui. Opération délicate, on le voit, et même impossible, puisque ni l'un ni l'autre ne peut rendre la monnaie de la pièce. « On dit aussi que les gens ont toujours maille à partir ensemble — dit Furetière — pour dire qu'ils sont en une dissention perpétuelle. » Situation conflictuelle, dirait-on de nos jours, cause d'infinies palabres, sinon d'échange de coups.

Il est vrai que lorsqu'on a maille à partir avec la police, c'est souvent pour des bagatelles !

Pile ou face

Les ordinateurs fonctionnent selon le système binaire — 0 ou 1, oui ou non. Ils ont au moins cela en commun avec les anciens Romains qui lançaient en l'air une piécette pour décider le sort à choisir.

Les pièces antiques portaient d'un côté la tête de Janus, de l'autre le navire sur lequel il était arrivé en Italie. La chrétienté, ne pouvant se contenter de cette allusion païenne, grava une croix à l'avers de ses pièces, tandis que le revers, orné de manières variables, devenait la pile, terme qui « désignait aussi, dès 1258, le coin servant à frapper le revers; on trouve en ce sens *pila* en latin médiéval; désigne encore au XIXe siècle un morceau de fer acéré pour imprimer l'effigie ou la devise » (Bloch & Wartburg).

De Charlemagne à l'époque contemporaine on joua donc à *croix ou pile*, deux termes qui furent longtemps synonymes d'argent : « C'est en ce sens qu'on dit qu'un homme n'a ni croix ni pile, qu'on ne lui a laissé ni croix ni pile; pour dire qu'il n'a point d'argent » (Furetière).

Les successeurs de François Ier décidèrent de redonner une face aux pièces de monnaie, et choisirent naturellement la leur, remplaçant la croix par leur propre effigie. Mais le jeu conserva sa dénomination traditionnelle; Voltaire, raillant le pari de Pascal sur l'existence ou la non-existence de Dieu, disait encore : « N'allez pas tantôt me parler de jeu de hasard, de pari, de croix et de pile. »

Enfin on accorda les mots à la réalité de la frappe, et l'on joua à *pile ou face*. On y joue encore. Jeu fondamental qui élimine le doute, l'incertain... La pièce n'a toujours que deux côtés, elle retombe sur l'un ou sur l'autre. C'est oui ou c'est non, la droite ou la gauche, la vie ou la mort... En somme elle fonctionne en « base 2 », comme une machine électronique! Comme elle, il faut la programmer, décider d'abord que pile sera pour moi, face pour toi... Et si tout le travail des ordinateurs, avec leurs circuits formidables, n'était au fond que des gigantesques parties de pile ou face? Que sait-on? Un jour viendra peut-être où on leur apprendra aussi à tirer à la courte paille!

Faux comme un jeton

On dit « franc comme l'or » et « faux comme un jeton ». Pourquoi une réputation aussi fâcheuse s'attache-t-elle à ce malheureux objet?... Un jeton est une « petite pièce ronde faite en guise de monnaie, dont on se sert pour calculer plusieurs sommes, ou pour marquer son jeu, ou autres choses » (Furetière). Il faut savoir que les chiffres romains (LXXIII, etc.) ne permettent pas les opérations, avec ou sans retenue, telles que nous les apprenons à l'école. Les Romains et leurs descendants comptaient donc avec des bouliers. L'introduction au Moyen Age des chiffres arabes (ceux que nous utilisons) ouvrit une ère nouvelle au calcul arithmétique, mais il y a loin de la théorie à l'usage, et jusqu'à la fin du XVIIᵉ siècle les additions « à la plume » furent réservées à de rares initiés. Il est vrai que le système monétaire de l'Ancien Régime ne facilitait pas les choses pour le compte des sommes d'argent, principal, sinon unique objet de calcul dans la vie courante. La livre (ou franc) valait 20 sols (sous), le sol valait 12 deniers; 3 livres faisaient 1 écu, et 11 livres 1 pistole ou 1 louis!... Le très grand public compta donc son argent avec la méthode archaïque du « jet » (d'où jeton), pratiquement jusqu'à la révolution de 1789 qui instaura le système décimal, plus facile à manier « sur le papier ».

Le principe de ces anciennes additions consiste à tracer sur une planchette (ou sur une feuille) des lignes horizontales dont chacune représente une valeur donnée : par exemple une ligne pour les deniers, une autre pour les sols, une troisième pour les livres, etc. Un objet placé sur la ligne des deniers − on peut faire l'opération avec des boutons ou des haricots − vaut symboliquement 1 denier. Quand on arrive à une rangée de 12 boutons, on les enlève tous et on les remplace par un seul bouton sur la ligne des sols; chaque fois que l'on atteint 20 boutons sur cette dernière, on les remplace par un seul sur la ligne des livres, ainsi de suite. (Dans la pratique les valeurs des lignes tenaient compte des pièces de monnaie réellement en usage : 6 deniers, 15 sols, etc.) Bref, si *en fin de compte* on se retrouve avec 8 boutons sur la ligne supérieure, 15 sur celle au-dessous, et 6 sur la dernière, cela veut dire que le total de la somme est 8 livres, 15 sols et 6 deniers.

C'est, comme l'indique Gougenheim[1], à ce genre de calcul que se livre précisément Argan, avec jetons et planchette, quand au tout début du *Malade imaginaire* il fait le total de la note qu'il doit à son apothicaire. Les metteurs en scène modernes de Molière, ignorant l'usage historique et embarrassés par ce monologue de départ, tout à fait abscons s'il n'est pas replacé dans sa manipulation précise, font dire le texte à l'acteur au petit bonheur la chance, en tripotant par acquit de conscience quelques piécettes inutiles ou une plume d'oie hors de saison !

Donc les jetons, en cuivre ou en argent, utilisés pour ces opérations n'avaient aucune valeur propre. Ils « ne

1. G. Gougenheim, *Les Mots français dans l'histoire et dans la vie*, Ed. Picard.

218

prennent de valeur que par la place qu'ils occupent sur la table ». Montaigne dit d'un homme dont le crédit s'accroît : « Nous jugeons de lui, non selon sa valeur, mais à la mode des jetons, selon la prérogative de son rang. »

Ces jetons avaient « la dimension et l'aspect d'une pièce de monnaie... Le roi, les cours, les divers offices avaient des jetons particuliers portant l'effigie du souverain ou des allégories et ornés de devises latines ou françaises. Les particuliers en trouvaient dans le commerce » (Gougenheim). Naturellement, l'aspect réaliste de ces « fausses pièces » incitait les aigrefins à les faire passer auprès des gens simples pour monnaie courante, d'où l'expression *faux comme un jeton!* Panurge use déjà du subterfuge lorsqu'il propose à une grande dame de Paris de « frotter son lart » avec elle : « Après disner, Panurge l'alla veoir, portant en sa manche une grande bourse pleine de gettons. » Il offre d'acheter ses faveurs en lui promettant, si elle consent, un riche présent de pierreries : « Et ce disoit, faisant sonner ses gettons comme si ce feussent escus au soleil » (*Pantagruel*, XIV, 141).

Il faut ajouter que le raccourci de la locution, un *faux jeton,* n'a guère de sens, puisqu'ils l'étaient tous par définition.

Valoir son pesant d'or

> Je publiray partout, d'une voix haute et claire,
>   Que Dame Boullangere
> Vallut, vault et vauldra toujours son pesant d'or
>   Et davantage encore.

Ceci est une déclaration de Paul Scarron, dans une de ses épîtres de 1642. Certains esprits, au moins aussi compliqués que le mien, ont prétendu que le *pesant d'or* était une faute, la « corruption populaire » de « besant d'or », une ancienne monnaie originaire de Byzance dont elle tire son nom.

Por de besanz plaine mine comblée,
Ne vos voudroie avoir depucelée

avoue un pesonnage du *Guillaume d'Orange.* (La mine, par parenthèse, était une mesure d'un demi-hectolitre environ, servant à mesurer la farine — les « minotiers » en sortent. Par double parenthèse, « une mine d'or » est un vieux jeu de mots oublié.)

Or, d'une part le besant, même en or, n'a jamais eu une valeur considérable : moins de 10 livres à son cours le plus haut, c'est-à-dire moins de ce qui sera plus tard un louis ou une pistole. Valoir son besant d'or n'aurait pas pu représenter une dignité bien exceptionnelle, et ce ne peut être flatteur pour personne que d'être évalué à une somme aussi modique!... Par contre, l'habitude de comparer un être cher à la valeur de son poids en or est vieille comme le monde. Vers 1228 le jeune chevalier du *Guillaume de Dole* répond à son ami l'empereur qui lui demande sa sœur en mariage :

[...] por tant d'or com ele poise,
ne porroit il, ce sachiez, estre.

Je préfère donc m'en tenir à cette notation de Furetière : « On dit proverbialement d'un homme qu'on veut loüer, qu'il vaut son pesant d'or; & de celui qu'on veut railler, qu'il vaut son pesant de plomb. »

C'est le même genre d'erreur d'évaluation, mais inverse, qui a fait attribuer l'origine de l'expression **valoir que dalle** à une pièce flamande le *daaler*, devenu effectivement en argot « dalle ». Mais une dalle désignait en 1835 un écu de 5 francs!... Ce n'était pas « rien » que 5 francs à l'époque — au moins l'équivalent de 100 francs actuels, et pour un argotier déjà une coquette somme! En réalité *que dalle* vient du romani *dail* ou *dal*, qui signifie « rien du tout ».

N'avoir pas un sou vaillant

Un sou vaillant n'est pas un sou plus travailleur qu'un autre. Le *vaillant*, ancien participe de valoir, dési-

220

gnait autrefois « le fond de bien d'une personne, son capital ». Mais possède-t-on jamais rien des biens terrestres ? — Non, dit la très socratique Raison dans le *Roman de la Rose*, toutes nos richesses sont intérieures :

Es autres bien, qui sont forain*	*étrangers*
n'as tu vaillant un viez lorain*	*courroie*
ne* toi, ne* nul home qui vive	*ni*
n'y avez vaillant une cive*,	*un oignon*
car sachiez que toutes vos choses	
sont en vos meïsmes encloses.	

Sans doute. N'empêche que celui qui n'a pas un sou vaillant a besoin d'être rudement travailleur!...

Avoir du bien au soleil

Les gens riches par contre ont du bien au soleil. Ils ont des terres, des tours, des maisons, des forêts, des ranches en Amérique, plein de choses que le soleil éclaire, quand il fait beau. L'expression se comprend d'elle-même, d'autant qu'il fait souvent beau pour les gens riches.

Pourtant lorsqu'on dit — on l'entend quelquefois — que quelqu'un a de l'argent au soleil, cela devient un petit peu moins logique, à moins de penser que les banques sont des endroits particulièrement bien exposés! Il paraît y avoir comme une aberration du langage...

En fait, il s'agit là d'une survivance un peu troublée d'une époque où l'on disait, pour désigner de grosses économies : « Ils ont des écus au soleil. » En effet, du règne de Louis XI à celui de Louis XIII, l'*écu au soleil* était une pièce d'or qui valait 10 livres (au lieu de 3 pour l'écu d'argent ordinaire). « Ils portaient un soleil à huit rayons au-dessus de la couronne royale, d'où leur nom d' " écu au soleil ". C'est à ces pièces que Mascarille fait allusion dans les vers où il proclame que certaines vertus s'évanouissent : " Aux rayons du soleil

221

qu'une bourse fait voir[1]. " » Ce sont les mêmes dont parle Rabelais ci-dessus : « ... faisant sonner ses gettons comme si ce feussent escus au soleil » (voir p. 219).

Ces pièces étant peu à peu sorties du souvenir on continua à citer des écus « au soleil » en signe de richesse, et le changement de motivation a probablement aidé à fixer la notion de « biens au soleil » dans le sens le plus général.

Mettre à gauche

Le tout, pour avoir de l'argent en réserve, est d'en mettre à gauche. On se demande au premier abord ce qu'il peut y avoir « à gauche » qui préserve les économies !... C'est que le côté gauche est non seulement celui du cœur, mais aussi le « côté de l'épée » — celui où l'on portait cette arme quand elle était au fourreau (la raison étant que c'est le seul côté où l'on puisse dégainer facilement de la main droite).

On disait donc, du XVIIᵉ au XIXᵉ siècle, *mettre* ou *passer du côté de l'épée* pour « mettre à couvert quelque somme, de quelque façon qu'on l'ait gagnée, bien ou mal. Il abandonne ses biens à ses créanciers, mais il a mis quelque chose du côté de l'épée » (Littré). La Fontaine, toujours imagé, emploie la locution dans une de ses lettres :

Mais prompt, habile et diligent
A saisir un certain argent,
Somme aux inspecteurs échappée,
Il a du côté de l'épée
Mis, ce dit-on, quelques deniers.

La question demeure : pourquoi le côté de l'épée est-il une cachette plus sûre ?... Sans doute y a-t-il en fond l'aspect agressif de l'image évoquée, celle d'une certaine rapine, qui paraît être le sens premier. Egalement l'évocation d'un bien défendu les armes à la main...

1. G. Gougenheim, *op. cit.*

Je crois cependant qu'on peut raisonnablement rapprocher l'expression de l'ancien usage du *gousset,* lequel, dès le début du XVIIe siècle, était une « petite bourse que l'on portait d'abord sous l'aisselle et que l'on attacha ensuite en dedans de la ceinture de la culotte » (Littré). « [Il] mit de l'argent sous son gousset je veux dire sous son aisselle », précise Scarron. Autrement dit, en un endroit plutôt intime, à l'abri de toute curiosité, qui, pour les mêmes raisons de commodité chez les droitiers, était situé à gauche : précisément du même côté que l'épée !

Je donne pour le plaisir l'amusante évolution du mot gousset : d'abord une pièce de métal en forme de croissant ou de *gousse,* qui dans les armures protégeait le dessous des bras; de là, pendant très longtemps, le « creux de l'aisselle », ainsi que l'odeur y afférente : « Mme la princesse était un peu bossue, et avec cela un gousset fin qui se faisait suivre à la piste », raconte Saint-Simon. Enfin, puisque l'argent n'a pas d'odeur, il a désigné la « petite bourse ».

LE COMMERCE

Faire du marché noir

Si vos robinets fuient ou votre lampadaire se déglingue vous hésitez à déplacer un réparateur officiel dont l'auscultation vaut déjà une fortune, et qui, s'il change le joint du robinet ou le cordon de la lampe, vous entraîne généralement dans des frais sérieux. Les gens finissent souvent par utiliser les services d'artisans parallèles et hors la loi, qui « passent » chez vous et remettent de l'ordre dans vos fuites le samedi ou le dimanche matin.

Ces ouvriers qui **travaillent au noir,** enfreignant toutes les conventions collectives, calquent évidemment l'appellation de leurs services sur le célèbre *marché noir*, celui qui se mit en place dans l'ombre clandestine des années 40, dont les échanges avaient souvent lieu dans des caves effectivement obscures, et dont l'aspect illicite et plein de dangers évoque en fond ténébreux la « magie noire » et les messes du même nom.

Si ces motivations souterraines ont sûrement fait le succès de l'expression « marché noir », elles n'ont probablement pas été suffisantes pour la créer. Le mot existe aussi en anglais, *black market*, et il semble s'être développé outre-Manche à la même époque, dans le même contexte de restrictions et de trocs sous le manteau. Or en anglais, *black market* s'inscrit dans un vaste groupe de locutions similaires commençant par *black*, et paraît construit en particulier sur le modèle de *black dog*, ou *black money* — l'argent noir — qui désignait depuis des siècles la fausse monnaie; cela parce qu'à l'origine les faux-monnayeurs fabriquaient des pièces d'argent en étain surargenté qui noircissait assez vite.

Il serait surprenant que les deux expressions aient vu le jour séparément dans les deux pays. Je pense que le « marché noir » — le mot, pas la chose! — a dû naître par traduction de *black market* dans les milieux de la radio française installée à Londres, avant d'être diffusé sur le continent, fin 1941 ou début 1942 selon mes renseignements, au cours de ces émissions où « les Français parlaient aux Français ». Cela expliquerait notamment que l'expression se soit répandue à peu près simultanément dans la France entière, à la ville comme à la campagne, en zone libre comme en zone occupée, adoptée immédiatement par l'occitan *mercat negre*, et sans doute par les autres langues de l'hexagone.

Je n'ai pas été en mesure jusqu'à présent de vérifier cette hypothèse, et je serais reconnaissant à des lecteurs bien renseignés sur la période pour l'avoir pratiquée de première main de vouloir bien me communiquer des précisions éventuelles. La différence en tout cas est que le marché noir est plus cher que le marché ordinaire, tandis que le travail noir, tout aussi condamnable, revient meilleur marché !

Saler une note

Vous arrivez à la fin d'un repas médiocre, dans une auberge d'aspect clinquant... L'addition arrive en même temps : elle est extrêmement *salée!* La notion est loin d'être nouvelle, mais le mot ? On pourrait croire que *saler une note* est une invention d'avant-hier. Furetière l'explique déjà en 1690 : « Saler signifie aussi, estimer trop quelque chose qu'on veut vendre, en vouloir trop d'argent. Ce marchand a de bonne marchandise, mais il la sale bien. Ce paysan vous vendra volontiers cet arpent de terre, mais il vous le salera. » En usage habituel au XVIIe siècle le mot se trouve déjà au XVIe : « Ils salèrent si bien sa noblesse [ils la lui firent payer si cher] qu'elle n'aurait garde de sentir puant », plaisante un certain Saint-Julien, cité par Littré.

Pourquoi ce sens ? Parce qu'un plat trop salé est toujours dur à avaler ? C'est exactement l'inverse : parce que le sel ajoute de la saveur aux aliments, donc de la valeur. Saler un produit c'est lui donner du piquant et accroître par là sa valeur marchande. Les Anglais disent dans le même sens *to salt an account :* estimer chaque article d'une facture à son prix le plus haut, et même un tantinet davantage, afin de préserver la cote.

En effet, le sel a joué un rôle de premier plan depuis l'Antiquité. Il conserve les denrées, empêche la putréfaction. Symbole de pureté et de droiture, le sel était utilisé dans les sacrifices, et partagé dans la communion au même titre que le pain. Jésus-Christ appelait ses apôtres le « sel de la terre », et la Bible fait allusion au « sel de la sagesse » et au « sel de l'alliance ». « Chez les Grecs, comme chez les Hébreux ou les Arabes, le sel est le symbole de l'amitié, de l'hospitalité, parce qu'il est partagé, et de la parole donnée, parce que sa saveur est indestructible. Homère affirme son caractère divin » *(Dictionnaire des symboles).* Le mot *salaire* vient du latin *salarium,* « solde pour acheter du sel », d'où par la suite le sens d'indemnité, d'honoraire que mérite toute peine.

L'aubergiste qui vous remet une note un peu lourde sacrifie donc à une très vieille et très pure tradition... A moins, bien sûr, qu'il ne veuille simplement se sucrer!

Payer son écot

C'est sans doute l'abandon en France des tables d'hôte et cette volonté petite-bourgeoise de manger seul dans son coin qui ont donné à l'expression « payer son écot » un air désuet et un peu plaisantin. Puisque les restaurateurs reviennent aux titres alléchants d'« auberge » et d'« hostellerie », et que la montée des prix a fait remettre en usage le partage de l'addition entre les convives, on pourrait aussi redonner vigueur et naturel à la vieille formule des repas en commun. Ecot est un terme pour ainsi dire... écologique. Mais peut-être qu'un mot perdu ne se rattrape jamais...

Escot, puis *écot,* vient du francisque *skot* qui signifie « contribution », et il a toujours désigné « ce que chacun paye pour sa part d'un repas qu'il fait en commun. Pour vivre en liberté au cabaret, à l'hôtellerie, il faut que chacun paye son écot », assure Furetière, qui ajoute : « On dit aussi d'un homme agréable en débauche, qui chante, qui fait de bons contes, qui met les autres en train, que c'est un homme qui *paye bien son écot,* qu'on est bien aise de lui donner à manger. »

Cette vieille notion — toujours actuelle — de payer son repas en amusant ses hôtes est à la source de plusieurs autres façons de parler. C'est par abréviation de « il paie bien son écot » que l'on dit d'un amuseur, un boute-en-train non seulement « agréable en débauche », mais tout à fait hilarant : « Ah! celui-là alors, *il paie!* » En généralisant à un spectacle hautement cocasse : « Ah! dis donc! **Ça paie** ce truc! » — avec parfois cette indication de durée qui autrement est incompréhensible : « Je te jure que *ça payait cinq minutes!* Qu'est-ce qu'on a rigolé! » Commentaire le plus courant par exemple dans les années 30 d'un film de Charlot, qui, en effet, « valait » le déplacement!

Ne pas payer de mine

C'est probablement à cette idée générale de gratification par l'attitude qu'il faut aussi rattacher la tournure *payer,* ou plutôt *ne pas payer de mine* — c'est-à-dire par une apparence agréable, un comportement avenant, ou en faisant tout bonnement des mines plaisantes; ce en quoi consiste, précisément, « la monnaie de singe » (voir p.169). « Il ne fut pas plus tôt assis qu'une petite guenon vint se poser tout auprès de lui, en lui faisant des mines et des grimaces les plus jolies du monde » (comte de Caylus).

J'ajouterai que de « payer de mine » sont sorties à leur tour, par déformation et jeu de mots, des choses comme : « Tu as vu la mine qu'il se paie! », puis « la tête qu'il se paie », et enfin : « Il se payait une tronche pas possible! »

Défrayer la chronique

Dans la même veine que « payer son écot » en répandant la bonne humeur parmi les autres convives, on dirait également au XVIIe siècle *défrayer la compagnie :* amuser, faire rire par des bons mots, des plaisanteries, où « défrayer » a son sens exact de « payer la dépense ». « Ils pensaient tous qu'il était là pour défrayer la compagnie de bons mots », dit Molière.

Mais à force de défrayer les gens de la sorte on peut finir par les amuser sans être présent en personne — en offrant par ses frasques ou ses extravagances le sujet de conversations fournies et fort divertissantes; disons en alimentant la chronique des bruits qui courent...

C'est ainsi que, l'idée initiale de dette ou de contribution étant oubliée, s'est formée la locution « défrayer la conversation », puis, comme les ragots se colportent et s'enregistrent, surtout s'ils sont légèrement scandaleux : *défrayer la chronique,* par croisement et substitution de mots.

Je signale enfin que comme on ne voit plus très bien aujourd'hui en quoi consiste ce « défraiement » insolite, certains transforment par jeu l'expression habituelle et disent « effrayer la chronique » — ce qui, dans certains cas particulièrement scabreux, se révèle d'ailleurs parfaitement adapté !

En connaître un rayon

Il y a rayon et rayon ! Je ne saurais expliquer la chose mieux que ne l'a fait Georges Gougenheim[1] : « Les gâteaux de cire confectionnés par les abeilles et dont les alvéoles contiennent le miel s'appellent des *rayons*[2]. Ce

---

1. *Op.cit.*
2. *Remarque :* N'en déplaise à personne, ces rayons de miel s'appellent aussi des *brèches,* ou *bresches,* vieux mot issu du gaulois *brica* et que l'on trouve dans l'ancienne langue : « Bresche de miel, cueilli de diverses flors » (xiiie). Il vit aussi dans l'occitan *bresca,* au même sens, avec le verbe *brescar,* « cueillir le miel des ruches ». « Bresche » est un terme qu'emploient encore aujourd'hui tous les apiculteurs, mais il n'est bizarrement relevé par aucun dictionnaire moderne ! C'est pourtant « du miel en bresche » qui a été altéré en *du miel en branche.* (Cette curieuse formule a peut-être à son tour aidé la formation de la non moins étrange, politesse à part, *merde en bâton,* en appui sur l'euphémisme courant « emmiellé » pour « emmerdé » et par croisement probable avec le très vieux jeu de « société » du « bâton merdeux » donné à saisir à un joueur aux yeux bandés.)

mot n'a rien de commun avec les *rayons* d'une roue
(d'où, par comparaison, les rayons du soleil). Rayon (de
roue) est un dérivé de l'ancien français *rai,* qui vient du
latin *radius,* tandis que rayon (de cire) est dérivé de
l'ancien français *rée,* d'origine germanique. » (En effet :
« De novel miel en fresches rées », dans le *Roman de
Renart.*)

   « Par analogie avec la disposition des rayons dans
une ruche, on a appelé *rayons* les planches disposées
dans un placard, une armoire, une bibliothèque, le long
des murs d'une chambre, etc., également les planches
qui, dans une boutique, portaient les diverses sortes de
marchandises que vendait le commerçant. Quand le
commerce a pris plus d'ampleur, et notamment quand
se sont créés les grands magasins, chaque catégorie de
marchandises ne tenait plus sur une planche, il lui fallait un espace beaucoup plus vaste, c'est pourquoi
les divisions spécialisées des magasins portent le nom
de *rayons* : " rayon des jouets, rayon de la
parfumerie ", etc. »

   Il s'est par conséquent créé aussi des vendeurs spécialisés, et même des « chefs de rayon ». Ce sont eux
d'abord, qui, au sens propre, *connaissent leur rayon :*
sont capables de se retrouver et de guider le client dans
la diversité, la profusion des marchandises dont ils s'occupent. Mais « connaître son rayon », par le sérieux et
la conscience professionnelle que cela exige, entrait en
résonance avec une expression plus ancienne : **en mettre
un rayon,** laquelle a une origine toute différente.

   « En mettre un rayon » prend sa source dans le rayon
— *rai* — au sens de sillon d'un labour. C'est produire
un effort louable et soutenu, se dépenser comme celui
qui tient la charrue, ou plutôt par l'intermédiaire d'une
métaphore supplémentaire, comme le marcheur infati-
gable qui avale les kilomètres de bon cœur, à grandes
enjambées, ce que G. Esnault note pour 1829 sous la
forme *labourer la grand-route :* voyager à pied. L'image
du routier ingambe s'est transportée plus tard par plai-

santerie sur le coureur cycliste qui, naturellement, en met lui aussi un rayon!

Toujours est-il qu'il s'est produit un croisement entre les deux locutions, et que « il connaît son rayon » s'est doublé de *il en connaît un rayon,* ou même un « sacré rayon »! Il est curieux de noter que cette expression, venue du lointain des abeilles, a vu le jour par le biais des grands magasins, lesquels sont devenus, par un juste retour des choses, de véritables ruches.

De bon acabit

Mieux vaut se méfier et chercher des denrées de bon acabit. Ce mot qui en principe signifie « qualité » — des « fruits de bon acabit » — reste d'une origine douteuse. Certains le font venir de l'occitan *acabir,* obtenir, ou de *acabar,* achever, perfectionner, et lui donnent le sens d'achat, de bonne affaire. Le Bloch & Wartburg le tire de l'occitan *caber,* employer, placer, avec son dérivé *cabit,* pourvu.

Malheureusement, son attestation la plus ancienne se trouve dans Villon, où on lui donne d'habitude le sens de « accident » :

    Si en cest malheur et labit˙   déchéance
    Nous mourions par quelque acabit,
    Ame n'y a qui bien nous fasse...

Ce qui ne semble pas avoir grand rapport. Cela dit il n'est pas impossible que Villon ait pu employer le mot un peu au hasard, entraîné par l'allitération « quelque acabit » et par la rime, dans le sens général de « façon », « manière »... Ce qui naturellement reste à démontrer!

Mettre à l'encan

Vieille façon de vendre : les enchères publiques. C'est ce que signifie le mot encan, du latin *in quantum,* « à

230

combien »; sans doute reste d'un temps où les commissaires-priseurs posaient encore des questions, et n'avaient pas inventé l'aboiement des chiffres à la mitrailleuse américaine...

On ne se résout à mettre quelque chose aux enchères que lorsque la vente de particulier à particulier se révèle difficile, soit parce que le particulier justement s'est envolé, ou qu'il est très pressé, ou que ce qu'il propose est trop hétéroclite; bref, il s'agit la plupart du temps d'une vente au rabais, qui disperse les belles collections, détruit les ensembles les plus harmonieux, et d'une façon générale oblige à un étalage public extrêmement disgracieux.

La mise à l'encan est donc toujours un signe de déchéance, de dispersion, d'incurie, qui lui a valu depuis longtemps son sens nettement péjoratif. « Ce malheur est venu de quelques jeunes veaux qui mettent à l'encan l'honneur », disait au XVIe siècle Mathurin Régnier, avec une façon toute moderne de considérer à la fois la jeunesse et les bovidés.

A l'œil

Tout se paie! Dans le commerce plus qu'ailleurs il est bien rare que l'on obtienne quelque chose à l'œil...

Cette expression familière, on ne peut plus courante, pose un problème d'identification historique assez ardu : si aujourd'hui elle veut dire uniquement « sans payer », son sens a varié, en particulier au cours du XIXe siècle, où elle voulait dire tantôt « gratis », et tantôt seulement « à crédit ». On peut lire ainsi en 1854 chez Privat d'Anglemont : « C'est que la mère Bricherie n'entend pas raillerie à l'article du crédit. Plutôt que de faire deux sous d'œil, elle préférerait : », etc.; alors qu'Emile Pouget, déplorant l'avarice des organisateurs du Salon des indépendants, écrivait dans *Le Père Peinard* du 9 avril 1893 : « Ils sont pas forts, turellement, dans cette administrance : ils ont pas seulement eu la jugeotte de coller une fois par semaine l'entrée à l'œil ».

On comprendrait aisément que la notion de crédit ait fourni l'idée de gratuité complète : il suffit de ne jamais revenir payer la note! L'ennui est que non seulement les deux sens ont longtemps coexisté, mais celui de « gratuit » paraît le plus ancien. On le rattache traditionnellement à la vieille notion de « bonne grâce », de « belle mine », de gracieuseté accordée à quiconque a des « beaux yeux ». Gaston Esnault qui en donne la première attestation en 1827, « se taper un souper à l'œil », établit l'enchaînement suivant : « De l'œil, de la mine, émane un effluve, ce qu'expriment : faire belle trogne (1527), passer pour beau (1640), ne pas payer, ne payer que de sa personne (XVIIᵉ), plus modernes : pour ses beaux yeux, sur sa belle mine, sans payer. » Notons que Furetière donnait déjà : « Cela ne se fera pas pour vos beaux yeux, c'est-à-dire, pour rien & sans payer. »

En tout cas « à l'œil » avait déjà bien établi son sens actuel dès la première moitié du XIXᵉ siècle, comme en témoigne Alfred Delvau en 1867, dans ce contexte particulier : « *Baiser à l'œil :* Ne rien payer pour jouir d'une femme galante, comme font les greluchons. » Il cite une chanson d'étudiants de l'époque :

Quand on est jeune on doit baiser à l'œil;
A soixante ans la chose est chère et rare;
Aux pauvres vieux l'amour devient avare.

Ouvrons une parenthèse. Il se trouve que l'*œil* a été aussi une des désignations de l'anus, vraisemblablement par assimilation avec l'« œil » désignant anciennement la bonde d'un tonneau. On connaît aussi la forme « œil de bronze », qui explique notamment le « couler un bronze », etc. La chose est un peu oubliée mais c'est pourtant ainsi qu'il faut interpréter le parallélisme des expressions telles que « politesse mon œil » et « politesse mon cul! », et rapprocher, si l'on peut dire, « à la mords-moi l'œil » et « à la mords-moi le nœud ». Quant à **se mettre le doigt dans l'œil,** il paraît procéder d'une erreur de doigté tout à fait étrangère à l'organe de la vue; P. Guiraud affirme que « tous ceux qui se mettent le doigt dans l'œil, " se trompent lourdement ", ignorent sans doute que l'*œil* est un des désignatifs populaires de l'anus ». Avec moins de gants A. de Nerciat parlait en 1793 de « ces messieurs qui, tout au moins partagés entre l'œillet et la boutonnière (c'est-à-dire, une fois pour toutes, le cul et le con)... » (note aux *Aphrodites*).

Cela dit comment concilier « à l'œil », sans paiement, avec « à l'œil » du paiement différé que *La Gazette des tribunaux* atteste comme une locution courante en 1863 : « Comme il m'avait dit qu'il avait fait un héritage, je lui ai ouvert l'œil jusqu'à vingt francs » ?... Il est pour le moins difficile d'imaginer comment les deux sens de cette locution, à la fois voisins mais contradictoires et générateurs de malentendus, ont pu coexister pendant plus d'un siècle. A moins que les deux acceptions de *à l'œil* n'aient pas eu cours exactement dans les mêmes milieux sociaux, avec des fréquences très diverses... Faut-il penser que l'œil « gratis » soit une forme carrément argotique et franchement grossière — comme le laisserait supposer « se taper un souper à l'œil », et surtout la chanson d'étudiants, avec un quiproquo supplémentaire sur l'œil-cul — donc limitée à une communauté beaucoup plus restreinte, et de faible fréquence, tandis que l'œil « crédit » serait dans le même temps d'un langage, populaire certes, mais plus civil et donc plus répandu ?

C'est ce qui semble ressortir nettement de la pruderie de Littré qui ne donne en 1872 que : « Populairement, à l'œil, à crédit. Il dîne à l'œil dans ce restaurant. (Cette locution signifie proprement sur l'œil, sur la vue, sur la bonne mine de celui à qui l'on fait crédit) », ajoute-t-il, sans songer que depuis le XVIIe siècle au moins, la « bonne mine » et les « beaux yeux » donnaient la gratuité complète.

Mais alors d'où viendrait cette idée de crédit ? Car si l'on conçoit bien le passage possible de l'œil « crédit » à l'œil « gratuit », il est difficile d'admettre l'inverse : que la notion relative de crédit ait pu se greffer en route sur la notion absolue de gratuité. Cela en particulier à une époque où l'idée de gratuité, en pleine expansion, gagnait du terrain au point de devenir bientôt dominante, puis d'éliminer complètement sa concurrente. En effet à la fin du xixᵉ siècle *Le Père Peinard* n'emploie plus que l'œil « gratis » : « La gradaille s'est conduite comme en pays conquis : le général de Roincé a fait foutre à la porte de l'Hôtel de France le proprio de l'hôtel par ses ordonnances; les culottes de peau voulaient boire à l'œil et le type faisait la sourde oreille » (1898). Il semble que la notion « à crédit » était alors en régression suffisante pour qu'il n'y ait pas d'ambiguïté, tout au moins pour les lecteurs anarchistes du journal au verbe libéré — sans que l'idée, toutefois, ait complètement disparu; un an auparavant il écrivait : « On cite un directeur de prison qui s'est fait faire, au grand œil, par les prisonniers de chouettes meubles de chambre à coucher. » Comme si ce « grand œil » s'opposait pour plus de clarté à un « petit œil » supposé, celui du crédit, en voie de disparition.

Maurice Rat, reprenant l'idée des échanges de gracieusetés, suggère pour sa part : « Le sens figuré d'à *l'œil,* " à crédit ", pourrait venir du clignement d'yeux que feraient les clients au marchand chez qui ils ont crédit, en sortant de sa boutique. » Outre qu'il suppose que ce sens est le plus ancien, ce qui semble inexact, c'est mal connaître la honte des pauvres obligés d'acheter à crédit le strict nécessaire, leur gêne qui les fait envoyer les enfants à leur place pour ne pas avoir à affronter eux-mêmes les récriminations et les palabres d'un boutiquier grincheux au moment d'allonger la maudite « ardoise », que de supposer ces clients-là d'humeur à cligner de l'œil en signe de guillerette connivence !....

J'aborderai ici une autre hypothèse, toute personnelle, invérifiée, peut-être invérifiable tant les témoignages écrits sur la langue populaire sont ténus, surtout quand cette langue ne relève pas du domaine de la criminalité. C'est l'hypothèse de deux origines distinctes.

La notion de crédit est vieille comme le monde. Depuis le Moyen Age jusqu'à une époque récente, la fin du XIXe siècle en gros, il existait une méthode de comptabilité des dettes extrêmement simple : la taille. La taille « chez les marchands en détail, se dit d'un morceau de bois fendu en deux, dont les parties se rapportent l'une à l'autre, sur lesquelles on marque en même temps la quantité des marchandises livrées, par plusieurs hoches ou entailles qu'on y fait. La souche demeure chez le marchand, & il en délivre l'échantillon au bourgeois » (Furetière). Plus tard la taille consista généralement en un simple bâtonnet sur lequel le boulanger, l'épicier ou le marchand de vin cochaient le montant des achats. Les pauvres prenaient du pain « à la taille » ou « à la coche », indifféremment, en attendant d'être en mesure de payer.

Or, si l'on fait une marque au couteau sur une baguette de bois, l'entaille qui en résulte a la forme d'un petit œil. (On appelle aussi « œil » la naissance d'un bourgeon sur une branche à cause d'un dessin identique.) Il est donc possible — seul un texte pourrait le certifier — que l'on ait appelé parfois, vers le XVIIIe siècle, la coche, l'« œil », par dérision et ironie pour ce « témoin » implacable, haï des bourses plates, selon un principe de substitution bien connu qui consiste à introduire une métaphore à la place d'un mot usé, et que l'on ait dit « à l'œil » pour « à la coche » : à crédit.

Ce qui est certain, en tout cas, c'est que ces deux façons de dire ont coexisté pendant plusieurs décennies. Bien que cela ne constitue pas une preuve, on voit mal comment, dans une pratique quotidienne où l'on

emploie simultanément « à l'œil » et « à la coche », la
verve sarcastique des mal lotis aurait pu ne pas faire,
au moins, le rapprochement !... Par ailleurs, cette interprétation s'accorde assez bien avec les formes « ouvrir
un œil » — au couteau ? — « ouvrir l'œil jusqu'à vingt
francs, etc., qui ont donné par opposition « fermer
l'œil » et même « crever l'œil », pour cesser le crédit.

Ce que l'on peut constater aussi c'est que c'est dans la
période où l'usage de la taille disparaissait que semble
s'être dissoute également la notion d'œil « crédit ». Par
suite d'une alphabétisation progressive au xixe siècle les
petits boutiquiers furent peu à peu capables d'écrire les

petits boutiquiers furent peu à peu capables d'écrire les comptes, d'abord sur une ardoise — on trouve dès 1868 : « On prétendait qu'il avait une ardoise au café voisin. » Cette nouvelle façon de faire, et de parler, **avoir une ardoise,** remplaça l'expression « à l'œil » au sens de crédit, laquelle à son tour laissait la place à l'autre « œil », devenu dominant dans la langue du peuple : la gratuité.

A l'œil, gratuitement, a donc pu se créer comme argotisme à partir des « beaux yeux » et de la « belle trogne », avec l'influence grossière de l'œil-anus, dans un contexte du genre : « Ma dette, je me la mets à l'œil », ou **je m'en bats l'œil** — c'est-à-dire, très crûment, mais très précisément : « Je m'en tape le cul »!... L'autre œil, chassé par l'ardoise, serait venu comme métaphore momentanée dans un langage plus châtié.

Mon explication paraît séduisante. Est-elle vraie?... C'est une autre paire de manches !

La marine

Eau qui court ne porte point d'ordure.

Vieux proverbe
(un peu dépassé d'ailleurs par les polluants...)

Le monde de la marine a tendance à rester entre soi. Pour spéciale et riche que soit la langue de la navigation, elle ne semble pas avoir donné à la langue commune un très gros bouquet d'expressions. Il faut dire aussi que la majeure partie des côtes de France, à l'exception des côtes normandes et picardes, ne sont pas traditionnellement de langue française. Pendant des siècles, les gens de mer ont parlé occitan, catalan, basque, breton évidemment, et même flamand tout au nord de notre littoral. Ceci explique peut-être en partie cela... Un certain nombre de termes empruntés directement à l'occitan ou au néerlandais ont d'ailleurs vraisemblablement été introduits par le truchement des marchands plutôt que par les matelots eux-mêmes.

Naviguer de conserve

Bien sûr on peut « voyager de conserve » avec des amis, ou à la rigueur visiter de même un manoir hanté... Mais le mot « conserve » est tellement lié à notre époque aux boîtes de petits pois, et autres fruits et légumes, que les gens hésitent. L'image des sardines à l'huile leur reste en travers de l'élocution ! On se replie donc sur l'expression moins drôlette et mieux accordée : **aller de concert** quelque part. « De concert » est plus engageant, plus « musical » dirais-je, avec son sous-entendu de bonne entente et de concertation — ce qui est du reste son sens véritable et ancien : « pleurer tout franchement et de concert, à la vue l'un de l'autre, sans autre embarras que d'essuyer ses larmes », disait La Bruyère.

Pourtant « aller de conserve », ensemble, a eu un sens précis dans la navigation dès le XVIᵉ siècle, la grande époque des pirates. « Conserve, en terme de Marine — dit Furetière — se dit des vaisseaux qui vont en mer de compagnie pour se déffendre, s'escorter & se secourir les uns les autres. Il est posté dix vaisseaux qui vont de conserve. On dit aussi dans le même sens, Aller de flotte, ou bailler cap à un autre vaisseau, ou à la flotte. Les navires chargés de marchandises de prix sont obligés de marcher en flotte, de faire conserve, de faire cap & de s'attendre les uns les autres, & ne doivent point partir qu'ils ne soient du moins quatre. Ils doivent élire entre eux un vice-amiral & faire serment de s'entre-secourir, suivant les ordonnances de la Marine. »

Il s'agit donc de l'instinct de « conservation ». Par parenthèse les « conserves » alimentaires constituent bien le sens premier du mot; le vieux bonhomme ménagier du XIVᵉ indique à son épouse : « Mettez les noix boulir en miel, et illec [là] les laissiez en conserve... » S'il était plus sûr pour les bateaux marchands de faire voile ensemble, il est toujours prudent d'être « de conserve » pour traverser le Sahara, faire une escapade à skis ou explorer un gouffre. Mais il est plus normal d'aller boire *de concert* au café du coin !

Nager entre deux eaux

Voilà qui est habile! Mi-chair, mi-poisson, l'art de l'opportunisme. M. Rat y voit un exploit sportif : « Au sens propre, l'expression *nager entre deux eaux* s'applique au nageur qui a la tête et tout le corps enfoncés au-dessous de la surface de l'eau. » C'est en effet l'image sous-marine qu'elle évoque pour tout le monde aujourd'hui, sans qu'on voit bien pourquoi elle signifie « ménager les uns et les autres, se maintenir entre les partis ou les opinions opposés »... C'est que c'est une image fausse ! D'autant plus que la locution a été créée à une époque où nager (du latin *navigare*) ne voulait pas dire « nager », mais naviguer ! Se déplacer dans l'eau pour un homme ou un animal se disait alors *nouer* ou *noër* : « ceux qui passoyent a noë », à la nage (XIIIᵉ).

Ainsi le *Roman de la Rose* décrit les soucis du navigateur de haute mer :

Li mariniers qui par mer nage
cherchant mainte terre sauvage,
tout regart il a une estoile*   tient compte d'une étoile
ne court il pas torjors d'un voile,
mais le treschange mout souvent
par eschever* tampest ou vent.   esquiver

L'expression figurée de « manœuvre habile » se trouve dès le XIVᵉ : « Ainsy vouloit le dit duc de Brabant nager entre deux yawes [eaux]. » A partir du XVIᵉ siècle l'ambiguïté de *nouer* et « nouer », faire un nœud, fit employer nager pour la « nage » moderne et inventer le mot naviguer. Nager s'emploie encore dans la langue de la marine au vieux sens de « ramer ».

Ainsi « nager entre deux eaux » veut dire naviguer entre deux courants sans se laisser entraîner ni par l'un ni par l'autre — suivre sa propre route en résistant aux pressions. C'est difficile... Il y a ceux qui *savent nager*, et les autres !

Etre en nage

On sait qu'être « en nage » c'est être ruisselant de sueur. Furetière connaissait déjà la tournure : « On dit aussi Etre en nage, pour dire, être en sueur, tout mouillé, soit pour s'être échauffé, soit pour avoir été à la pluye, soit dans une crise de maladie. »

L'interprétation de cette locution, curieuse si l'on y réfléchit, et moins évidente qu'elle en a l'air, est un sujet de controverse. Certains suivent l'explication reprise par M. Rat : « On disait au Moyen Age *être en age* (être en eau), puis quand le mot *age* cessa d'être usité, la locution fut altérée. » Malheureusement, l'évolution de « eau » est plutôt *eive, eve, aive, iaue* (voir ci-dessus *yawe*), et aussi loin que l'on remonte dans les textes du Moyen Age on ne trouve aucune trace de *age* dans le sens de « eau » (qui a pu exister cependant au moment du passage du latin *aqua,* lequel a donné aussi l'occitan *aiga,* à une époque très reculée).

Je préfère suivre ici l'interprétation de Littré qui donne pour origine à *nage,* abondamment attestée, devenue *en nage,* probablement pour des raisons d'euphonie. « *Etre à nage,* ou *en nage,* c'est proprement nager dans l'eau, et figurément être tout mouillé de sueur ». En effet « à nage » a eu le sens secondaire de « baigner dans l'eau, être trempé », comme dans cet exemple très clair de Desportes au XVIᵉ siècle :

Le desespoir tiroit ces plaintes de ma bouche;
En mes larmes desjà à nage estoit ma couche.

C'est la même idée de « nager » au sens de « baigner dans un liquide » qui semble avoir cheminé dans la langue quand on dit qu'un morceau de viande « nage dans la sauce », ou dans le beurre. C'est à mon avis cette notion que G. Esnault note pour 1900 à Lille : « Nager, être submergé, en parlant des champs », d'où il tire « nager : ne savoir que faire, ne pas comprendre la situation, patauger ». C'est qu'on *nage* dans un problème avec beaucoup moins de plaisir que dans une piscine !

Tomber en panne

Désagrément bien ordinaire, et dans de nombreux domaines! Ce sont encore les vaisseaux qui nous ont donné la formule : « Panne se dit en terme de Marine. Mettre à panne, c'est faire pencher le navire d'un côté pour fermer quelque voye d'eau qui est de l'autre bord. On le dit aussi quand on retarde le vaisseau pour attendre ou laisser passer d'autres vaisseaux qui veulent gagner de l'avant. On appelle cela Etre en panne » (Furetière). Littré fournit des explications plus techniques : « En panne, se dit de l'état où est un navire, lorsque, une partie de ses voiles tendant à le faire aller en avant et l'autre partie le poussant vers l'arrière, il reste, sinon absolument immobile, du moins s'agitant presque sur place, dérivant un peu et ne faisant pas de route. »

De là à tomber en panne sans l'avoir voulu, lorsque la voiture refuse d'aller de l'avant, il n'y a qu'un souffle. On croirait du moins que la bagnole a inventé la **panne sèche**, lorsque le réservoir est vide... Eh bien non, même pas : « Panne sèche, se dit lorsqu'on met en panne sans aucune voilure, et par le seul effet de la barre du gouvernail », précise Littré qui ajoute : « Dans les autres cas on dit panne courante. » C'est là un très bel exemple de récupération langagière, avec un changement total dans la motivation!

Avoir le vent en poupe

Il est plus agréable d'avoir le vent en poupe. On le sait, la poupe, de l'occitan *popa*, est l'arrière d'un navire. Bien que les voiliers puissent s'accommoder de toutes les directions du vent, rien ne vaut bien entendu une bonne brise arrière qui vous fait avancer avec une légèreté accrue. C'est une chose qui s'arrose! Un auteur du XVe le signalait déjà :

Nous étions là bonne troupe
Qui, ayant le vent en poupe,
Tous l'un à l'autre buvions.

Veiller au grain

Cela dit, en mer, la prudence est toujours de rigueur :
il faut veiller au grain. « En terme de Marine, on
appelle un grain de vent, une tempête, un tourbillon qui
se forme tout à coup & qui désempare la manœuvre. Il
dure peu », précise Furetière. Le mot vient peut-être des
« grains de grêle fréquents dans ces sortes d'orages ». Il
apparaît pour la première fois dans la littérature lorsque Pantagruel « evada une forte tempeste en mer » :
« Pantagruel restoit tout pensif et mélancholique. Frere
Jan l'apperceut, et demandoit dout luy venoit telle fas-
cherie non accoustumée, quand le pilot, consyderant les
voltiges du peneau sus la pouppe, et prevoiant un tyran-
nique grain et fortunal nouveau [tempête], commanda
tous estre à l'herte [alerte] tant nouchiers, fadrins et
mousses que nous aultres voyagiers » (*Quart Livre*,
chap. XVIII). Comme quoi il vaut mieux avoir un
« pilote » vigilant !

Donner de la bande

« Bande, en terme de Marine, signifie côté. On dit
aussi, Mettre son vaisseau à la bande, quand on le fait
pencher sur un côté, pour lui donner le radoub ou le
suiffer » (Furetière). Oui mais c'est un mauvais signe,
pour une goélette, de donner de la bande, cela traduit
un déséquilibre qui peut rapidement se transformer en
naufrage. C'est un peu comme un oiseau qui bat de
l'aile.

Etre du même bord

Bien que tout le monde soit embarqué sur la même galère, pour affronter les mêmes périls, il a toujours existé une nette ségrégation à bord des vaisseaux. Les premiers navires de guerre comprenaient l'équipage, qui naviguait mais ne se battait pas, et les soldats qui se battaient mais ne touchaient en rien à la manœuvre. Ces bateaux étaient en fait des transporteurs de troupe (voir citation à *Vent en poupe*). L'Invincible Armada espagnole du xvie siècle était organisée selon ce principe antique et méditerranéen. En réalité ce sont les pirates, lesquels jouaient les deux rôles à la fois, et le célèbre Drake en particulier, qui inventèrent la marine de guerre moderne et la notion de marins combattants — continuant par là la tradition nordique des Vikings.

Mais sur les navires de guerre les officiers se tiennent à tribord — du néerlandais *stierboord*, le bord sur lequel se trouvait le gouvernail sur les anciens vaisseaux — tandis que l'équipage occupait le bâbord — de *bakboord*, le bord opposé auquel le pilote tournait le dos (*bak*). Comme on ne mélange pas le gratin et la piétaille, on appartient à un bord ou à l'autre, mais pas aux deux à la fois. Comme les opinions divergent beaucoup selon les grades, nous avons fini par *être du même bord* lorsque l'on est du même avis.

Tirer une bordée

Après l'invention des canons la marine ne tarda pas à s'équiper de bouches à feu. « La bordée est toute la ligne d'artillerie qui est sur le flanc d'un vaisseau », et aussi la « décharge simultanée de tous les canons d'un même côté » (Littré). « L'amiral lui lâche une bordée à boulets rouges », dit Voltaire. On peut toujours répondre par une **bordée d'injures,** si l'on n'a plus de munitions !

La bordée est aussi le « chemin que fait un bâtiment, jusqu'à ce qu'il revire de bord... courir la même bordée, avancer du même bord. Faire plusieurs bordées, revirer plusieurs fois de bord ».

Les matelots eux en font des petites à terre, dès qu'ils en ont l'occasion. Littré donne également, avec une pointe de réprobation semble-t-il : « Courir des bordées, s'absenter sans permission, et, de là, s'amuser à courir cabarets et mauvais lieux »... Qu'on les coure ou qu'on les tire, les bordées finissent toujours par des beuveries !

Prendre une bitture

Il est vrai que les matelots moulés dans leur bleu et blanc prennent, dès qu'ils sont descendus sur le « plancher des vaches », de fameuses bittures ! Le mot vient d'eux. (Et non du peuple des Bituriges installé en Gaule il y a vraiment trop longtemps ! La locution *Hic bibitur* — Ici on boit — que cite Rabelais est également hors de cause.)

Une bitte, du scandinave *biti* : « poutre sur un navire », désigne cette sorte de billot fixé au pont sur lequel les cordes sont enroulées, particulièrement le câble qui retient l'ancre. (C'est, en passant, la racine du verbe débiter : découper en bittes, en tronçons, et de là vendre au détail.) La *bitture* est, d'une façon précise, la « portion de câble qu'on devait filer en mouillant, et qui était élonguée sur le pont, sur l'arrière des bittes [...] Disposer ainsi le câble s'appelait prendre la bitture » (Larousse). *Prendre une bonne bitture* c'est « prendre une longueur de câble suffisant ».

Cette idée de mesure, de « dosage », associée peut-être à la notion de « mouillage », a fait qu'en langage de bord une bonne bitture est aussi une forte dose d'alcool, voire un repas copieux — avec toutes les conséquences que l'on sait...

248

Perdre la tramontane

J'ai perdu la tramontane
En perdant Margot...

Quel est donc cet objet curieux que perd Brassens, et aussi Jean-Jacques Rousseau dans ses *Rêveries :* « L'indignation, la fureur, le délire s'emparèrent de moi. Je perdis la tramontane. » On connaît les vents du Midi, le mistral et la tramontane, mais comment peut-on perdre le vent ?

En réalité *tramontane* veut dire « au-delà des montagnes » et avant d'être un souffle froid elle a été, et demeure, pour les Italiens qui ont les Alpes au nord, l'étoile Polaire, l'étoile d'au-delà les monts : *tramontana* sous-entendu *stella*. Le nom de cette étoile, guide de tous les anciens voyages, particulièrement des marins de la Méditerranée, a été adopté en français, par l'intermédiaire de l'occitan de Provence dès le Moyen Age. On trouve chez Jean de Meung (XIIIe) :

Clère estoile de mer, certaine tresmontaine,
Mène-nous et conduis en gloire souveraine.

« Tramontane — commente Furetière — signifie aussi l'étoile du Nord qui sert à conduire les vaisseaux sur la mer : ce qui fait qu'on dit figurément qu'un homme a perdu la tramontane pour dire qu'il est déconcerté; qu'il ne sait où il en est, ni ce qu'il fait; qu'il a perdu le jugement & la raison. » En somme, autant dire qu'il a **perdu la boussole,** du moment que celle-ci a été inventée !

En vrac

Jusqu'au XVIIe siècle l'expression « en vrac » ne s'appliquait « qu'à des harengs non rangés dans la caque », c'est-à-dire la barrique spécialement prévue pour leur salaison — celle qui « sent toujours le hareng ! » Le mot vient du néerlandais *wrac* ou *wraec*, qui signifie « mal salé, mauvais ».

Le hareng, saur (*soor*, sec) ou autrement, étant traditionnellement une denrée bon marché et de consommation courante, a beaucoup laissé traîner son lexique dans la langue populaire... On a fini par dire « en vrac » pour tout ce qui est sans rangement ou emballage.

L'Eglise

Aboi de chien ne monte au ciel.

Vieux proverbe.

Il est bien naturel que celle qui fut si longtemps pour la quasi-totalité de la France notre mère l'Eglise ait donné à la langue commune quelques tournures de son tonneau. Moteur intellectuel et mobilisatrice de la pensée occidentale pendant tant de siècles, on est même surpris qu'elle n'en ait pas laissé au moins autant que les jeux de cartes, de quilles et de trou-madame... C'est que l'Eglise, pendant tout ce temps, parlait latin ! Toutefois je n'ai retenu dans ce volume que les locutions qui se rattachent à l'institution ecclésiastique elle-même, classant ailleurs celles qui sont issues directement de la Bible.

La croix et la bannière

Voltaire expliquait ainsi l'origine des processions : « Les petits peuples furent très longtemps sans avoir de temples. Ils portaient leurs dieux dans des coffres, dans des tabernacles [...] C'est probablement de ces dieux portatifs que vint la coutume des processions, car il semble qu'on ne se serait pas avisé d'ôter un dieu de sa place, dans son temple, pour le promener dans la ville, et cette violence eût pu paraître un sacrilège, si l'ancien usage de porter son dieu sur un chariot ou sur un brancard n'avait pas été dès longtemps établi[1]. »

1. *Essais sur les mœurs.*

Il faut croire que nous avons définitivement coupé les ponts avec nos ancêtres nomades, car on ne voit plus beaucoup en France de ces longues processions de fidèles, conduites en grande pompe vers un sanctuaire de plein air, la croix en tête, par deux ou trois prêtres en habits étincelants, suivis d'enfants de chœur en tuniques, psalmodiant des cantiques sous un beau soleil de printemps. Autre époque : les dieux sont installés !

Autrefois, ce cérémonial ne s'appliquait pas uniquement aux divinités en voyage, mais aussi aux grands de ce monde, particulièrement chatouilleux sur le chapitre de l'accueil et de la conduite. Les prélats, les hauts dignitaires de l'Eglise et de l'Etat ne consentaient à se déplacer qu'à la condition d'être reçus avec la même dignité que les sacrées reliques. Il était d'usage de les accueillir aux portes des villes avec la croix, emblème spirituel, et aussi la bannière symbolisant le pouvoir temporel. « La bannière et le pavillon diffèrent du drapeau et de l'étendard par la façon dont l'étoffe est disposée — précise Gougenheim[1]. L'étoffe de la bannière est fixée par en haut de façon à tomber verticalement. Elle n'a plus rien de militaire et est surtout un emblème religieux, orné d'inscriptions et de figures. » Un texte du XIVe siècle fait allusion à la coutume : « Jehan, le vigile de l'ascension notre Seigneur y portat un confanon ou bannière de l'église de Landricourt aux processions, et croix, en la compagnie du curé et des gens d'icelle ville. »

De là l'expression qui est restée : « On dit en ce sens qu'il faut avoir la croix & la bannière, la croix & l'eau bénite, pour avoir quelcun; pour dire qu'on a de la peine à en joüir », explique Furetière, sans arrière-pensée d'ailleurs. C'est que les anciens étaient tatillons sur le protocole ! « Lorsque le cardinal de Richelieu traita du mariage d'Henriette de France et de Charles Ier avec les ambassadeurs d'Angleterre, l'affaire fut sur le point

1. *Op. cit.*

254

d'être rompue, pour deux ou trois pas de plus que les ambassadeurs exigeaient auprès d'une porte, et le cardinal se mit au lit pour trancher toute difficulté », raconte aussi Voltaire. Il ajoute : « A mesure que les pays sont barbares, ou que les cours sont faibles, le cérémonial est plus en vogue. » Intéressante remarque.

Etre réduit à la portion congrue

Après quelques décennies de relative abondance, du moins dans ce coin de planète que nous disons occidental, la vieille notion de *portion congrue* semble çà et là vouloir refaire surface. Elle n'a jamais cessé de présider à la répartition des richesses à l'échelle du globe.

« Dans le langage ecclésiastique — explique Littré — portion congrue, pension annuelle que le gros décimateur payait au curé pour sa subsistance. » Qui diable était donc ce « gros décimateur » ? Eh bien, le patron du curé d'autrefois, l'ecclésiastique à qui revenait le bénéfice de la cure. On sait que sous l'Ancien Régime le titulaire d'une paroisse ne s'occupait pas nécessairement de ses ouailles. S'il était quelque peu dignitaire, ou bien en vue dans le monde, il employait un prêtre subalterne et pécunieux sur lequel il se déchargeait des affaires courantes de la foi, offices et menus sacrements, pendant que lui-même vaquait à des besognes moins pieuses en des lieux infiniment plus réjouissants. Toutefois cet absent récoltait scrupuleusement la dîme (dixième des récoltes des paysans), dont il reversait une part sous forme de pension alimentaire à son modeste travailleur du goupillon. « Les portions congrües se taxent aux Curez au Grand Conseil à 200 livres, & au Parlement à 300 livres, suivant deux diverses déclarations qui y ont été vérifiées. Au delà de la Loire on n'adjuge que 200 livres, en deçà jusqu'à 300 livres. » Si on en croit Furetière il semble bien que les salaires

255

aient toujours été un peu plus bas « au delà de la Loire », sans doute à cause du soleil...

En tout cas, cette portion congrue, calculée au plus « juste », faisait des desservants de nombreuses paroisses de malheureux smicards en soutanes râpées. Cela explique peut-être qu'à la Révolution tant de petits prêtres se soient désolidarisés de leurs prélats, et aient embrassé la cause des sans-culottes et des partageux ! Au fait, « congru », du latin *congruus,* veut dire « convenable »... Comme qui dirait suffisant !

Jeter son dévolu

Jeter son dévolu est devenu synonyme de « faire un choix définitif », après une plus ou moins longue hésitation. Le dévolu est un terme du droit canon qui désignait un « bénéfice dont la nomination était dévolue au pape, par suite de l'incapacité, de l'indignité du possesseur ». Jeter son dévolu, c'est « former une prétention sur un bénéfice en le proposant comme vacant » — autrement dit, en termes clairs, c'est réclamer la part du gâteau d'un collègue en dénonçant ledit collègue au pape et en le faisant destituer pour faute professionnelle... « On peut jeter un dévolut dans les 30 ans pour cause de simonie [trafic de choses saintes, pots-de-vin en échange de sacrements, etc.]. Les dévoluts ne s'obtiennent qu'en Cour de Rome » (Furetière).

Il n'est pas étonnant que ce terme très spécial soit passé dans le langage commun : il devait y avoir des amateurs ! On comprend aussi qu'une certaine idée de manœuvre et d'intrigue soit restée attachée à l'expression : quand un monsieur jette son dévolu sur une dame, ou une dame sur un monsieur, cela suppose la mise en œuvre de tout un manège, et parfois aussi la spoliation d'un bénéficiaire en titre.

Battre sa coulpe

La coulpe, du latin *culpa*, est précisément la « culpabilité », et en terme religieux « la souillure du péché qui fait perdre la grâce ». Battre sa coulpe c'est se frapper la poitrine à petits coups réguliers, en répétant d'un air contrit : *mea culpa, mea culpa, mea maxima culpa* — « c'est ma faute, c'est ma très grande faute ».

Lors bat sa coulpe, à Dieu se recommande,
    Son cœur défaille et son âme s'en va...
C'est ce que l'on appelle un acte de contrition. Mais l'argot, qui ne respecte rien, a donné à ce mouvement de la main le sens d'avoir la « maladie de Parkinson » !

Lorsqu'on reconnaît son erreur il est souvent trop tard. Il arrive aussi, d'une façon plus prosaïque, qu'on s'en morde les doigts !

Faire ses ablutions

Les ablutions sont faites pour se purifier, pas pour se rafraîchir vulgairement les idées en se passant de l'eau sur le bout du nez. Elles font partie du rituel de la messe ; le prêtre fait une ablution (*ablutio*, de *abluere*, laver) lorsque, après la communion, il se rince les doigts avec du vin et de l'eau. Il les essuie ensuite avec un petit linge, et du temps où la messe se disait en latin il récitait au même moment le Psaume XXVI, verset 6, qui commence ainsi : *Lavabo inter innocentes manus meas* — « Je laverai mes mains parmi les innocents ».

A force de répéter *lavabo*, etc., en s'essuyant les mains, les officiants appelèrent ainsi l'essuie-mains lui-même, puis le coin de l'autel où ils le rangeaient avec le vase. Ce mot de sacristie passa aux ablutions profanes, pour désigner un meuble de toilette avec cuvette et pot à eau, puis avec la modernisation le bassin de faïence que l'on connaît. C'est bien le comble de la déchéance pour un terme de liturgie que de finir, pour ainsi dire, au cabinet !

Devoir une fière chandelle

Si quelqu'un vous évite un désastre vous lui devez naturellement une fière chandelle — *fier* a ici le sens de fort, ou remarquable, comme dans « fier courage » ou « fier culot ». L'expression signifie que vous devez faire brûler un cierge à l'église la plus proche pour remercier Dieu et la personne en question de vous avoir sauvé du péril. L'habitude d'offrir un cierge à une divinité est assurément très ancienne, et la survivance d'offrandes et de sacrifices plus archaïques encore.

J'ai connu un garçon qui devait personnellement une chandelle, non seulement à saint Christophe, mais à chaque saint du paradis. Au cours d'un amusement qu'il n'avait nullement choisi — il descendait du ciel sur une base d'entraînement militaire — ses deux parachutes se sont, l'un après l'autre, mis en chandelle !... Il a dû ajouter un cierge à l'intention du chirurgien qui a habilement recollé les morceaux.

Etre en odeur de sainteté

La sépulture des saints passe pour répandre une odeur agréable. Cet adage ne s'est pas démenti lorsqu'on ouvrit le cercueil de sainte Bernadette Soubirous à Nevers en 1933 : il s'en dégagea, paraît-il, une odeur de roses...

« Odeur, dit Furetière, se dit figurément aux choses morales, & signifie Bonne ou mauvaise réputation. Cet homme est mort en odeur de sainteté. Il s'est mis en bonne odeur dans le monde. »

L'ennui est que c'est toujours en mourant que ce parfum se dégage le mieux.

Attendre la Saint-Glinglin

Tous les saints n'ont pas la même réputation, ni le même culte. Saint Glinglin est un amuseur, forgé de toutes pièces par la fantaisie de la langue. Son histoire généralement admise est la suivante : il existait un vieux mot *sein* qui désignait les cloches — dérivé du latin *signum*, signe, signal (parce que les cloches émettent un signal) — lequel a donné également le seing, signature, resté dans **blanc-seing,** signature sur page blanche, et **sous seing privé,** signature effectué entre soi, sans qu'un officier public soit présent.

Lorsque la dame de *Yönec* (lai de Marie de France) s'en revient du château prodigieux où elle a laissé son ami mourant, les cloches (les seins) lui apprennent qu'il est mort :

N'ot pas demie liwe* erré   lieue

Quant ele oi les seins suner

E le dœl el chastel mener

Por lu seignur ki se mureit. (Vers 1180.)

Lorsque aussi le sénéchal descend au fond de la cuve (voir *Mettre sa main au feu,* p. 267) tout le monde se réjouit :

Li clerc en ont mout Deu loé

En lor chanz et en sains soner. (Vers 1230.)

C'est ce sein qui constitue la racine de tocsin (toque-sein). Il est devenu « saint » pour les besoins de la cause, par un de ces jeux de mots dont les anciens se régalaient. Il n'est pas surprenant du reste qu'il se soit effacé au profit de « cloche », probablement vers la fin du xiiie siècle, tant les « seins » et « sains » abondaient dans l'ancienne langue. A côté du *saint* du paradis on compte le *sein,* cloche, le *seing,* signature, *sain,* de la bonne santé, deux autres disparus : un *sain* qui désignait un lien, une « ceinture », le *sain,* graisse, qui a donné le saindoux, sans oublier le *sein,* mamelle, qui désigna d'abord le « giron » puis vers le xiiie le sein de la femme que jusque-là on appelait le pis — c'est le sens propre du mot.

Le calembour était donc facile, et grande la tentation, puisque ce sein était à l'église, d'en faire un « saint », distingué par « glin glin » qui est à la fois une onomatopée comme tic tac, et le dérivé d'un verbe « glinguer », sonner. En somme c'était le saint qui fait glin-glin... Or, autrefois les gens repéraient les dates, et même les saisons, non par le jour des mois du calendrier, mais par la fête des saints. Du premier de l'an à la Saint-Sylvestre ils réglaient leurs travaux, leurs repos, leurs foires et marchés, le paiement de leurs dettes et toutes leurs transactions, selon Saint-Blaise, Saint-Valentin, Saint-Georges, Saint-Médar pour la pluie, Saint-Fiacre, la Sainte-Croix, jour des grandes foires à la fin de l'été, Saint-André, Sainte-Luce, et j'en passe énormément. On n'aurait pas donné un rendez-vous le 24 juin, mais pour la Saint-Jean.

Il était donc naturel que le saint fictif entrât dans la danse, et qu'on parle d'une date si éloignée qu'elle en devient incertaine, comme étant la « Saint-Glinglin »... On pouvait toujours attendre !

Tout le saint-frusquin

Autre saint de plaisanterie, mais de création beaucoup plus récente. Il n'est d'ailleurs pas facile de savoir exactement ce qu'a pu être le frusquin tout court. Au XVIIe siècle il semble désigner certaines parties de l'habillement, mais ces vers de Scarron n'éclairent pas grand-chose :

    Il vise à ta déconfiture,
    A la perte de ta fressure*   *le cœur et le foie*
    De ton bandeau, de ton frusquin,
    Du moule de ton casaquin*.   *image pour le « corps »*

Ce qui est sûr c'est que dans ce sens il a donné les « frusques ». Frusquin désigne aussi « ce que l'on

260

possède », ses petites affaires à soi : « Dans deux petits sacs mettant tout son frusquin » (1710). G. Esnault le fait venir d'un ancien mot *frische,* ou *frisque,* qui avait le sens de vif, gaillard, et aussi de « bon ». C'est ainsi qu'est frère Jan des Entommeures, de Rabelais : « jeune, guallant, frisque, dehoyt, bien à dextre, hardy, adventureux », etc.

En tout cas le frusquin se trouve déjà canonisé dans la première moitié du XVIIIᵉ siècle, avec cette phrase du comte de Caylus : « Mam'selle Javotte et sa mère furent un bout de temps sur mes crochets, que mon saint-frusquin s'en allait petit à petit. »

Faire la sainte nitouche

Dans la même dévotieuse série, sainte nitouche se comprend d'elle-même : « N'y touche. » A quoi ne touche-t-elle pas ?... Disons, essentiellement aux choses qui sont dans la braguette des messieurs, ce qui en effet s'accorde assez bien avec l'idée que l'on se fait d'une sainte. C'est par ce raccourci qu'au XVᵉ siècle Coquillart présente dans le *Monologue du Puys :*

... la plus mignonne femme,
Par Dieu, qui soit à Paris; [...]
Quant elle marche sur espinettes
Elle faict ung tas de minettes;
On dit : celle femme n'y touche.

Une de ses premières apparitions en public se trouve dans Rabelais; au cours de la célèbre hécatombe où frère Jan écrabouille les envahisseurs de son clos :

Les uns cryoient : Saincte Barbe !
les autres : Sainct Georges !
les autres : Saincte Nytouche ! (*Etc.*)

Elle n'a guère changé de vocation depuis 1623 où Charles Sorel l'évoque : « [Un vieux régent amoureux] montre à la Bourgeoise tout ce qu'il a de plus secret. Pour faire la Saincte Nitouche, en s'escriant, elle couvre soudain ses yeux avec sa main, dont elle entr'ouvre neantmoins les doigts, finement hypocrite qu'elle est, pour voir sans que l'on s'en apperçoive, s'il est aussi bien fourny de ses membres qu'il s'en est vanté » (*Francion*).

Mettre à l'index

Mettre quelqu'un à l'index ce n'est pas exactement le montrer du doigt; c'est l'exclure, le rejeter. L'*Index*, celui qui a donné naissance à la locution, est un « catalogue des livres suspects dont le Saint-Siège interdit la lecture » (Littré). L'institution de cette liste d'ouvrages à odeur de soufre date d'un décret du concile de Trente de 1563. Il visait aussi bien les livres de sorcellerie que les publications hérétiques, lascives ou obscènes, dont les auteurs comme les lecteurs éventuels étaient également à fuir par quiconque voulait assurer le salut de son âme.

Le monde évolua. Au XIXᵉ siècle les ouvriers organisés en sociétés qui préfiguraient les organisations syndicales reprirent l'expression à leur compte. Ils pratiquaient la *mise à l'index* des patrons qui n'appliquaient pas les conventions de salaires d'une profession donnée, en refusant de travailler pour eux. Voici la description qu'en fait E. Boutmy, racontant les luttes des adhérents de la Société typographique en 1868 :

« Un petit nombre de maisons *à l'index*, c'est-à-dire dans lesquelles aucun sociétaire ne pouvait accepter de travail sous peine de déchéance, employèrent les typographes qui n'étaient pas entrés dans l'association ou qui, pour un motif ou pour un autre, en étaient sortis; d'autres, en petit nombre aussi, occupèrent des femmes[1]. »

1. Eugène Boutmy, *Dictionnaire de l'argot des typographes*, Paris, 1883.

Bientôt un mot venu d'Angleterre allait prendre le relais de l'expression d'Eglise. Dans son numéro du 3 octobre 1897 *Le Père Peinard*, citant un rapport du congrès de la Sociale à Toulouse, donne l'évolution du mot **boycottage**, lequel ne doit plus rien au Vatican :

« Le boycottage n'est autre chose que la systématisation de ce que nous appelons en France la mise à l'index [...]. Ses origines sont connues. En Irlande, le régisseur des énormes domaines de lord Erne, dans le comté de Mayo, le capitaine Boycott, s'était tellement rendu antipathique par des mesures de rigueur envers les paysans que ceux-ci le mirent à l'index : lors de la moisson de 1879, Boycott ne put trouver un seul ouvrier pour enlever et rentrer ses récoltes; partout, en outre, on lui refusa les moindres services, tous s'éloignèrent de lui comme d'un pestiféré.

« Le gouvernement, émotionné, intervint, envoya des ouvriers protégés par la troupe, mais il était trop tard : les récoltes avaient pourri sur pied.

« Boycott, vaincu, ruiné, se réfugia en Amérique. »

Les mots sont des actes : le verbe boycotter connut un succès fulgurant. Dès l'année suivante, 1880, il passait en français !

Rire jaune

Le jaune est une couleur contradictoire. Quand il est vif et éclatant il représente la couleur du soleil et de l'or; il est à ce titre attribué aux dieux, « à la puissance des princes, des rois, des empereurs, pour proclamer l'origine divine de leur pouvoir ». Au contraire quand il est mat il représente la couleur du soufre, de l'enfer, et devient le symbole de la trahison, de la déception. Il est alors « associé à l'adultère quand se rompent les liens sacrés du mariage à l'image des liens sacrés de l'amour divin, rompus par Lucifer » (*Dictionnaire des symboles*).

C'est ainsi que dans l'imagerie du Moyen Age le jaune devint la couleur traditionnelle de Judas, le traître par excellence, celui qui avait vendu le Christ lui-même! « Jaune, paisle jaune doré, couleur de Judas, de vérollé, d'aurore, de serein », dit quelque part A. d'Aubigné. De cet apôtre mal famé le symbole passa aux juifs en général, que dans certains pays la loi obligeait à s'habiller en jaune — tradition resurgie à point sous le nazisme avec l'étoile jaune de sinistre mémoire... En Espagne, les victimes des autodafés étaient vêtues de jaune en signe d'hérésie et de trahison; en France, on badigeonnait en jaune la porte des félons. C'est véritablement une couleur qui n'a pas bonne réputation!

De là vient le *jaune :* « l'ouvrier qui travaille malgré l'ordre de grève donné à sa corporation », car il trahit le vœu de solidarité contenu implicitement dans la notion de lutte des classes. Cela depuis le début du siècle où les « jaunes » s'opposaient aux « rouges ». En novembre 1899, il y eut un groupement de jaunes au Creusot, puis la création d'un syndicat jaune en 1900.

Il est heureux que le célèbre « maillot jaune » du Tour de France cycliste soit venu redonner quelque lustre à une couleur si décriée. Le choix est paraît-il dû au hasard, par référence à la couleur du journal *L'Equipe* qui patronna le premier maillot, et qui était alors imprimé sur papier jaune.

Mais de la tradition médiévale vient aussi le *rire jaune,* celui de la gêne, du dépit, des faux jetons que la contrariété fait sourire à contrecœur et du bout des dents.

La justice

Pauvre homme fait pauvre plaît.

Vieux proverbe
(toujours valable, voir la chronique des flagrants délits.)

A FORCE de prendre des coups dans les gencives, les hommes ont essayé d'inventer la justice. Longue et vieille histoire, qui est loin d'être terminée. Voici quelques façons de parler les plus courantes glanées au fil d'anciennes atrocités.

Mettre sa main au feu

A la première controverse, la plupart des gens sont prêts à mettre leur main au feu pour appuyer leurs dires. C'est un travers de l'espèce humaine : on veut toujours avoir raison; nous voyons peu qu'un individu aille disputer contre un autre pour le seul plaisir d'avoir tort !

Cette expression fait allusion à une pratique spéciale du haut Moyen Age : le jugement de Dieu. L'idée en est simple : afin de couper court aux enquêtes toujours ennuyeuses et délicates sur la culpabilité ou l'innocence des gens, on considérait que Dieu devait savoir, et s'Il le voulait bien, agir en conséquence. On s'en remettait donc à Sa grande vigilance, et on réglait les différends en imposant des épreuves au cours desquelles, immanquablement, Il reconnaîtrait les siens.

267

Ces épreuves existaient sous plusieurs formes. D'abord pour les princes, surtout, l'épreuve du feu, qui consistait à tenir sa main dans une flamme sans se brûler, ou à saisir sans dommage une barre de fer rougie, ou toute autre variante. Si l'épreuve était réussie et l'épiderme intact, on déclarait que la noble personne était dans son droit et lavée de tout soupçon. Furetière résume ainsi la situation :

« On dit qu'un homme mettrait sa main au feu, son doigt au feu, quand il propose quelque chose dont il est très assuré. Ce proverbe se dit par allusion à une coutume qu'on avait autrefois de se purger d'une accusation par l'attouchement du fer chaud. Cunégonde, femme de l'Empereur Henri de Bavière, se purgea du soupçon que son mari avait contre elle, en marchant les pieds nuds sur 12 socs de charrüe ardens. »

Aux gens de moindre qualité était réservée l'épreuve de l'eau, sous deux formes : eau chaude et eau froide. La première consistait à tremper son bras jusqu'au coude dans une bassine d'eau bouillante. Dans le *Roman de Renart,* Dame Hersant, la femme d'Isengrin le loup, contrairement à Cunégonde, refuse poliment cet examen. Elle nie l'adultère dont elle est accusée :

Certes, onques n'ot en moi part
en tel manière n'en tel guise;
J'en feroie bien un Jouïse*   *jugement de Dieu*
en eve chaude ou en feu chaut
mais esconduire riens ne vaut,
lasse, chaistive, mal ostrue*!   *infortunée, née sous un « mauvais astre »*
que je n'en serai ja creü.

Eau froide : on jetait le suspect pieds et poings liés dans une rivière ou dans un bassin; s'il allait au fond il était innocent, s'il flottait, il était coupable! Dans le *Guillaume de Dole* l'opération se fait dans une cuve d'eau bénite : le vilain sénéchal s'est vanté d'avoir couché avec la belle Liënor, uniquement pour détruire sa réputation. On va savoir :

Li juïses fu lués tot prest*   *sur-le-champ
au moustier mon segnor saint Pierre
qui ert* coverz de fuelle d'ierre**.   *était / .feuilles de
                                                lierre
Tuit i vienent, prince et demaine,
et li seneschaus qu'on amaine [...]
Lués droit* qu'il fut laienz entrez   *aussitôt
en l'eve qui estoit segniee*   *bénite
lués droit, plus tost qu'une coigniee*   *hache
s'en vet au fons trestoz li cors,
si que* la bele Liënors   *de sorte que
vit qu'il fu sauz, et tuit li autre
qui furent d'une part et d'autre
entor la cuve atropelé*.   *attroupés
Li clerc en ont mout Deu loé
en lor chanz et en sains soner*.   *faisant sonner les
                                                cloches

L'épreuve de la croix était nettement moins risquée :
elle consistait en un duel aimable où les deux protagonistes se tenaient debout, immobiles, les bras étendus
en croix comme des gymnastes prenant leurs distances.
Celui qui, pris de crampes, abandonnait le premier la
position avait tort. L'autre naturellement grimaçait,
mais il avait raison ! De cet exercice décourageant vient,
j'en suis persuadé, l'expression *baisser les bras*.

Si de telles pratiques, hélas abolies vers le XIIIe siècle,
étaient encore en usage, je suis sûr qu'on entendrait ici
et là moins de vaines promesses et de serments légers.
J'en mettrais ma main où on voudra !

Faire amende honorable

L'amende honorable, la vraie, réparation destinée à
« rendre l'honneur », était une aussi rude entreprise.

Elle consistait autrefois en une peine particulièrement infamante, réservée aux traîtres, parricides, faus-
saires, sacrilèges et séditieux de tout bois, qui devaient
faire aveu publiquement de leur crime. Le condamné

était conduit par le bourreau en personne, nu-pieds, tête nue, en chemise, la corde au cou, un cierge à la main pour faire bonne mesure, parmi les huées de la foule ravie.

Car ce traitement de faveur était réservé au beau monde; on ne montait pas un tel cortège pour le premier diable venu — on l'exposait tout simplement sur la place, le carcan au cou. C'était l'aristocratie de la honte que l'on menait ainsi. Le menu peuple accourait donc — souvent sans chemise du tout, et pieds nus lui aussi, mais pour d'autres raisons. Il ne pouvait guère que se réjouir d'assister aux infortunes d'un maître, qui de toute façon lui en avait fait baver des vertes et des pas mûres !

Etre dans de beaux draps

Les beaux draps, c'est la pagaille, les gros embarras, situations réellement délicates, fâcheuses postures dans lesquelles d'ailleurs on a tendance à se loger soi-même : « Nous nous sommes mis dans de beaux draps ! » Habituellement on explique la chose en disant qu'il s'agit d'une antiphrase. On appelle ainsi une tournure ironique du genre « léger comme un sac de plomb », ou « nous voilà propres », etc. S'ils sont effectivement ressentis ainsi de nos jours, ce n'est pas là l'origine des beaux draps.

Pour remonter aux sources de cette expression curieuse il faut d'abord savoir qu'elle s'est raccourcie en chemin. Autrefois on annonçait en plus la couleur, on disait « de beaux draps blancs ». « Ah ! coquines que vous êtes ; vous nous mettez dans de beaux draps blancs à ce que je vois ! » dit Molière.

La blancheur on le sait a toujours été symbole de pureté, de chasteté, d'innocence, de la candeur de l'âme. Les druides et les prêtres étaient vêtus de blanc ; le deuil même parfois était en blanc, comme il l'est encore en

Asie, signe d'espoir et de résurrection... A l'origine de ces draps blancs on trouve une ancienne forme de pénitence, en fait une « amende honorable » pour le péché d'incontinence : le péché de la chair. Afin de se purifier de sa luxure, celui ou celle qui avait à se repentir d'un fatal abandon devait entre autres choses assister à la messe, devant tous les fidèles, enveloppé d'un drap blanc — ou plus vraisemblablement « vêtu » de blanc. Les « draps », en effet, ont longtemps désigné les habits :

> Et uns autres de Chaalons
> qui eut vestu uns biaus dras vers
> rechante d'autre part cest vers.

> (*Guillaume de Dole.*)

Cela explique le pluriel de la locution, habituel lorsqu'il s'agit des vêtements, et aussi l'insistance sur le « blanc » — les draps de lit que l'on appelait au début « draps linges » ne pouvaient guère être tissés d'une autre couleur.

La notion d'habits se raréfiant vers le xve siècle, la locution d'un usage oublié demeura figée, avec un glissement de sens vers les draps de lit. Il reste comme un souvenir mal compris de son utilisation première, relative à la pénitence, dans cette phrase de la *Satyre Ménippée* de 1594 :

« Et y eussiez esté couché en blancs draps, pour une marque ineffaçable de votre déloyauté. »

L'expression a conservé longtemps son sens de « jugement » avant de prendre l'allure ironique que nous lui connaissons — jusqu'à la fin du xviie, si on en juge par la définition de Furetière : « On dit, Mettre un homme en beaux draps blancs, c'est-à-dire, en faire bien des médisances, en découvrir tous les défauts. » C'est dans ce contexte d'être en butte aux critiques et aux railleries qu'il faut comprendre cette apostrophe de Scarron à Mazarin vers 1650 :

> Te souviens tu bien, Seigneur Jule,
> Du raisonnement ridicule

Que tu fis un jour sur les glans ?
Cela te mit en beaux draps blancs.

Par les samedis de printemps les mariées s'en vont en longues traînes. Aux porches des églises il arrive que les badauds désabusés murmurent : « Encore une qui s'est mise dans de beaux draps !... » C'est curieux la vie des mots.

Porter le chapeau

Dans le passé lointain et récent la coiffure a toujours joué un rôle éminent, servant mieux que l'habit à distinguer les individus dans la sacro-sainte hiérarchie sociale. Le chapeau de l'homme riche et du noble s'est longtemps opposé au bonnet du manant, comme à une époque récente la casquette de l'ouvrier au chapeau melon du notable. Le couvre-chef c'est l'emblème ! De nos jours encore le symbole d'un état ou d'une profession se porte souvent sur la tête. Sans parler du bicorne ou de la cornette, la mitre désigne toujours un évêque, la toque blanche un maître queux, le képi à feuilles de chêne n'a d'autres fonctions que de représenter un général, ceux des facteurs, des gendarmes et des contrôleurs ont encore une valeur active de repères et de passeports.

L'écrivain Françoise d'Eaubonne, parlant d'un détenu, écrivait en 1976 dans *Libération :* « On lui avait fait porter le chapeau dans une histoire de meurtre, bien que ses accusateurs et coïnculpés se fussent rétractés. »

Le mot « chapeau » désignait au Moyen Age aussi bien la coiffure à rebords qu'une couronne de fleurs. (Voir *Conter fleurette,* p. 37.)

« Chapeau de sauge veux porter », se lamente un poète du XIVe siècle, en signe de tristesse amoureuse, par déconfort, à cause de l'infidélité de sa mie...

Or l'aimable habitude, dans certains jeux, de faire

porter le chapeau (de fleurs) à celui que l'on voulait distinguer semble s'être conjuguée avec celle, moins drôle, de l'Inquisition qui envoyait les gens au bûcher coiffés d'une sorte de chapeau conique d'hérétique qui les destinait à l'enfer. « On dit proverbialement d'une personne à qui il est arrivé quelque sujet de honte, ou de qui on a fait quelque médisance, Voilà un beau chapeau que vous lui mettez sur la tête », dit Furetière. Ce triste couronnement faisait souvent payer pour d'autres, délateurs zélés, qui passaient ainsi à côté des flammes. De là, le sens de bouc émissaire. Le capuchon ne fait pas toujours le moine !

Mettre sur la sellette

Avant que la selle ne soit réservée au cheval et à la bicyclette le mot désignait toutes sortes de sièges, depuis « un petit siège de bois à trois ou quatre pieds sans dossier », autrement dit un tabouret — d'où la vieille expression, familière à Mme de Sévigné et à La Fontaine : « être le cul entre deux selles » — jusqu'à la chaise percée, ou *selle nécessaire*, commune depuis le Moyen Age, ancêtre châtelain et confortable de nos w.-c. comme en témoigne cette facture du XIVe siècle : « A maistre Girart d'Orléans, peintre du roy, pour six selles nécessaires, feutrées et couvertes de cuir. » Ce siège-là nous a valu l'euphémisme **aller à la selle**, que nous ont gentiment conservé les médecins au travers des siècles. D'où bien sûr les *selles* elles-mêmes, ou autrement « fèces », qui n'ont pas toujours eu la connotation médicale actuelle, témoin ce gros cochon de Saint-Simon : « Je suis monté dans la chambre où vous avez couché, et j'y ai poussé une grosse selle tout au beau milieu sur le plancher. »

La sellette est donc naturellement une petite selle, mais dans son sens premier, celui de tabouret ! Il s'agit en effet du petit siège bas d'un tribunal sur lequel on faisait asseoir l'accusé, généralement enchaîné, dans une position d'infériorité pour être livré à la curiosité de ses juges. « On le dit particulièrement d'un petit siège de bois — précise Furetière — sur lequel on fait asseoir les criminels en prêtant leur dernier interrogatoire devant les juges : ce qui ne se fait que quand il y a contre eux des conclusions des procureurs du Roi à peine afflictive; car hors de cela ils répondent debout derrière le Barreau. L'interrogatoire sur la *sellette* est la pièce la plus essentielle de l'instruction d'un procès criminel.

« On dit aussi figurément de celui à qui on a fait plusieurs questions en quelque compagnie qui l'ont fatigué, qu'on l'a tenu long temps sur la *sellette.* »

L'usage qui durait depuis le XIIIᵉ siècle fut aboli par la révolution de 1789, au profit du box et de la célèbre formule tout à fait inverse : « Accusé levez-vous. »

Vider son sac

Lorsque les gens en ont assez de se supporter sans rien dire, ils déballent soudain tout ce qu'ils ont sur le cœur : ils vident leur sac. Contrairement à l'apparence ce sac n'est ni le cœur ni l'estomac, c'est un vrai sac, du moins à l'origine de l'expression chicanière, car il s'agit précisément d'un terme de tribunal. En effet, nous avons aujourd'hui des dossiers, des registres, des chemises et des classeurs où nous mettons nos documents en conserve, sous étiquettes dûment alphabétiques et répertoriées. Autrefois, les documents étaient écrits sur du fort papier ou sur du parchemin (plus les actes étaient officiels, plus le support était épais) dont chacun était non pas plié ou mis en liasses, mais roulé, noué par un ruban et quelquefois scellé (voir ci-dessous).

Comment ranger et transporter ces rouleaux? Eh bien dans un sac! « Sac, en terme de Palais, se dit de celui où l'on met les pièces d'un procès » (Furetière).

Chaque plaideur, ou plutôt chaque avocat, arrivait à l'audience avec le sien dont il portait un à un les actes notariés, assignations, mémoires et justificatifs de tous ordres, selon l'importance et la complexité de la cause. Devant les juges, il « vidait son sac » entièrement, avec toute la hargne sans doute qui est de mise dans ces cas-là, et dont l'expression voguant seule loin des salles de justice a gardé jusqu'à ce jour la coloration agressive.

Etre au bout du rouleau

« Les Anciens donnaient à leurs livres la figure de petites colonnes ou rouleaux. Vossius dit qu'on collait plusieurs feuilles les unes au bout des autres; quand elles étaient remplies d'un côté seulement on les roulait toutes ensemble, en commençant par la dernière, qu'on appeloit umbilius, & à laquelle on attachait un bâton d'ivoir, ou de bouïs, afin de tenir tout le rouleau en état. On collait à l'autre extrémité un morceau de parchemin pour couvrir le rouleau et pour le conserver. » Ces rouleaux des Anciens, décrits par Furetière, ont donné ces choses bizarres que tiennent quelquefois dans les squares les statues d'écrivains célèbres...

Ils se sont conservés aussi, en descendant tout le Moyen Age, sous la forme de « feuille roulée portant un écrit » et sous le nom de *role* ou *roole,* jusqu'à la fin du XVIIIe siècle, notamment pour les registres administratifs, les pièces des procès et aussi les listes de personnes. Ces roles-listes (avec lesquels on peut faire l'appel des noms) ont donné **à tour de role :** selon l'ordre porté sur la liste; on est payé, interrogé, etc., « à tour de rôle ».

Ils ont donné aussi les listes en double pour les vérifications, les *contre-rooles,* qui s'appliquaient d'abord aux listes de soldats d'une compagnie — les capitaines ayant tendance à se faire livrer la solde pour des troupiers morts depuis longtemps, ou totalement imaginaires. Ces contre-rooles ont donné les contre-rooleurs, puis les contrôleurs, car on finit toujours par mettre son nez partout !...

Très tôt aussi le *role* a été « ce que doit réciter un acteur dans une pièce de théâtre » — sens qu'il a conservé après qu'on eut inventé les souffleurs, les trous de mémoire, etc.

Ch. Sorel, décrivant la rapacité d'un avocat, joue sur les deux sens de « rôle », expliquant que lorsque cet homme de loi avait une dépense à faire, « il songeoit auparavant combien il estoit necessaire qu'il fist de roolles, et falloit qu'il les emplist après, quand c'eust esté d'une chanson ».

Lorsque la feuille était de petite taille on l'appelait un *rollet*. Le mot se trouve pour la première fois dans les vers de Jean de Meung qui apparemment aimait beaucoup les olives — (l'olivier a toujours été un arbre d'une haute charge symbolique, de paix, de pureté, de force, etc.) :

Si pandent a l'olive° escrites	*à l'olivier*
en un rolet letres petites,	
qui dient° a ceus qui les lisent,	*disent*
qui sonz l'olive en l'ombre gisent :	
« Ci queurt° la fonteine de vie	*court*
par desouz l'olive fueillie	
qui porte le fruit de salu. »	

(*Roman de la Rose*, 1280.)

Le mot prit également par la suite le sens de « petit rôle de théâtre », avant l'invention de la « panne ».

Etre au bout du rouleau, de son rouleau, c'est donc indifféremment, comme on veut l'entendre, au bout de ses arguments ou à la fin de son rôle. En général cela revient au même : il faut quitter la scène ou le parloir, après avoir épuisé toutes ses chances, de plaire ou de convaincre... « Voilà comme il faut dire quand on est au bout de son rollet », disait Tabarin lorsque Mondor était à bout d'arguments...

276

Il est possible, et même probable, que l'on ait par la suite déplacé l'image pour la reporter sur un rouleau « bobine », celui sur lequel les Parques tissent le fil de notre existence, donnant ainsi au *bout de rouleau* le sens funeste que l'on connaît.

Un renforcement de ce sens d'épuisement, de fin de course s'est également produit à l'apparition des premiers gramophones, qui utilisaient non pas des disques, mais des rouleaux à musique.

Pour moi, il m'est agréable de terminer ce chapitre en empruntant ces vers de Paul Scarron à la fin d'une sienne épître :

Ayez donc pour moi la bonté
D'excuser la stérilité
D'un très-mauvais faiseur d'Epictre,
Et me laissez prendre le tiltre
De votre obeïssant vallet :
Je suis au bout de mon rollet.

Les croyances

A homme heureux son bœuf lui vêle.

Vieux proverbe
(où heureux veut dire chanceux.)

Les croyances et superstitions diverses ont longtemps constitué le fond culturel des peuples sous toutes les latitudes. Non seulement la France, mais l'Europe occidentale a vécu, et dans certains domaines vit encore, sur une base culturelle héritée des mœurs et des usages de l'Empire romain.

Avoir de l'ascendant

De toutes les croyances antiques l'astrologie est certainement la plus universelle et la plus vivace. Peu ou prou, les gens aiment à penser que les étoiles leur font personnellement de l'œil, et attribuent volontiers à leur influence les événements heureux ou déplaisants de leur existence.

L'important en la matière est l'étoile qui préside à la naissance, c'est-à-dire « qui monte sur l'horizon au premier instant de la naissance d'un homme ou d'une femme ». C'est cela l'*astre ascendant*, du latin *ascendere*, monter, et dont tout dépend, selon la foi des astrologues qui calculent à partir de lui le thème de la nativité. Si l'étoile est bonne, tant mieux, sinon le pauvre bébé est un malotru — c'est-à-dire étymologiquement *mal ostru*, né sous un mauvais astre.

Naturellement, l'astre en question peut avoir des influences particulières. Scarron, écrivant à une amie très chère à laquelle il précise : « Vostre Cul doit être un des beaux Culs de France », s'exclame :

Que les Hommes n'ont pas pareille Destinée !
    Et que vous estes née
Sous un Astre puissant & favorable aux Culs !
Tandis que le vostre est, près de ceux des Princesses,
    Assis sue ses deux Fesses,
Le nostre n'est assis que su deux os pointus.

De cet ascendant littéral on est passé très vite à des influences moins célestes. « Ascendant — dit Furetière — se dit en discours ordinaire d'une supériorité qu'un homme a sur l'esprit d'un autre, qui provient d'une cause inconnuë. Pour gagner vôtre Rapporteur, employez un tel de ses amis; il a un grand ascendant sur son esprit. »

Etre ravi au septième ciel

Les Anciens avaient organisé l'univers à leur convenance, ou plutôt du mieux qu'ils avaient pu. Ils avaient placé la Terre au centre du monde, et le reste autour, avec une logique parfaitement simple dont il faut bien reconnaître que tout concourait à l'étayer, les textes religieux comme l'observation directe. Pour le mouvement des astres et le logement des dieux ils avaient inventé un système de sphères de cristal, absolument transparentes et concentriques, qui tournaient autour de la Terre harmonieusement, chacune portant sa planète dans une joyeuse et discrète musique sidérale. Chaque sphère était un ciel. Il y avait donc sept ciels, superposés, un par planète, dans l'ordre exact de leurs distances : le ciel de la Lune, d'abord, la plus près, le ciel de Mercure, de Vénus, puis celui du Soleil. « Le Soleil est de trois épicycles, c'est-à-dire ciels ou estages, au-dessus de la Lune », explique A. Paré. Venaient ensuite le ciel de Mars, de Jupiter et de Saturne. Au-delà était une dernière sphère, plus solide, qui portait toutes les étoiles ensemble, et qu'on appelait le firmament ou bien encore empyrée. Derrière cet ultime écran se tenait Dieu, en majesté, coiffant l'ensemble depuis qu'il avait séparé par cette enveloppe, le premier jour de Sa création, les eaux d'en bas d'avec les eaux d'en haut.

Etre ravi au ciel, c'est littéralement être arraché au sol, soit par la main divine comme le fut saint Paul, soit dans un immense transport de joie. On pouvait monter plus ou moins haut naturellement, selon l'intensité du plaisir. On a beaucoup parlé d'abord d'être « ravi au troisième ciel », parce que c'est celui de Vénus, la déesse de l'Amour.

> Il est ravy trop plus hault qu'aux tiers cieulx
> Et prend pour soy toujours la chose aux mieulx

dit Alain Chartier au XVᵉ siècle. Depuis il y a eu de l'escalade et la jouissance extrême vous transporte carrément au septième ciel !

Ah ! c'était bien confortable, cette Terre logée au chaud, tranquille, protégée au milieu de ses globes rassurants, comme une matrice, avec Dieu tout autour, noyant le tout dans sa grande pisse, les « eaux d'en haut » !... On peut juger si Copernic le chanoine et après lui Kepler et Galilée firent une fâcheuse impression au XVIᵉ siècle, avec leur théorie nouvelle ! On comprend que ces astronomes qui venaient mettre en morceaux ces jolies sphères de cristal millénaires aient été reçus comme des bœufs dans un magasin de porcelaine.

On n'en voulait pas de leur système d'orbites mathématiques, dans lequel la Terre n'était plus le centre de rien, tournant toute seule sur elle-même comme une vieille folle courant après son soleil perdu dans les immensités galactiques. Ce fut de l'humanité le premier veuvage, ce firmament réduit en miettes, en étoiles froides du diable vauvert. Il faut comprendre les anciens : il ne leur restait que la lune pour pleurer... Alors, ils gardèrent dans le langage les *cieux,* tout de même au pluriel, et ce septième ciel des ravissements.

Saisir l'occasion aux cheveux

Les Romains, qui en laissaient rarement passer une, représentaient l'Occasion sous la forme d'une déesse nue, aux pieds ailés, chauve sur le derrière de la tête, tenant un rasoir d'une main et de l'autre un voile tendu au vent. Mais une longue tresse de cheveux lui pendait par-devant, seul endroit par où on pouvait la saisir au passage. Le symbole est évident qui sous-tend le dicton : « L'occasion est chauve. »

En effet les cheveux constituent chez l'homme une prise facile, c'est un peu la poignée du couvercle ou l'anse du panier. De la tignasse des écoliers aux longues nattes des belles martyres des premiers temps de notre ère on a toujours largement utilisé ce point d'ancrage pour forcer les gens à faire ce qu'ils refusaient de faire.

S'il [l'amour] nel veut reprendre
Por ce ne l'irai-je pas prendre
Par ses biaus cheveux

dit un texte du XIIIe. On a même vu que pour plus de commodité on attachait les gens à la queue d'un cheval de trait pour les traîner sur le sol jusqu'à ce que mort s'ensuive.

Quand une chose est **tirée par les cheveux** c'est qu'elle n'arrive pas de bonne grâce. « On dit qu'un passage, qu'une comparaison sont tirés par les cheveux lorsqu'ils ne viennent pas naturellement au sujet — dit Furetière — qu'ils sont tirez de trop loin, & amenez par force & par machine. » Amyot, parlant au XVIe siècle des interprétations bizarres que d'aucuns veulent à tout prix tirer des œuvres des poètes, disait : « Quelques uns les tordant à force, et les tirant, comme l'on dit, par les cheveux, en expositions allégoriques. »

On rapporte que les musulmans se rasaient le crâne,

ne laissant qu'une seule mèche afin qu'après leur mort Mahomet puisse les empoigner par là pour les hisser vers son paradis. On a dit également que c'était le sens de la mèche des Indiens rasés d'Amérique, lesquels, avec un sens de la courtoisie dont nous n'avons plus aucune idée, se laissaient une poignée de cheveux sur le scalp afin que s'ils venaient à être tués au combat leur ennemi ait moins de mal à le leur arracher...

Malheureusement, selon des historiens avertis, l'habitude de scalper son prochain ne serait pas du tout un trait de la culture indienne. Elle aurait au contraire été introduite par les conquérants qui, pour encourager les autochtones à s'entre-tuer, payaient le cadavre d'Indien à la pièce, sur présentation de la peau du crâne, comme on offre une prime par queue de renard abattu !

Comme dit le Coran : « Un cheveu même a son ombre » — les plus petits détails ont leur importance.

Etre né coiffé

« La richesse, elle aussi, est héréditaire — disait en février 1977 *L'Humanité-Dimanche :* Il y a les gens nés coiffés et les autres. » Mais être né coiffé ne se limite pas, en principe, à l'heur d'une riche naissance — ce que les Anglais appellent d'une façon plus explicite « venir au monde avec une cuillère en argent dans la bouche ».

D'abord l'expression a un fondement exact en obstétrique : certains bébés portent à la naissance, enveloppant leur crâne, une coiffe (c'est le terme), constituée par la partie de la membrane fœtale, autrement dit par la poche des eaux. On les appelle des *enfants coiffés*.

> Si mon père m'eust fait coëffé
> Et qu'il eust moins philosophé,
> Il eust amassé davantage

dit Scarron impotent et en mal d'argent.

Depuis l'Antiquité et un peu partout dans le monde,

les peuples ont vu dans ce détail de l'accouchement un signe de chance infaillible pour le nouveau-né, un principe de réussite et de bonheur dans la vie.

« On dit qu'un homme est né coeffé — dit Furetière — pour dire qu'il est heureux, l'opinion du vulgaire ayant attribué cette vertu à cette coeffe que quelques enfans apportent au monde. Cette superstition est très ancienne. Lampridius en parle dans la vie d'Antonin. Cet Empereur étoit né avec une espece de bandeau sur le front, en forme de diadème : c'est pour cela qu'il se fit appeler Diadumene. Comme il jouit d'une constante prospérité pendant tout le cours de son règne, son bonheur confirma l'opinion de ceux qui s'imaginent que les gens nez coeffez sont heureux. Depuis on s'en servit pour des sortilèges, & pour des maléfices [...]. Lampridius témoigne que les sages femmes vendoient bien cher cette coeffe à des Avocatz, qui étoient persuadez qu'en la portant sur eux ils auroient une force de persuader, à laquelle les juges ne pourraient resister. Les Canons deffendent de s'en servir parceque les sorciers en usoient dans leurs maléfices. »

Avoir la guigne

Les gens ont perdu leur mystère. L'étrangeté des solitaires, des vilaines figures, des regards inquiétants, ne fait plus frissonner personne. On ne passe plus la main dans le dos des bossus. Peut-être on a tort. Les pompons des marins ne font plus chalandise. On se trompe peut-être...

Dans un livre récent, le sociologue Ivon Bourdet raconte les anciennes pratiques de son village : « La croyance au " mauvais œil " était répandue et ne concernait pas seulement les bohémiennes; telle ou telle personne des alentours était affublée de ce pouvoir maléfique : malheur à vous si elle sortait de sa maison lorsque vous passiez près de chez elle en allant vendre une bête à la foire; vous risquiez bien de ne pas trouver d'acquéreur où à vil prix... L'essentiel, d'ailleurs, était de n'accepter aucun cadeau de ces gens-là... Etait-on obligé d'accepter, par politesse et par peur, il fallait au premier détour du chemin le jeter au loin en se signant[1]. »

C'est cela la *guigne*. Le mot vient de « guigner », qui fut d'abord faire un signal, un clin d'œil :

> Vers lui n'osait del œil guigner,
> Si* l'aimait-elle plus que son corps.   *pourtant*

(XIIᵉ.)

Ce fut ensuite simplement « fermer à demi les yeux en regardant du coin de l'œil ». De là naturellement le regard torve, plus que suspect, que l'on suppose aux jeteurs de sorts. On dit aussi le *guignon :* « Malheur, accident dont on ne peut sçavoir la cause, ni à qui s'en prendre. Tous les joüeurs qui perdent disent toujours qu'il y a quelcun qui leur a porté guignon », dit Furetière, qui ajoute : « Il est du stile bas et familier. »

Avoir la guigne, c'est aussi **avoir la poisse** bien sûr, un dérivé de la poix, la glu dont on n'arrive pas à se dépêtrer, qui colle aux pattes des oiseaux malchanceux. Au xviᵉ siècle, un *poissard* était un voleur, à cause de *poisser,* dérober — peut-être à l'origine à l'aide de baguettes enduites de poix.

Depuis l'Antiquité, et avant l'invention du signe de croix protecteur, un geste rituel permettait dans les pays méditerranéens de contrecarrer le mauvais sort. Il s'agissait de serrer le poing en laissant étendus l'index et le petit doigt — très ancienne façon de « faire les cornes ».

Rompre le charme

Si par la force de l'usage, le mot charme a pris le sens d'attrait, et de pouvoir de séduction qu'exerce une per-

---

1. I. Bourdet, *Eloge du patois*, Ed. Galilée.

sonne, ce n'est pas du tout son sens d'origine. Sa véritable nature est d'être un sort jeté, celui que produit la célèbre formule magique des sorciers. « Le charme est une puissance magique par laquelle, avec l'aide du démon, les sorciers font des choses merveilleuses, au-dessus des forces, ou contre l'ordre de la nature », dit Furetière qui ne s'y fiait qu'à moitié.

Il prenait généralement la forme d'une « formule en vers ou en prose mesurée », que récitaient les « enchanteurs » pour le meilleur ou pour le pire, pour guérir ou bien, au contraire, pour lier le malheureux « enchanté » à quelque sort atroce — c'est d'ailleurs le sens primitif du charme, de *carmen* : chant magique qui sert aux incantations.

Ce charme redoutable il fallait le briser, le rompre, à l'aide d'une contre-formule débitée par quelqu'un d'autre, un abracadabra libérateur (voir *Nouer l'aiguillette*, p. 339). Evidemment, comme il a pris de nos jours un aspect éminemment favorable sous lequel on voudrait demeurer toujours, c'est bien dommage quand il est rompu !

3

La vie et les jours

Les us et coutumes

Selon ton lit étends ton pied.

Vieux proverbe.

Les *us et coutumes*, ce sont les usages et les habitudes. Cet étrange mot *us* désigne théoriquement le droit coutumier par opposition au droit écrit, comme d'ailleurs la *coutume* auquel il est pratiquement toujours associé, sauf lorsqu'on veut faire drôle. Du temps où les poètes rimaient il pouvait servir à la rime, on n'en a jamais trop ; Voltaire écrivait :

Selon les nobles us
En ce châstel reçus.

Tomber en quenouille

Dans une de ses « Apostrophes » télévisées, Bernard Pivot, interviouvant une femme P.-D.G., la félicitait d'avoir brillamment remonté une affaire importante qui, aux mains des hommes qui la dirigeaient avant elle, « était un peu... [il hésitait]... tombée en quenouille ». Manifestement pris de court au tournant de sa phrase, comme il arrive à tout un chacun, le journaliste employait là l'expression comme un euphémisme hâtif pour des mots qui pouvaient difficilement passer à l'antenne mais qui, dans l'impatience du direct, lui venaient sûrement à l'esprit : « barrée en couille »... C'est vrai qu'à cause de la « rime », à cause du verbe « tomber » et de l'image de la laine qui s'effiloche sur

293

une quenouille, il semble s'être créée aujourd'hui une confusion entre ces deux façons de dire, comme si la « quenouille » était une forme polie de l'autre. Ce n'est pas tout à fait l'intention d'origine...

La quenouille a été depuis l'Antiquité le symbole des femmes et de leur humble tâche de fileuses, opposée à l'épée, au glaive qui désigne l'homme dans son sublime rôle d'éventreur. Tomber en quenouille, dit Furetière, « se dit figurément en terme de généalogie pour signifier la ligne féminine. Les Royaumes d'Espagne et d'Angleterre tombent en quenouille, c'est-à-dire que les femmes y accèdent à la couronne. Celui de France ne tombe point en quenouille. On le dit par extension lorsque les femmes sont maîtresses dans un ménage, ou les plus habiles. »

Cette façon de traiter les femmes chez nous est un héritage direct de la loi salique, celle des Francs Saliens, qui date de Clovis et qu'a renforcée Charlemagne. La loi salique, selon Montesquieu, « était une loi purement économique qui donnait la maison et la terre dépendante de la maison aux mâles qui devaient l'habiter » — Voltaire ajoute : « parce que tout seigneur salien était obligé de se trouver en armes aux assemblées de la nation ».

Donc, c'est au contraire en nommant une femme à la tête de son conseil d'administration que la société Waterman est, au sens propre, « tombée en quenouille »... Cela pour remonter en flèche! Et si, afin de rompre avec ces mœurs de Francs Saliens, les républicains d'aujourd'hui élisaient une Présidente? Dirait-on que la République est « tombée » ou « montée » en quenouille?...

Convoquer le ban et l'arrière-ban

On le sait la société féodale était organisée en forme de pyramide. Le roi, au sommet, avait ses vassaux, ducs et comtes, qui avaient les leurs, ainsi de suite jusqu'au moindre vavasseur ou baron.

En principe chaque vassal devait aide et assistance à son suzerain direct, si celui-ci était attaqué ou s'il lui prenait fantaisie d'aller chatouiller son voisin. Si un de ces seigneurs faisait crier le *ban* — « proclamation » — cela voulait dire que tous les nobles de sa circonscription devaient prendre les armes et se joindre à lui sous peine d'être pendus s'ils essayaient de se défiler... Dans la pratique ce principe fut assez tôt réservé au roi. Le ban, dit Furetière, se dit « de la publication qui se fait pour convoquer tous les Nobles d'une Province pour servir le Roi dans ses armées, selon la Loi des Fiefs. On a publié le Ban, & l'Arrière-ban ».

Lorsque Picrochole, roi de Lerné, apprit l'outrage fait à ses fouaciers, il « entra en courroux furieux, et sans plus oultre se interroger quoy ne comment, feist cryer par son pays ban et arrière ban, et que chascun, sur peine de la hart [corde], convint en armes en la grande place devant le chasteau, à heure de midy » (*Gargantua*, chap. XXIV).

Aujourd'hui on ne convie guère que le ban et l'arrière-ban du cousinage à des fêtes familiales, et encore, de plus en plus rarement.

Mettre au ban

Ce sens général de proclamation s'est également appliqué à d'autres cas où l'on devait faire hautement savoir les choses; ainsi pour une condamnation à l'exil d'un individu déclaré indigne : il est « banni » mis au *ban de la société* dans laquelle il vivait. S'il revient sans autorisation, gare à lui, il est **en rupture de ban !**

Mais il est des publications plus douces : lorsque deux personnes ont décidé de se marier ils doivent annoncer publiquement leur intention, au cas où quelqu'un y verrait un gros empêchement — viendrait expliquer qu'ils sont frère et sœur sans le savoir par exemple, ça peut arriver; ou bien que l'un d'eux est déjà marié, c'est encore plus fréquent ! Bref la loi les oblige à **publier les bans.**

De toute façon, aux époques où les gens ne savaient pas lire, les proclamations étaient faites oralement, « clamées » sur la place publique et soulignées d'un roulement de tambour. D'où les ordres donnés au percussionniste : « Ouvrez le ban ! — Fermez le ban ! » Il en est découlé d'une façon moins artificielle mais fort enthousiaste les **bans** d'applaudissements !

J'ajouterai que la *banlieue* était à l'origine un territoire d'une *lieue* de rayon (4 km) autour d'une ville où s'exerçait le *ban*, la juridiction de la ville. On voit ce qu'elle est devenue !

Un homme sans aveu

On a tendance à croire de nos jours qu'un « homme sans aveu » est un vilain cachottier auquel on n'arrive pas à faire « avouer » ses secrets. En fait *l'aveu* est également un terme de féodalité; c'est précisément l'acte d'engagement envers un suzerain auquel le vassal « vouait » ses services en échange du fief dont il jouissait. (Si en plus il lui promettait fidélité absolue en toutes circonstances et sans restrictions, il devenait son « homme lige ».)

Un homme sans aveu est donc un homme qui ne s'est voué à aucun seigneur, qui ne reconnaît aucune autorité et qui n'est en retour reconnu de personne. Dans une société fondée sur les liens de personne à personne il allait de soi qu'un tel individu fût louche, sinon dangereux, voire un brigand caractérisé. « Advint que aulcuns larrons bourguignons sans maistre ne adveu, se mirent sur les champs » dit un chroniqueur du XVe siècle, parlant sans doute de la célèbre bande des coquillards de 1455, alors que le *Journal d'un bourgeois de Paris* parle en 1425 de « larrons brigans » qui « estoient entour à 12, 16, à 20 lieues de Paris et faisoient tant de maulx que nul ne le disoit; et si n'avoient point d'aveu et nul estandart, estoient pouvres gentilz hommes qui ainsi devenoient larrons de jour et de nuyt[1] ».

Ces gens-là étaient, il faut bien le reconnaître, *sans foi ni loi!*

Sans feu ni lieu

Avec nos numéros d'identité, nos cartes diverses qui nous relient à nos naissances, le moindre procès-verbal longuement rédigé de nos gendarmes qui exigent le nom du père et celui de la mère quand elle était jeune fille, nous ne pouvons guère oublier nos attaches! Il nous est devenu difficile d'imaginer le vagabondage intégral tel que l'ont connu ceux qui, autrefois, étaient réellement sans feu ni lieu. Le mot *lieu* dans cette locution porte un de ses sens anciens et étroits de « famille ». « De bon lieu » voulait dire « de bonne famille ».

Quand la fille du comte d'Anjou, pauvre et errante, rencontre un hobereau charitable, celui-ci reconnaît à ses manières qu'elle est de bonne famille et même certainement de noble origine :

> Ainz estes, si con je devine,
> De grent lieu et de france orine* :   origine
> Bien le semble a voste viaire*   visage
> Qui tant est douz et debonnaire,
> Et vo simple contenement*   maintien
> Moustre certain ensaignement
> Que de haut lieu estes estrecte*[2].   issue

Un siècle plus tard une dame des *XV Joies de*

---

1. *In* A. L. Stain, *Ecologie de l'argot ancien*, Ed. Nizet, 1974.
2. Jehan Maillart, *Le Roman du comte d'Anjou*, 1316.

mariage fait remarquer à son époux, après une réception, qu'elle n'était pas assez bien vêtue pour son rang, car, dit-elle : « Dieu mercy, je suis d'auxi bon lieu comme dame, damoiselle, bourgeoise qui y fust, je m'en rapporte a ceulx qui scavent les lignees. »

Quant au « feu », il désigne évidemment le foyer, la maison, comme dans « un village de trente feux ». Etre sans feu ni lieu signifie donc sans domicile, sans parents, sans origine, sans rien. Même apatride, un hippie des temps modernes est bien plus relié à son passé que ne l'étaient jadis les coureurs de grands chemins. Seuls au monde, parfois enfants trouvés, certains oubliaient jusqu'au village qui les avait vus grandir. Véritables « oiseaux sur la branche » ils ne savaient d'eux-mêmes que leur nom. Et encore ! réduit à un prénom, annoncé sous toute réserve : « On m'appelle Martin... »

Ces champions de l'errance inspiraient sans doute peu confiance à leurs contemporains mieux nantis puisque le *Livre des métiers* précise au XIIIe siècle : « que nul ne puisse prendre apprentis si il ne tient chef d'ostel, c'est à savoir feu et lieu ».

Un pauvre hère

Dans la même série des parias (du « tamoul *parayan* : homme de la dernière caste des Indiens, qui est un objet de mépris et d'exécration ») « le pauvre hère » a sa place assurée.

> Quittez les bois, vous ferez bien,
> Vos pareils y sont misérables,
> Cancres, hères et pauvres diables

dit le gros chien de La Fontaine au loup maigre et affamé.

Deux hypothèses sont en présence pour ce hère unique. Traditionnellement on le fait venir de l'allemand *Herr*, « seigneur », employé par dérision, mais pour

Bloch & Wartburg « il n'est pas impossible qu'il se rattache plutôt à *haire* », et ce serait alors un pèlerin, un moine mendiant ou autre pénitent de choc portant la « haire ».

Un usage bien oublié que cette chemise en crin ou poil de chèvre, appelée aussi cilice, mise à même la peau pour se faire mal, pour se torturer, s'écorcher l'épiderme en marchant, dans la plus pure tradition masochiste appelée gaiement « esprit de mortification »... Certains y ajoutaient même des clous pour être bien sûrs de leur effet ! Saint Louis, monarque passablement réactionnaire et confit en dévotion, était friand de ces plaisirs — d'où son grade posthume : « En l'abeïe du Lis sont les heres que St Loys portait, une faite à la manière de gardecors longue jusque desouz la ceinture, et l'autre faite à la manière de ceinture... »

Pourtant la haire était un objet décrié depuis longtemps et le symbole de l'hypocrisie religieuse de celui qui « en fait trop ». Molière a repris cette notion-là dans *Tartuffe* : « Laurent donnez-moi ma haire avec ma discipline », mais la plaisanterie comme le personnage étaient traditionnels depuis des siècles. En 1225, alors que Saint Louis était encore un gamin, le *Roman de la Rose* présente Papelardie, l'hypocrite, la bigote, la fausse marmiteuse toujours occupée :

> De fere Deu prieres faintes
> et d'apeler et sainz et saintes
> ...
> fu par samblant ententive*   *appliquée*
> don tot a bones ovres faire,
> et si* avoit vestue haire.   *et aussi*

En tout cas, c'est bien dans le sens de pèlerin, de moine errant, et faux dévot, que Rabelais emploie le mot. Il défend l'entrée de son abbaye de Thélème à beaucoup de gens, mais en tout premier lieu il est écrit sur la porte :

> Cy n'entrez pas, hypocrites, bigots
> ...
> Ny Ostrogotz, precurseurs des
>   magotz*   *singes hypocrites*
> Haires, cagotz, caffars empantouflez,
> Geux mitouflez, frapars escorniflez*,   *moines mendiants*
> Befflez, enflez, fagoteurs de
>   tabus, etc.
> (*Gargantua*, chap. XXII.)

Il est vrai qu'il emploie aussi ailleurs « pauvre haire » pour désigner un pénis ! Panurge ayant manqué d'être rôti à la broche par les Turcs raconte : « Une jeune Tudesque [...] regardoit mon pauvre haire esmouché, comment il s'estoit retiré au feu : car il ne me alloit que jusques sur les genoulx » (*Pantagruel*, chap. II). A moins que justement, son zizi, avec son capuchon, ne lui fasse penser à un moine !...

Enfin le pauvre hère est un minable. A la même époque Bonaventure Des Périers parle d'un « renard qu'il avait fait nourrir petit; et lui avait-on fait couper la queue, et pour cela l'appelait-on le hère ».

Remarque pratique, qui peut rendre service à certains : « Here, est aussi un jeu de cartes, où l'on ne donne qu'une carte à chaque personne. On la peut changer contre son voisin, & celui à qui la plus basse carte demeure perd le coup. Le *here* est le jeu des pères de famille, parce qu'ils y font joüer jusqu'aux plus petits enfans » (Furetière).

Un nom à coucher dehors

« Pour boire de l'eau et coucher dehors il ne faut demander congé à personne », dit un ancien proverbe. Encore que de nos jours ce ne soit pas si sûr; on peut toujours s'attirer des tracas policiers. En tout cas, pour demander l'hospitalité, un soir, en frappant à une porte il vaut mieux pouvoir décliner une identité convenable. « Je suis le marquis Bernard de Nicourt, braves gens, et je me suis égaré... » Dans ces conditions on peut vous ouvrir et vous offrir le gîte. Mais si vous vous appeliez Strastvanberkof ou même simplement Demerdjibachian, vous risquiez fort de faire dresser l'oreille, autrefois, dans une campagne obscure, à des hôtes peu hardis et vous voir refuser l'accès. Des noms à coucher dehors, sûrement, quelque temps qu'il fasse, pour n'être pas parfaitement chrétiens. Encore aujourd'hui dans certaines auberges il vaut mieux ne pas trop s'appeler Mohamed ben Mustapha, à moins, bien sûr, d'avoir aussi une très belle voiture...

On a rajouté pendant un temps « coucher dehors avec un billet de logement ». Cela fait allusion aux trou-

pes en campagne qui logeaient « chez l'habitant » avec
un billet de réquisition du régiment. Il s'agit d'une plaisanterie qui renforce la chose : même avec une autorité
officielle, le nom est trop étrange pour pouvoir être
accepté. « Dans l'intérieur de la boîte à prières — relate
Le Père Peinard (1897) — le ratichon Lemius, perché
dans l'égrugeoir à paroles, prêchait. — Qui ça Lemius ?
allez-vous dire. C'est un nom à coucher dehors avec un
billet de logement ! »

Etre un mauvais coucheur

Quoi qu'il en soit les us et coutumes des anciennes
auberges étaient telles que, de même que les voyageurs
soupaient ensemble à la même table, de même ils cou-
chaient aussi à plusieurs dans le même lit. La place
était souvent réduite, les chambres peu nombreuses et
il fallait bien loger tout le monde. D'ailleurs il y avait le
plus souvent plusieurs lits par chambre, chacun protégé
par une alcôve. Ce sont là des habitudes très anciennes.
Dans les châteaux forts médiévaux une même salle
contenait aussi plusieurs lits où les gens dormaient nus,
à trois ou quatre ! Les familles nombreuses modernes
logées à l'étroit ne font que suivre une fort vieille et
noble tradition !

Cela dit le compagnon de lit était un peu dû au
hasard, et il valait mieux ne pas tomber sur un agité qui
tirait la couverture à lui, ou sur un ronfleur totalement
catastrophique. Dans le *Roman comique* (1651) de Scarron, une troupe de comédiens couche au Mans chez
l'habitant, et la Rancune partage le lit d'un « vallet » :
« Je vous ay dit, ce me semble, qu'il coucha avec le
valet de la Rappinière, qui s'appeloit Doguin. Soit que
le lict où il coucha ne fust pas bon ou que Daguin
ne fust pas bon coucheur, il ne pût dormir de toute la
nuit. »

« Un mauvais coucheur — dit Furetière — est un

homme qui fait du bruit la nuit, qui découvre son camarade, qui l'empêche de dormir. »

>L'amour est un mauvais coucheur
>Car la nuit sans cesse il frétille. (La Fontaine.)

Une vie de bâton de chaise

Ce bâton qui mène une vie si agitée n'est pas comme
on le dit aujourd'hui un « barreau de chaise ». En effet,
il faut comprendre « chaise », non pas comme le meuble familier, mais comme l'ancêtre du taxi, la chaise à
porteurs. Les bâtons étaient les deux barres de bois qui
servaient, en plus des sangles, à transporter la chaise
ambulante.

Au printemps de 1643, Scarron se rendait en chaise à
la célèbre foire Saint-Germain, installée avec ses marchands, ses bateleurs, ses jongleurs, ses tire-laine, sur
un vaste terrain situé entre la rue du Four et l'église
Saint-Sulpice à Paris.

>Sangle au dos, baston à la main,
>Porte-chaise, que l'on s'ajuste :
>C'est pour la Foire Sainct Germain.
>Prenez garde à marcher bien juste;
>N'oubliez rien, montrez-moy tout :
>Je la veux voir de bout en bout.

Mais la foule, à pied, à cheval et en carrosse, y est
particulièrement dense et la circulation, déjà, difficile :

>Ces cochers ont beau se haster,
>Ils ont beau crier « Gare! Gare! »
>Ils sont contraints de s'arrester :
>Dans la presse rien ne démare.

Las des embouteillages l'auteur donne ses instruc-
tions, essaie de trouver des ruses :

>Porteurs, laissez un peu passer
>Ce carosse, qu'il ne vous roue;
>Et puis, pour marcher seurement,
>Appliquez-vous soudainement

A son damasquiné derrière :
Moins de monde vous poussera;
Le chemin il vous frayera;
Mais s'il reculoit en arriere,
De peur de brizer nostre biere
Faites de même qu'il fera.

Il n'est pas étonnant de voir ainsi Scarron conseiller ses porteurs, ils devaient manquer d'expérience. En effet, en 1643 les chaises étaient des nouveautés, au moins les chaises couvertes, dernier cri d'une mode naissante. C'est seulement quatre ans plus tôt en 1639 que le marquis de Montbrun en avait rapporté l'idée d'Angleterre, et que des lettres patentes lui accordaient le privilège d'exploiter cette innovation. « Un petit traité de la vie élégante, *Les Lois de la galanterie*, publié une première fois en 1644, conseille aux élégants qui ne veulent pas entrer chez les dames en bottes ou souliers crottés et qui ne disposent pas d'un carrosse, " de se faire porter en chaise, dernière nouvelle commodité si utile qu'ayant été enfermé là-dedans, sans se gâter le long des chemins, l'on peut dire que l'on en sort aussi propre que si l'on sortait de la boîte d'un enchanteur[1] ".

C'est dire si Scarron, « pauvre cul-de-jatte » il est vrai, était à la pointe du progrès. Seize ans plus tard, en 1659, les chaises à porteurs étaient en vogue. Elles étaient numérotées, stationnaient en des lieux fixes, et « leur prix était d'un écu par demi-journée ». Molière en fait arriver une sur la scène dans *Les Précieuses ridicules*, et, devant le refus de Mascarille de payer sa course, giflant même un des porteurs, l'autre, « plus énergique, saisit un des bâtons de la chaise et sa mimique est assez expressive pour contraindre Mascarille à s'acquitter de son dû et même à y ajouter une indemnité pour le soufflet[1] ».

Ces bâtons de chaise, ôtés, remis, pliant sous la

1. G. Gougenheim, *op. cit.*, t. II.
2. G. Gougenheim, *op. cit.*

charge et servant à l'occasion d'armes offensives et défensives, avaient en effet une existence tourmentée... Et les porteurs donc !

Une vie de patachon

Ce n'est qu'au XIXe siècle que l'on connut les *pataches*, sortes de vieilles guimbardes sans ressorts, bâchées, inconfortables, qui servaient de diligences aux pauvres et aux régions peu huppées. Leur conducteur était le *patachon*, toujours sur les routes, par monts et par vaux, buvant sec à toutes les tavernes pour se donner l'illusion de conduire un carrosse.

Au fond, c'était un pilier de cabaret, mais ambulant !

Tenir le haut du pavé

Le pavé a toujours fait parler de lui. Matériau idéal d'un certain nombre de barricades il est aussi à l'origine de nombreuses expressions qui, si j'ose dire, courent les rues : **battre le pavé** c'est naturellement se promener de long en large en le heurtant de la semelle par désœuvrement : « On appelle un batteur de pavé — dit Furetière — un fénéant, un filou, un vagabond qui n'a ni feu, ni lieu, qui n'a autre emploi que de se promener. » **Brûler le pavé**, c'est aller grande allure, à cause que les roues cerclées de fer des carrosses, comme les sabots des chevaux, faisaient jaillir des étincelles s'ils allaient bon train. **Etre sur le pavé** c'est être sans logement, sans ressources, ruiné, à la rue...

Tenir le haut du pavé par contre est un signe de distinction. On sait que les rues d'autrefois étaient faites en double pente remontant vers les murs des maisons, de sorte à ménager au milieu un ruisseau pour l'écoulement des eaux de pluie, de vaisselle, et de toutes sortes de vidanges. Il était donc préférable lorsqu'on déambulait sur la chaussée de se tenir le plus loin possible de cet égout à ciel ouvert, donc de marcher sur la partie la plus élevée, c'est-à-dire le plus près possible des façades.

Cela évidemment posait un léger problème de protocole dès que l'on croisait un autre piéton : « Dans les rues l'on me frappait, afin de me faire aller du côté du ruisseau — dit Sorel — et m'appeloit on gueux, si je tesmoignais mon ressentiment par quelque parole picquante. » Mais le choix se faisait plus généralement sur la parure; il est certain qu'un important personnage, reconnaissable à la richesse de son habit, ne déviait jamais de son chemin sec — on s'effaçait devant lui, et il tenait toujours, au sens propre, le haut du pavé. « On dit qu'un homme tient le haut du pavé dans une ville, qu'il n'y a personne qui lui dispute le pavé, pour dire qu'il est dans quelque dignité ou charge qui l'élève au dessus des autres » (Furetière).

« La marche des carrosses — remarque Voltaire — et ce qu'on appelle le haut du pavé ont été encore des témoignages de grandeur, des sources de prétentions, de disputes et de combats, pendant un siècle entier. »

Les trottoirs furent inventés plus tard et ne se généralisèrent qu'au siècle dernier. Il est curieux de noter qu'ayant pris la place du « haut du pavé » ils en eurent d'abord le prestige. « Etre sur le trottoir : être dans le chemin de la considération, de la fortune », dit curieusement Littré, qui ajoute ce bel exemple : « Cette fille est sur le trottoir, ancienne locution qui signifiait : elle est bonne à marier, elle attend un mari... » Ça alors ! On a raison de dire que l'enfer n'est pavé que de bonnes intentions !

Jeter de la poudre aux yeux

Le bitume nous prive du plaisir d'anciennes images. Finis les nuages de poussière blancs ou roses soulevés par les rutilantes torpédos d'avant guerre! Les moindres routes de campagne ont été conquises par le goudron, là où un vieux vélo lui-même laissait son sillage sur un chemin poudreux.

Poudreux est le mot juste : la *poudre* — ou *pouldre,* du latin *pulverem* (d'où « pulvériser ») — désignait à l'origine la vulgaire poussière. Ce n'est que bien après l'invention de la « poudre » à canon, et le succès qu'on lui connaît, que nos aïeux furent contraints d'utiliser le mot « poussière », pris en Lorraine, pour désigner la chose commune. Les apothicaires gardèrent leur *poudre* à eux.

C'est donc « poussière » qu'il faut comprendre dans quelques locutions qui ont survécu au changement. « Jeter de la poudre aux yeux, c'est préoccuper les gens, les éblouir par un faux mérite. Ce proverbe prend son origine de ceux qui couroient aux Jeux Olympiques, où l'on disoit que ceux qui avaient gagné le devant, qu'ils jettoient de la poudre aux yeux de ceux qui les suivoient, en élevant le menu sable & la poudre par le mouvement de leurs pieds : ce qui se dit figurément dans les autres occasions où il y a des compétiteurs » (Furetière).

Cet usage qui consiste à répandre de la poussière sur ceux que l'on domine semble avoir eu d'autres applications pratiques et symboliques. Le Coran se félicite en ces termes d'une victoire sur les ennemis de la foi : « Ce n'est point toi, ô Mahomet, qui a jeté de la poudre en leurs yeux, c'est Dieu lui-même qui les a confondus. »

Renart agissait de même au XIIIᵉ siècle :

Renart li fet honte et ennui...
bien le voudroit avoir conquis,
de la poudre li jete el vis*.   *au visage*

Le sens moderne d'esbroufe me paraît assez bien évoqué par un carrosse en grand équipage soulevant un nuage de « poudre » jetée aux yeux du pauvre monde réfugié en hâte sur les bas-côtés. Mais il y a tant de façons d'en mettre plein la vue!

Prendre la poudre d'escampette

Quant à la « poudre d'escampette » elle est aussi très fine.

« Prendre l'escampe » — probablement de l'occitan *escamper*, se délivrer, se sauver — c'est prendre la fuite. « Il eut une fois un laquais d'Auvergne qui luy avoit desrobé dix ou douze escus, et avoit pris l'escampe » (Des Accords). Il résulte que l'escampette c'est la sauvette, avec un petit air coquin. « On dit de la poudre d'escampette quand on prend la fuite », dit Furetière. Je pense que l'image résulte d'un jeu de mots sur « prendre de la poudre », médicinale cette fois, c'est-à-dire une potion légère qui déclencherait le sauve-qui-peut, en même temps que celui qui détale soulève de la poussière. Il se trouve aussi qu'il est « vif comme la poudre » et part « comme un boulet », ce qui ne gâte rien !

Faire le mariol

Le mot mariol est un mot compliqué, en ce sens qu'il pourrait être double. D'abord un mariol est un malin, un astucieux personnage, qui viendrait, au XVIᵉ siècle, de l'italien *mariolo*, « filou ». En 1878 Eugène Boutimy présente comme « mariol » un typographe « malin, difficile à tromper. Se dit encore d'un ouvrier très capable. »

Il semble que ce ne soit pas le même qui *fait le mariol*, c'est-à-dire le joli cœur, l'intéressant, le godelureau. Celui-là est encore plus ancien, venant d'un vieux mot, *mariole*, diminutif de *Marion*, lui-même diminutif de Marie. Au XIIIᵉ siècle c'est un « terme de mépris pour désigner la Vierge Marie » (Godefroy). Un personnage de Gautier de Coincy parle avec suspicion des adorateurs de la Vierge :

> Quant uns hom croit que li grant
> Deus` Dieu
> Fust nez de cele mariole.

De là le sens de « petite image ou figure de la Vierge Marie, et par extension toutes autres petites figures de Saints » (Godefroy). Au XIVe siècle, Eustache Deschamps, contre la superstition, refuse de :

> ... croire en tant de marioles
> De babouins, et de fioles
> Que trop de fois ïdolâtrons.

Au XVe siècle, les marioles ci-dessous (voir *marotte*) se seraient croisées, si j'ose dire, avec les *marjolets* (ou mariolets), jeunes élégants freluquets, « compagnons de la Marjolaine », c'est-à-dire ceux qui, selon un mot d'un auteur de l'époque, allaient donner des sérénades et « la nuit resveiller les pots de marjoleine » sur les balcons de leurs belles ! Colleyre parle d'eux et de leurs confrères :

> Jeunes coquars, marjollez, cuydereaulx
> Jangleurs, jongleurs, détracteurs, flatereaulx
> Sont esleves et bien entretenuz
> Au temps qui court.

L'histoire ne dit pas comment ces mariolets abandonnèrent la langue, laissant les mariols seuls sur la place... Je crois que le mariol « rusé » y est pour quelque chose. Et puis les « jeunes élégants » meurent de siècle en siècle, remplacés par d'autres ! Le XVIIe siècle a eu ses Muguets, le XVIIIe les Merveilleux, les Incroyables, le XIXe les Dandys, les Gandins. Nous avons eu les Zazous, il n'y a pas si longtemps. Ce n'est sûrement pas fini. Heureusement !...

Avoir une marotte

Il est possible que la marotte ne soit pas un élément particulièrement distinctif des « us et coutumes »; c'est l'enchaînement étymologique qui me la fait placer ici.

Marotte est, comme Marion, un diminutif de Marie (voir ci-dessus). Elle désigne également une figurine, une poupée, pour les mêmes raisons qui ont créé les mariols et les *marionnettes*. « L'accouchée — dit un texte du xvᵉ — est dans son lit, plus parée qu'une épousée, tant que vous diriez que c'est la tête d'une marotte ou d'une idole. »

Toutefois, la marotte s'est spécialisée différemment en devenant le sceptre des bouffons de Cour : « Ce que les fous portent à la main pour les faire reconnaître. C'est un bâton au bout duquel il y a une petite figure ridicule en forme de marionnette coiffée d'un bonnet de différentes couleurs », dit Furetière. J'ajoute qu'elle était aussi munie de grelots. Les manipulateurs de marionnettes appellent encore marottes celles qui sont constituées d'une tête fixée au bout d'un bâton.

« Marotte se dit aussi d'une passion violente, d'une fantaisie, ou de quelque attachement qui approche de la folie. Chaque fou a sa marotte. » Furetière oubliait ce vieux proverbe écologique : « Si tous les fols portoient marotte, on ne sait de quel bois on se chaufferait ! »

Un homme de paille

La paille, opposée au grain, et même au foin, a toujours été le symbole du déchet, du rebut, des choses de peu de valeur. Déjà au xiiᵉ siècle un texte fustigeant les couards dit :

Ils s'enfuiront, sur qui que la perte aille;
[Ils] n'auront de gent vaillant une paille.

Un homme de paille a d'abord été pendant longtemps à la fois un pauvre et un pauvre type. « ... Afin que vous ne pensiez point que je sois un homme de paille, sachez que j'ai fait acquisition en ma patrie, d'une maison qui vaut dix mille écus », dit un personnage de Sorel (xviiᵉ).

Il a été aussi un mannequin, appelé aussi parfois « homme de foin »; ainsi Rabelais parle d'une bataille de foin, c'est-à-dire entre mannequins : « Voyant frère Jan ces furieuses Andouilles ainsi marcher dehoyt, dist à Pantagruel : Ce sera icy une belle bataille de foin, à ce que je voy. » Autrefois les jeunes filles dont l'amoureux ne donnait aucune suite à ses engagements fabriquaient, paraît-il, un mannequin de paille et le brûlaient devant leur porte le jour de la Saint-Valentin !

Cependant, depuis des temps immémoriaux, la paille a joué un rôle symbolique important dans les relations humaines — je dirai un rôle juridique. Pour un transfert, une donation, une vente, un partage, les anciens Germains et les hommes du Moyen Age offraient et recevaient un fétu en signe d'accord, reprenant par là une vieille tradition romaine. L'expression *rompre la paille* signifiait autrefois « annuler un accord, radier une convention ».

Il est probable qu'il s'est produit un croisement entre l'idée du pantin et la coutume des transactions liée à la paille pour donner *l'homme de paille*, le prête-nom, le fantoche un peu méprisable, mis en avant pour la galerie et les documents officiels par un puissant anonyme qui détient le pouvoir et les capitaux. L'image est d'autant plus facile que l'on pense à la fois à la souplesse d'un mannequin et à l'inconsistance du faible que l'on peut briser « comme un fétu ».

L'anglais dit dans le même sens et par une évolution identique : *a man of straw*. Le développement international de cette langue risque donc d'assurer une belle et durable carrière à l'expression, au moment où le domaine des opérations financières de grande envergure devient le royaume des prête-noms.

Tout évolue. Les hommes de paille, aujourd'hui, font beaucoup de blé !

Payer les violons

L'usage de donner des sérénades sous les balcons des belles s'est un peu perdu. Autrefois c'était une façon comme une autre de faire sa cour, bien qu'un petit peu arrogante et vaniteuse. « Valderan amena un musicien de ses amis devant nos fenestres, et luy fit chanter un air qui avec le son d'un Luth empescha que je n'allasse prendre mon repos tant j'ay d'affection pour l'harmonie. Je descendis en une salle basse avec ma servante pour escouter, et voyez la vanité de nostre amoureux : afin que l'on sceut que c'estoit luy qui donnait ou faisoit donner cette sérénade, il se fit appeler tout haut par quelqu'un qui estoit là » (Sorel).

Mais ce n'était pas toujours celui qui payait les violons qui était récompensé de sa largesse. D'autres que lui pouvaient retirer les marrons du feu. Dans l'exemple de Sorel, du reste, Laurette, à qui était adressé le concert, se trouvait pendant ce temps-là au lit avec un autre homme, « elle avait pris son plaisir au son du luth ».

« On dit proverbialement : il paye les violons & les autres dansent; pour dire il fait les frais, il a toute la peine d'une chose, & les autres le plaisir » (Furetière).

Passer à tabac

La chose étant pour beaucoup de nos concitoyens entrée dans les mœurs, j'espère qu'on ne verra aucun inconvénient à ce que je classe l'expression « passer à tabac » au chapitre des us et coutumes.

C'est en 1560 que Jean Nicot, ambassadeur de France à Lisbonne, envoya à Catherine de Médicis une plante exotique que l'on croyait médicinale et que l'on appela d'abord « herbe à Nicot » ou « herbe à la Reine », puis du nom portugais *pétun* et dès la fin du XVIe siècle *tabac*, emprunté de l'espagnol *tabaco*, « emprunté lui-même — dit Bloch & Wartburg — de la langue des Arouaks d'Haïti où *tabaco* ne signifie toutefois pas " tabac ", mais désigne ou bien un tuyau recourbé servant à l'inhalation de la fumée de tabac ou bien une sorte de cigare fabriqué par ces sauvages ».

Avec quatre cents ans de recul on peut trouver que le petit présent de Nicot n'était pas vraiment un cadeau, mais il eut du succès !

« Il n'est d'égal au tabac : c'est la passion des honnêtes gens ; et qui vit sans tabac n'est pas digne de vivre. » Fortes paroles ! On les doit, non comme on pourrait le croire à une agence de publicité en délire, mais à Molière, au début de son *Dom Juan* (1665). Il continue : « Ne voyez-vous pas bien dès qu'on en prend, de quelle manière obligeante on en use avec tout le monde, et comme on est ravi d'en donner à droite et à gauche, partout où l'on se trouve ? On n'attend même pas qu'on en demande, et l'on court au-devant du souhait des gens : tant il est vrai que le tabac inspire des sentiments d'honneur et de vertu à tous ceux qui en prennent ! »

En réalité cette étrange tirade ne prend quelque drôlerie que si l'on sait qu'elle est à double sens et qu'au XVIIe siècle *donner du tabac* voulait dire : se battre !... « On est ravi d'en donner à droite et à gauche », oui... des coups de poing ! Il faut comprendre en effet que ce tabac que l'on offrait à son voisin ne se présentait pas alors sous forme de cigarette, mais d'une dose de tabac à priser tendue sur le dos de la main, jusque sous le nez de l'heureux bénéficiaire. Le geste fait à la fois l'image et la blague : dans les deux cas on chatouille le nez du prochain ! Le sens a vécu jusqu'au siècle dernier : « Si tu m'échauffes la bile je te foutrai du tabac pour la semaine », dit un furieux en 1833 — autrement dit, « tu auras ta ration » !

Cela dit il n'est pas facile d'évaluer avec exactitude le croisement qui a dû se produire entre le tabac, « coups », et le verbe occitan *tabassar*, « frapper à coups redoublés », ainsi que son voisin *tabustar*, « secouer, molester », et le substantif *tabust*, « tapage, vacarme, querelle », etc., lequel est à l'origine de l'expression maritime **un coup de tabac** (dès 1864) : un coup de mauvais temps, une tempête soudaine qui secoue et met à mal le bateau. Rabelais avait déjà emprunté ces occitanismes dans les « fagoteurs de tabus », déjà cité, et la dernière phrase du chapitre V de *Gargantua :* « Ne m'en tabustez plus l'entendement. »

Que le coup de tabac des marins ait pu passer du vacarme de l'orage au « tonnerre » d'applaudissements qui salue « avec fracas » une représentation théâtrale particulièrement réussie, une pièce ou un acteur qui **fait un tabac,** c'est hautement probable, sinon à peu près certain. (Il faut remarquer que par ailleurs un grand nombre de termes techniques de la machinerie d'un théâtre sont directement empruntés au vocabulaire de la marine.)

Dans quelle mesure ces formes ont-elles influencé le glissement de « donner du tabac » à « passer à tabac » ? Si l'on a beaucoup prisé par le passé on a aussi beaucoup chiqué. La chique forme une boule qui gonfle la joue, comme un abcès, ou comme un gnon ! Victor Hugo notait lui-même : « Au XVIIe siècle, se battre, c'était " se donner du tabac "; au XIXe siècle, c'est " se chiquer la gueule ". » Ces expressions sont certainement de la même farine (et si l'on songe qu'il s'agit de poudre à priser : *du même tabac !*)

Se chiquer est devenu plus tard « se chicorer ». Faut-il penser qu'outre le jeu de mots la couleur y est pour quelque chose ? Dans ce genre de violence les boursouflures font à la victime une tête « comme un chou-fleur » — à la couleur près évidemment, car un visage couvert d'ecchymoses prend en quelques heures une teinte brun roussâtre caractéristique... une couleur tabac ! Les Anglais ont chez eux la formule *beaten black and blue,* « battu en blanc et bleu », pour évoquer ces ravages. Est-ce que passer quelqu'un à tabac, c'est aussi lui « en donner » à un tel point que sa peau en gardera le hâle ?...

Gaston Esnault signale effectivement en 1879, chez les voyous et les policiers (les uns ne vont pas sans les autres), l'alternative occasionnelle « passer *au* tabac ». En tout cas *Le Père Peinard,* déjà cité, signale en 1898 qu'au cours des manifestations les partisans de Déroulède « indiquaient à la flicaille alliée les bons bougres à sucrer et à passer à tabac ».

Comme disent les linguistes, l'usage a prévalu !

Faire la grasse matinée

Je préfère terminer ce chapitre par un usage de plus haute civilisation. Faire la grasse matinée est une occupation très agréable, et qui semble avoir été inventée de fort longue date. On disait autrefois « dormir la grasse matinée », ainsi au début du XVIIe siècle M. Régnier s'exclame :

Ha ! que c'est chose belle et fort bien ordonnée
Dormir dedans un lit la grasse matinée.

Plus tard le Joueur de Regnard annonce ainsi son programme :

Je ronflerais mon soûl la grasse matinée,
Et je m'enivrerais le long de la journée.

Traditionnellement on considère que cette façon paresseuse est appelée ainsi parce qu'elle permet d'engraisser. « On dit qu'une femme dort la grasse matinée — explique Furetière, dont la discrimination de sexe est intéressante — pour dire qu'elle se lève tard, & qu'elle se tient au lit pour devenir grasse, pour faire du lard... » Pour une fois je crois que le vieux lexicographe exagère !

On sait que gras, grasse, viennent du latin *crassus* qui veut dire « épais ». Le mot a gardé longtemps son sens et sa forme d'origine, *cras, crasse,* conservés d'ailleurs dans l'expression **une ignorance crasse,** qui signifie simplement une « ignorance épaisse ». Je pense quant à moi que la « grasse matinée » a dû naître dans ces mêmes eaux proches de l'étymologie, avec la nuance de matinée longue, qui s'étale dans l'épaisseur du sommeil. L'idée d'« engraissement » liée à tant de mollesse aura dans doute donné la motivation nécessaire et permis à l'expression de se figer. Un conte du XIIIᵉ siècle parle déjà de dames nonchalantes qui « se couchent tart, por ce fault qu'on les laisse dormir grans matinées por nourrir en leur gresse » !

Décidément il semble bien que ce soit les femmes qui ont inventé la qualité de la vie !

La vie mondaine

Riche homme a maint parents.

Un cordon bleu

La disparition lente mais sûre de la femme au foyer, c'est-à-dire de la femme aux fourneaux, entraîne la raréfaction progressive d'une espèce domestique jadis hautement appréciée en France : la ménagère aux petits plats mitonnés, aux recettes personnelles jalousement gardées; l'orgueil de toute une famille : le cordon bleu !

On se demande parfois, entre le dessert et le café, de quel cordon singulier peut venir cette expression élogieuse mais au premier abord assez obscure. S'agirait-il de celui, qui nouait les célèbres tabliers, bleus, des vieilles cuisinières de la tradition bourgeoise ?...

Non, le cordon bleu originel était sous l'Ancien Régime la plus illustre des décorations, l'insigne des chevaliers du Saint-Esprit, un ordre institué en 1578 par Henri III pendant les guerres de Religion afin de regrouper les principaux chefs du parti catholique contre les protestants. Aboli à la Révolution le cordon bleu constitua pendant deux siècles la distinction suprême dans l'aristocratie française, quelque chose comme les plus hauts grades de l'actuelle Légion d'honneur, qui n'a fait d'ailleurs que lui succéder. La locution pouvait donc s'appliquer par métaphore à tout ce qui est d'une rare élévation; ainsi un poète du XVIIe siècle qui souhaitait se faire admettre à l'Académie française déclara que cette assemblée était « le cordon bleu des beaux esprits ». Il fut élu.

Cependant, selon certains, l'application culinaire est fondée sur des faits plus précis : certains seigneurs de haut parage, le commandeur de Souvé, le comte d'Olonne et quelques autres, tous dignitaires du Saint-Esprit et porteurs du cordon de l'ordre, avaient pris l'habitude de se réunir en une sorte de club gourmand pour cultiver l'art du bien-boire et du bien-manger. Leurs déjeuners devinrent célèbres et l'on employa un temps l'expression *faire un repas de cordons bleus*. Façon de parler qui a passé des gourmets tombés dans l'oubli aux préparateurs des plats eux-mêmes, tous cuisiniers et cuisinières de haute volée.

A la réflexion, il est juste que le mot soit ainsi rattaché à la gastronomie : l'ordre du Saint-Esprit n'avait-il pas été créé à l'origine, si j'ose me permettre, pour « bouffer du pasteur » !

Faire du potin

Vieux langage misogyne ! Si des hommes se rencontrent pour échanger leurs idées ou s'informer des bruits qui courent, le vocabulaire veut que ce soit sous forme de conversations, de discussions, de causeries, colloques ou débats. Ils badinent, devisent, confèrent ou s'engueulent, mais quel que soit le ton des échanges, les mots qui les décrivent laissent toujours supposer un intérêt indiscutable, et souvent une nette élévation dans la teneur de leurs propos. Si au contraire ce sont des femmes qui se réunissent, elles font traditionnellement figure de « commères », qui se retrouvent pour jaser, caqueter, pérorer, faire la causette ou bien des parlotes. La tradition a longtemps voulu qu'elles ne puissent que médire de leur entourage ou colporter les derniers *potins* !

L'histoire relativement récente de ce terme un peu

méprisant me paraît tout à fait exemplaire. *Potin* vient de « potiner », lequel est tiré de « potine » ou petit pot en terre cuite qui est en Normandie une chaufferette. « Les femmes du village se réunissaient autrefois pendant les longues veillées d'hiver pour filer et pour causer, chacune apportant sa potine; *potiner* voulait donc dire d'abord : se réunir autour des potines pour bavarder » (Bloch & Wartburg).

Que des veillées villageoises on soit passé aux commérages, puis aux ragots mondains, quoi de plus naturel! Certains salons parisiens fin de siècle s'appelaient des potinières.

Que le mot ait pu glisser au sens de « vacarme » : « Ils font un potin du diable », est déjà un peu surprenant... Cela en dit long sur l'estime que porte le langage aux... propos de femmes !

Etre bas-bleu

Les choses se corsaient si les femmes voulaient écrire. Dans la bonne société du siècle dernier et de ceux qui l'ont précédé, une vraie femme devait être avant tout une petite dinde, spirituelle certes, et charmeuse, mais qui n'a pas à se mêler d'avoir des idées. Un *bas-bleu* désignait, de façon péjorative, une femme auteur.

L'expression a été importée d'Angleterre au début du XIXe siècle. Elle est la traduction de l'anglais *blue-stocking*, utilisée dans le même sens. Il existait en effet vers 1750 un salon littéraire tenu par une certaine Mrs. Montague et fréquenté notamment par Benjamin Stillingfleet, auteur mondain qui « avait la manie de porter toujours des bas bleus et qui fut imité par des personnes des deux sexes fréquentant ledit salon : d'où le nom de " club des bas bleus " donné ironiquement au salon de Mrs. Montague et celui de *bas-bleus* aux dames qui s'y réunissaient », explique M. Rat.

Ces renseignements paraissent exacts, à ce détail près que pour les Anglais cette Mrs. Montague avait baptisé elle-même son club, et qu'elle avait importé le mot et la mode de Paris! Un auteur britannique fait même remonter la tradition beaucoup plus loin; il signale l'existence à Venise, en 1400, de sociétés nommées *della calza*, dont les membres se distinguaient par la couleur de leurs chausses. Selon lui ces fantaisies vestimentaires seraient venues d'Italie en France vers le début du XVIIe siècle et elles auraient fait rage dans les salons des précieuses. L'hôtesse anglaise n'aurait donc fait que reprendre un très ancien flambeau.

De fait ce salon anglais semble bien avoir été appelé à l'origine *Bas-bleu club*, en français. Selon le Bloch & Wartburg également : « Bas-bleu se trouve d'abord en anglais, en 1787; il a été créé en Angleterre pour renforcer l'ironie que contient l'expression. »

Etre blacboulé

Ce mot qui signifie « être refusé à un examen, à une élection » est lui aussi un résidu de la vie mondaine anglaise, du moins à l'origine. Il constitue la traduction de *to be black-balled :* être exclu par « boules noirs ». (Incidemment ce n'est pas parce que le mot vient de l'anglais qu'il n'aurait pas droit à une orthographe « normale »; j'emploie ici la même que Littré il y a cent ans.)

En Angleterre les clubs étaient autrefois des sociétés très fermées. L'admission d'un nouveau membre se faisait par cooptation et donnait lieu à un vote. Ceux qui acceptaient le candidat déposaient dans une boîte une boule blanche ou rouge, ceux qui le refusaient une boule noire. Naturellement si les boules noires étaient en majorité le postulant était « blacboulé »!

Avoir l'esprit de l'escalier

Une des raisons d'être des salons est de s'y rencontrer pour briller auprès de ses amis, et si possible de ses ennemis. Là plus que partout ailleurs il est nécessaire d'avoir de l'esprit, la repartie facile, le trait piquant. Malheur à celui qui est incapable de glisser un bon mot, au moment voulu, pour mettre les rieurs avec lui.

Il arrive pourtant que la saillie se fasse attendre, que la réplique fasse défaut, que le bonhomme ne pense à ce qu'il aurait dû répondre que trop tard, alors qu'on parle de tout à fait autre chose, ou même quand la réunion est terminée, qu'il est sorti... Il trouve alors, en descendant l'escalier, ce qu'il aurait fallu dire ! C'est ce que l'on appelle précisément « avoir l'esprit de l'escalier » J.-J. Rousseau raconte dans ses *Confessions* comment il aurait fait d'excellentes conversations s'il avait pu les faire... par correspondance — et Valéry a eu ce mot : « Littérature, ou la vengeance de l'esprit de l'escalier. »

Ecrire un poulet

Le bel esprit ne se manifeste pas seulement en paroles. Dès le XVIIe siècle les usages mondains voulaient que l'on s'écrivît beaucoup, et en particulier des petits billets galants. Molière parle d'une « lettre en poulet cachetée », ce que Furetière explique : « Poulet signifie aussi un petit billet amoureux qu'on envoie aux Dames galantes, ainsi nommé, parce qu'en le pliant on y faisoit deux pointes qui représentoient les ailes d'un *poulet*. Autrefois, les prudes faisoient grand scrupule de recevoir des poulets; maintenant elles en ont de pleines cassettes. »

Cependant le mot en ce sens date du XVIe siècle, et il n'est pas absolument certain que ce pliage particulier ait fourni le nom... En tout cas, il a quitté très tôt le vocabulaire des salons pour continuer sa route dans un monde plus ordinaire, ce qui semble suggérer le commentaire du même Furetière qui le considérait déjà vieilli en 1701 : « Ce mot n'est presque plus en usage en ce sens. On dit aujourd'hui *billet galant, billet doux.* »

Vivre sur un grand pied

Le train de vie se mesure-t-il à la dimension des savates ? On le croirait, puisque certains « vivent sur un grand pied » et d'autres non. Il est vrai qu'au xv⁰ siècle la chose a eu quelque vraisemblance, avec les fameux souliers à la poulaine (c'est-à-dire « à la polonaise ») « dont la pointe était longue d'un demi-pied pour les personnes du commun, d'un pied pour les riches et de deux pieds pour les princes » !

En réalité, cette mode — qui finit par être interdite tant elle devenait ridicule — n'a pas eu, du moins on le présume, d'influence sur l'expression « être sur un grand pied » : être un personnage important. C'est le pied, l'ancienne mesure de longueur, qui en est à l'origine, comme il l'est de plusieurs autres expressions courantes.

Le pied, divisé en douze pouces, valait environ 33 centimètres. Le fameux mètre-étalon qui l'a supplanté a beau avoir été sacré officiellement, en 1792, 40 millionième du tour de la Terre, cela me paraît une justification un peu fallacieuse, et en tout cas *a posteriori.* Pourquoi avoir choisi précisément le 40 millionième et pas le 50 ou le 100 millionième de cette circonférence toute théorique puisqu'on en était aux chiffres ronds et décimaux ?... En fait les fondateurs de cette nouvelle unité prirent comme base la dimension raisonnable et commode de trois pieds, ou à peu près, et afin de lui conférer un titre d'universalité pompeuse et rassurante, calculèrent, dans un esprit de promotion mondiale évident, que cela correspondait environ au 40 millionième des 10 000 lieues auxquelles on évaluait le tour du globe. Ce fut un coup très dur pour le pied, il en est mort. Sauf d'ailleurs au Québec où sous régime britannique il n'a pas été touché par le système métrique.

Restent les expressions où le mot pied a gardé son vieux sens de mesure. *Sur le pied de* veut dire sur cette base, sur cette proportion, de cette manière. « Sur ce pied, vous n'obtiendrez rien » : en vous y prenant de cette façon. « Rendez compte de votre dépense, qui vous sera allouée dans ce jugement, non sur le pied de vos convoitises, mais sur les règles de la modestie » (Bonnet). « Il me reçut dans sa maison sur le pied de cinquante pistoles d'appointements » (Le Sage). Voir aussi *Prendre son pied*, p. 57.

Etre **sur le pied de guerre** c'est être en « régime » de guerre, et prendre les « mesures » qui s'imposent. On met une armée sur le pied de guerre. On disait également autrefois « sur le pied de paix ».

On prend, on ne prend pas les choses **au pied de la lettre**, c'est-à-dire à la mesure exacte de ce qui est écrit, sans aucune interprétation.

Vivre sur un grand pied c'est évidemment mener grand train, à la mesure de revenus conséquents, alors que faire les choses *au petit pied* a toujours un air étriqué et un tantinet mesquin.

Faire un pied de nez appartient à la même série; la construction est la même que lorsqu'on dit, par exemple, « un mètre de tissu ». Mettre le nez long est en effet un signe de déception. La Fontaine présente ainsi une défaite :

Je vois ces héros retournés
Chez eux avec un pied de nez,
Et le protecteur des rebelles
Le cul à terre entre deux selles. (Lettres XXIII.)

« On dit qu'un homme a eu un pied de nez quand il a été trompé dans ses espérances », dit Furetière. De là à narguer l'individu en lui représentant symboliquement la chose : « Faire un pied de nez à quelqu'un : c'est un geste que l'on fait en mettant le pouce d'une main sur le nez et le pouce de l'autre main sur le petit doigt de la première main » (Littré). Ce qui fait environ un pied !

Et quand ils sont enchaînés
Vous leur faites un pied de nez. (Scarron.)

Avoir du foin dans ses bottes

Voilà une mode un peu surprenante au premier abord, mais qui montre clairement que le foin a toujours été une denrée de valeur : avoir du foin dans ses bottes est le signe, sinon d'une très grande richesse, au moins d'une solide aisance.

« On dit, il a bien mis du foin dans ses bottes, de la paille dans ses souliers; pour dire, il s'est fort enrichi : ce qui ne se dit d'ordinaire, que de ceux qui sont venus de bas lieu, qui ont fait de grandes fortunes, par des voyes illicites », note Furetière.

C'est bien dans ce sens de trafic à peine avouable que Voltaire emploie l'expression dans une lettre à un intendant de l'armée : « Vous me mandâtes que tout le foin de la cavalerie du roi très chrétien était soumis à votre juridiction; je souhaite que vous en mettiez dans vos bottes et que vous veniez à Paris enrichi de vos triomphes. »

C'étaient les gens de la campagne qui garnissaient ainsi leurs sabots, d'une poignée de paille pour les moins aisés qui n'osaient généralement pas y mettre du bon foin, plus douillet mais plus précieux et dur à récolter. Les plus cossus — mais aussi les soldats et sans doute les officiers — fourraient leurs bottes de vrai foin.

Quel intérêt de garnir ainsi ses chaussures ? Quiconque a fait du cheval en hiver, ou de la moto, sait que c'est toujours un problème de ne pas se geler les extrémités. Or le foin a ceci de particulier qu'il est à la fois isolant et absorbant; comme toute matière desséchée il absorbe l'humidité de la transpiration mieux qu'aucun lainage et constitue une « fourrure » odorante — peut-être même légèrement médicinale, on ne sait jamais avec les plantes ! — dans laquelle le pied est merveilleusement « à l'aise »...

La mode

Quand les dames furent parées
En sont ja les croix alées.

Vieux proverbe
(du temps où l'on se rendait aux processions en compagnie de sa femme-objet.)

C'est une banalité de dire que l'habillement, la parure, ont toujours été une des préoccupations majeures des hommes et des femmes. Les modes ont toujours changé (c'est en quelque sorte leur raison d'être) et toujours par référence à ce qui se portait dans les rangs les plus élevés de la société : pendant longtemps les cours royales et princières.

Autrefois, la mode changeait principalement de génération en génération, c'est-à-dire d'une génération régnante à l'autre, pour les grandes lignes, avec des modifications de détail dans les parements qui sans doute permettaient aux plus riches de se trouver toujours à quelques galons d'avance, non pas sur le « commun », mais sur leurs niveaux immédiats — avance d'ailleurs protégée à certaines époques par des « lois somptuaires » qui réglementaient le port des fanfreluches selon le rang et le degré de noblesse. En outre, le décalage était grand entre la vêture de la haute société parisienne et celle du reste du pays; il grandissait en proportion de l'éloignement géographique. Quant au peuple en besogne il a porté longtemps et partout les restes et les défroques de ses maîtres, souvent avec une ou deux générations de retard.

Au Moyen Age, le vêtement s'appelait d'une façon générique la *robe*. Il était composé, en plus de la chemise, de la *cote*, pièce essentielle : tunique à manches en forme de robe. Il existait aussi le *surcot*, facultatif, sorte de tunique sans manches qui se portait par-dessus la cote, et le *mantel* ou manteau — appelé parfois robe. Une forme plus robuste du manteau pour le voyage et pour la pluie s'appelait la *chape*. Cela aussi bien pour les femmes que pour les hommes, le costume étant identique. Que ceux qui s'effraient encore de voir aujourd'hui garçons et filles vêtus de la même manière se rassurent tout à fait : le vêtement unisexe n'est pas une nouveauté dans l'histoire. Je dirais même que c'est à partir du moment où le costume masculin a commencé à se différencier, vers la fin du XIVe siècle, que la société médiévale déjà peu facile pour les femmes est devenue de plus en plus misogyne.

J'ajoute que la différenciation ne s'est jamais faite pour les gens d'Eglise, ni pour les enfants, lesquels jusqu'au XVIIe siècle ont continué à être vêtus uniformément de la même et ancienne « robe » jusqu'à l'âge de sept ou huit ans.

Voici un aperçu de la mode dans le premier tiers du XIIIe siècle, donné par Jean Renart dans le *Guillaume de Dole*. D'abord un surcot exceptionnellement riche, porté à même la chemise par un jeune homme qui s'en sert de « robe » de chambre :

> [Jouflet] troeve ostel a son gré
> et bacheler a sa devise
> qui ert* en trop bele chemise,   *était*
> toz deffublez* em pur le cors   *dénudé*
> fors d'un sercot dont li ados   *était orné de passe-*
> ert bendez d'orfrois d'Engleterre* *menterie anglaise .*
> c'en porroit ja assez loig querre* *chercher loin*
>   *avant*
> ainçois* qu'en trovast le pareil : *la doublure était*
> la pene ert d'un cendal vermeil* *d'étoffe de soie*
>   *vermeille*
> s'ert trop bel au col herminé* *le col bordé d'her-*
> de pesnes* de boutons doré.   *mine*
>   *perles*

A présent, un manteau d'apparat qui vient d'être acheté :

La soe robë apareille*
ses niez, qui est bele a mervelle,
d'un samit inde a pene hermine*;

son neveu prépare son manteau

d'une étoffe de soie sergée lourde et solide, bleu indigo, doublée d'hermine

onques si blanche ne si fine
ne fu nule, ne miex ouvree*.

mieux travaillé

Voici enfin la belle Liënor en train de s'habiller pour rendre visite à la cour de l'empereur, et telle qu'elle sera au bord de la cuve où est plongé le sénéchal félon (voir *Mettre sa main au feu*, p. 267) :

Sor chemise blanche aflouree*
en vesti la cote* en puret
mes el estoit d'un cendal* vert

brodée de fleurs

son manteau

étoffe de soie légère

tote forree et cors et manches.
El ot* un poi** basses les hansches,
et grailles* flans, et biau le pis* .
Un poi fu plus haus li samis
desus la mamelete dure*.

avait / un peu

minces / la poitrine

l'encolure passait juste au-dessus des seins

...
Li couls fu lons et gras et blans
par reson, sanz gorme et sanz
fronce*.

bien évidemment sans bubon ni scrofule et sans ride!

Onques damoisel, selonc ce
qu'ele estoit triste* et dolente,
ne sot plus bel metre s'entente
en li acesmer* et vestir.
Por sa gorge parembelir
mist un fermail a sa chemise,
ouvré par grande maiestrise,
riche d'or et bel de feture*,
basset, et plain doi d'overture,
et si que la poitrine blanche*

bien qu'elle fût triste

parer

de façon

assez bas pour laisser apparaître la peau blanche neige

assez plus que n'est noif* sor branche
li parut, qui mout l'amenda.
Que q'ele se ceint et lia

de sa guimple* et de sa ceinture, *voile de tête*
dont li ors de la ferreüre
valoit plus de XXV livres[1].

Se mettre sur son trente et un

Il est dommage que le sens premier de cette locution
demeure impénétrable. On se met sur son « trente et
un » quoi ?... Plusieurs interprétations ont été faites,
aucune n'est vraiment convaincante. Je cite ici celle de
Maurice Rat : « Il faut voir dans la première partie : *se
mettre sur,* l'ancienne tournure qui veut dire " mettre
sur soi ", autrefois *se mettre sus,* et dans *trente et un* la
déformation populaire de *trentain,* nom d'une ancienne
sorte de drap de luxe, dont la chaîne était composée de
trente fois cent fils, et qui, n'étant plus compris, est
devenu *trente-un* ou *trente et un.* Se mettre sur son
trente et un, c'est donc littéralement " mettre sur soi
son trentain ", et, par suite, ses plus beaux atours, ses
atours des jours de fête ou de cérémonie. »

L'ennui est que ce mot *trentain* est excessivement
rare; il ne semble pas apparaître dans ce sens dans
l'ancienne langue et il est surprenant qu'un terme
d'usage aussi restreint ait pu donner une locution populaire, laquelle paraît d'ailleurs relativement récente...

D'autres ont avancé l'hypothèse d'un jeu de cartes où
« trente et un » est un chiffre particulièrement heureux.
« Aux cartes, il y a des jeux qu'on appelle la Belle, le
Flux, & le Trente un, où celui qui a trente & un points
en ses cartes, gagne. Il y a aussi le trente & quarante,
où celui qui amène le plus près de trente, gagne. A
trente un il gagne double » (Furetière). Dans ce
contexte, le trente et un pourrait être un coup d'éclat
qui soit passé à une parure exceptionnelle... C'est l'interprétation vers laquelle penche Littré; elle n'est guère
probante.

1. J. Renart, *Guillaume de Dole,* Ed. Champion, p. 133-134.

Plus prometteuse me semblerait pour une part une autre indication de son dictionnaire, concernant le trente et un du mois avec cette citation du *Journal officiel* du 9 septembre 1872 : « Le vieux dicton : trente et un, jour sans pain, misère en Prusse, est encore vrai en ce qui concerne la solde de ce jour : on n'accorde qu'extraordinairement aux troupes cantonnées le supplément d'entretien et le montant du versement à l'ordinaire pour le repas du midi. » Je me demande si ce « trente et un, jour sans pain », n'a pas pu donner lieu aussi, dans des circonstances que j'ignore, à des festivités de casernes, soit des revues, soit au contraire des permissions exceptionnelles; la locution qui comporte une idée de préparatifs importants nous serait venue alors par la langue des troupiers...

On a dit aussi — on le dit encore — *se mettre sur son trente-six*, et, comme le remarque Robert, si trente-six est antérieur à trente et un, « toutes ces hypothèses sont fausses »! Ce trente-six pourrait être à la rigueur le même que les « trente-six sortes » ou les « trente-six complications », ou bien venir de l'expression « tous les trente-six du mois », c'est-à-dire forcément jamais, ou si rarement... « Il vient me voir tous les trente-six du mois. » Se mettre sur son trente-six serait dans ce cas s'apprêter pour une occasion très exceptionnelle... C'est une supposition qui n'est pas absurde, mais pas très claire non plus.

Ce qui est certain en tout cas — et troublant! — c'est que les Québécois, plus enracinés que nous dans la tradition langagière, disent usuellement se mettre sur son trente-six, et semblent ne connaître « trente et un » que par importation récente. Comme de surcroît, à cause de la législation britannique, ils n'ont jamais été troublés par le système métrique et comptent toujours en pieds et pouces, la locution leur paraît se rattacher naturellement à un « trente-six pouces » qui désigne précisément une étoffe de cette largeur, laquelle correspond à notre « en 90 de large ». Effectivement, lorsqu'on désigne un tissu par ses dimensions c'est qu'il s'agit d'un tissu neuf, pas encore taillé. Faut-il comprendre que « se mettre sur son trente-six » c'est endosser un habit neuf, sorti tout droit des mains du tailleur ?... C'est une indication possible, mais qui ne paraît pas, elle non plus, déterminante.

Je n'en sais pas davantage, et je donne provisoirement ma langue au chat !

S'habiller de pied en cap

Ce *cap* n'a rien à voir avec le manteau cité plus haut. Cap est ici le mot occitan qui désigne la tête, le « chef », et l'expression a trait à la mode de l'armure du chevalier. Elle constitue l'adaptation de la locution occitane

del cap als pès : de la tête aux pieds, introduite sans doute au XIVᵉ siècle par les régiments gascons. *S'armer de pied en cap* c'est revêtir l'armure complète, des pieds à la tête, de l'éperon à la « salade » ! « Et estoient en la cité de Paris de riches et puissants hommes armés de pied en cap, la somme de trente mille hommes », raconte Froissart. Dans la guerre picrocholine, Rabelais fait équiper de même frère Jan, le moine batailleur : « Chascun commencea soy armer et accoustrer, et armèrent le Moyne contre son vouloir, car il ne vouloit aultres armes que son froc davant son estomach et le baston de la croix en son poing. Toutesfoys, à leur plaisir feut armé de pied en cap et monté sur ung bon coursier du royaulme, et ung gros braquemart au cousté » (*Gargantua*, chap. XXXIX).

C'est là une expression qui comme beaucoup d'autres s'est mise en civil !

Une autre paire de manches

Au Moyen Age les manches de la cote étaient le plus souvent amovibles, c'est-à-dire qu'on devait les ratta-cher le matin au corps de l'habit en les « recousant ». Au cours de leur partie de campagne, le jeune empereur du *Guillaume de Dole* et ses compagnons vont d'abord faire quelques galipettes dans la nature :

Quand ils furent levés vers tierce*   *vers neuf heures*
par le bois vont joer grant pièce*   *un long moment*
toz deschaus*, manches descousues.   *nu-pieds*

Puis ils font leur toilette dans les fontaines des prés, parmi les fleurettes, en compagnie des demoiselles avant le déjeuner :

Ainçois* qu'il cousissent lor manches,   *avant*
levent* lor oils et lor beaus vis*.   *lavent / visage*
Les puceles, ce m'est avis,
lor atornent* fil de filieres**   *préparent / pelotes*
qu'eles ont en lor aumosnieres.

(Incidemment, comme ils n'ont rien pour s'essuyer :

As dames, en lieu de touaille*, *serviettes*
empruntent lor blanches chemises;
per cest ochoison* si ont mises *occasion*
lor mains a mainte blanche cuisse.
— c'est un détail.)

Autre exemple, Pygmalion parant amoureusement
son amie pour leurs noces, dans le *Roman de la Rose* :

D'une aguille bien afilee
d'or fin, de fil d'or anfilee,
li a, por mieuz estre vestues,
ses deux manches estrait* cousues. *étroit*

Cette méthode vestimentaire avait un grand
avantage : on pouvait changer les manches sans changer l'habit. On pouvait aussi les échanger, et il arrivait,
dit-on, que les amoureux s'offrent mutuellement leurs
manches en gage de bonne amitié.

La mode se continua quand les hommes portèrent
des pourpoints aux manches très larges qui servaient de
poches où l'on mettait mouchoirs, bourses et autres
menus objets (voir p. 219), on peut même y avoir quelqu'un ! On *met quelqu'un dans sa manche* comme plus
tard on le mettra *dans sa poche*. Toujours est-il que les
élégants gardèrent longtemps dans un aiguillier pendu
à leur ceinture le fil et les aiguilles nécessaires à la
mobilité de cet élément de leur parure. Or, des manches
nouvelles fixées à un même habit peuvent par leur
ampleur, leur couleur, etc., le modifier complètement. Il
est naturel que l'on ait donné « une autre paire de
manches » comme l'image de quelque chose de complètement différent. « On dit à ceux qui font quelque nouvelle proposition, c'est une autre paire de manches »,
dit Furetière.

En tout cas, si la manche revenait à la mode, avec la
commodité actuelle des boutons-pression, on pourrait
facilement rafraîchir la formule !

Faire une belle jambe

De nos jours, ce sont les femmes qui attachent de l'importance à la finesse de leurs jambes; autrefois c'étaient les hommes qui mettaient leurs cuisses en valeur! Eh oui, à partir du moment où la mode masculine abandonna la robe pour les chausses, lesquelles firent leur apparition au XVIᵉ siècle, la jambe de l'homme devint peu à peu un objet d'attention. Les chausses étaient ce qui couvre la partie inférieure du corps, à partir de la ceinture. Elles se composaient d'un haut-de-chausses qui descendait au genou — il donnera la culotte — et d'un bas-de-chausses, devenu par abréviation le *bas*.

Au XVIIᵉ siècle, le galbe de la jambe était devenu chose importante et les jeunes gens coquets soignaient particulièrement la moulure de leurs bas de soie, qu'ils enjolivaient de rubans. « Faire la belle jambe » voulait dire se pavaner, faire le beau. « Un homme qui marche et qui fait la belle jambe, est faux et maniéré », dit Diderot.

Mais une jambe bien faite, qui n'est ni cagneuse ni forte, est vraiment un don du Ciel! « On dit aussi à celui qui propose de faire une chose dont on ne tirera aucun avantage : Cela ne me rendra pas la jambe mieux faite », dit Furetière.

Les deux locutions se sont greffées l'une sur l'autre pour donner l'expression ironique que nous utilisons toujours.

Nouer l'aiguillette

L'invention des chausses amena par contrecoup l'invention de la braguette — quoique Rabelais affirme le contraire : « Au reguard du hault de chausses, ma grand tante Laurence jadis me disoit qu'il estoit faict pour la

339

braguette. » Les premières braguettes étaient extérieures. Elles consistaient en une sorte de poche qui contenait les parties sexuelles, et qui était rattachée au reste des chausses par un cordon en tissu ou en cuir ferré aux deux bouts, appelé *aiguillette.* Le sexe ainsi « porté » était un emblème épatant de virilité. Pourtant, si l'on en croit encore Rabelais, il semble que la mode des braguettes n'était pas adoptée partout : « Exceptez moy — dit Panurge — les horrificques couilles de Lorraine, les quelles à bride avalée descendent au fond des chausses, abhorrent le mannoir des bráguettes haultaines, et sont hors toute méthode » (*Tiers Livre*, Chap. VIII).

On utilisa plus tard, vers le milieu du xvie, des hauts-de-chausses sans braguette extérieure, les *grèques* (à la grecque) appelées aussi *trousses,* mais l'aiguillette demeura, tant pour attacher les chausses au pourpoint que comme lacet de fermeture des nouvelles braguettes. En 1622 le jeune homme caché derrière le lit pendant que les femmes caquettent trouvait le temps long : « Et moy qui parle, je fus contrainct, quoy que caché à la ruelle du lict, d'en destacher mon esguillette, craignant de pisser dans mes chausses. »

Nouer l'aiguillette c'est empêcher de détacher celle-ci, de préférence en jetant un sort; selon le mot de Furetière : « Se dit d'un prétendu maléfice qui empêche qu'on ne consomme le mariage. »

C'était jadis une pratique courante des jeteurs de sorts, des femmes jalouses, des fiancés délaissés, des amoureux supplantés, un instrument de vengeance apparemment efficace puisque les victimes étaient légion. « Nouer l'aiguillette — raconte R.-L. Séguin — consiste ordinairement à " former trois nœuds à une bandelette, en récitant certaines formules magiques, sur un tombeau ou dans un lieu consacré ". Durant la cérémonie nuptiale, alors que les époux échangent les promesses traditionnelles, l'envoûteur, qui se tient à l'écart, accomplit discrètement le rituel magique. Mais l'aiguillette se lie de bien d'autres manières. Selon Thiers, " il y avoit plus de cinquante sortes de noueurs d'aiguillettes ". Peu importe la formule ou le cérémonial, ce qui compte, c'est de frapper la victime d'impuissance.

« Le plus souvent, le noueur d'aiguillette récite, à rebours, un des versets du psaume *Miserere mei Deus;* trace trois croix et fait autant de nœuds à une cordelette en prononçant, chaque fois, les paroles cabalistiques : *Ribald, Nobal, Vanarbi.* Puis, le noueur tourne les " mains en dehors & entrelacent leurs doigts les uns dans les autres, en commençant par le petit doigt de la main gauche, & en continuant ainsi jusqu'à ce qu'un pouce touche à l'autre, & cela lorsque l'époux présente l'anneau à son épouse dans l'église ". Ou encore, au passage du cortège nuptial ou pendant la messe qui précède, le jeteur de sorts — les mains dissimulées à l'intérieur de son chapeau — noue un bout de ficelle autant de fois qu'il désire que l'époux ou l'épouse ne puisse consommer le mariage. A Pamproux (Deux-Sèvres), signale le folkloriste Souché, vers la fin du XIXe siècle, on noue la courroie d'un soulier, puis on la jette ensuite dans une flaque d'eau. Si un passant ne dénoue pas la lanière, le mari envoûté sera impuissant jusqu'à ce que la cordelette de cuir soit complètement pourrie[1]. »

Bien sûr les procès, en France comme au Québec, se comptaient par milliers. On traînait l'auteur du mauvais tour devant un tribunal si on avait l'honneur de le connaître! Il risquait d'ailleurs très gros, et au pire le bûcher pour acte de sorcellerie. Mais l'essentiel pour le plaignant était tout de même de rompre le charme maléfique. « Pour échapper au sort jeté par son rival, Gadois récite le psaume *Miserere*, en latin et à l'inverse, pendant que se déroule la cérémonie de son mariage.

1. Robert-Lionel Séguin, *La Vie libertine en Nouvelle-France au XVIIe siècle*, Ed. Leméac, Ottawa, 1972.

Notons semblables pratiques en France. Dans la montagne bourbonnaise, la mariée se défend du noueur d'aiguillette en tenant de petites images, tête-bêche, durant la messe nuptiale, tandis que le marié se place un morceau de cierge pascal sur l'estomac. En Charente, on enfile un vêtement à l'envers. Même à la fin du XIXe siècle, on demandait parfois à des prêtres de dire une messe à rebours dans le but de se dérober à un maléfice[1]. »

Avoir quelqu'un à ses trousses

« Dom Pourceau criait en chemin comme s'il avait eu cent bouchers à ses trousses » (La Fontaine).

Cette locution courante suggère deux interprétations possibles. Voici d'abord la plus traditionnelle, celle que donne Furetière : « *Trousse,* Espece de haut de chausses relevé qui ne pend point en bas, qui serre les fesses & les cuisses, tels qu'étoient ceux qu'on portoit au siecle passé [...]. Trousse, se dit en ce sens en parlant de ce qui est à la suite continuelle d'une personne, comme s'il étoit attaché à ses chausses. Il croyait voir à toute heure l'Empereur à ses trousses pour le charger. Les ennemis etoient toûjours à nos trousses », etc.

Cependant *trousse* a aussi le sens de paquets que l'on porte sur la croupe d'un cheval, et « en trousse » est un ancien synonyme de « en croupe ».

Que dit-il [l'âne], quand il voit, avec la mort en
                                                    trousse,
Courir chez un malade un assassin en housse ?
                                                    (Boileau.)

C'est dans ce deuxième sens que P. Guiraud interprète l'expression : « Lorsqu'on poursuit un autre cavalier et qu'on le serre de près on dit qu'*on est à ses trousses,* les trousses étant le bagage enroulé sur l'ar-

1. Id. *ibid.*

342

çon de la selle[1]. » Effectivement autrefois l'on poursuivait surtout les gens à cheval, et l'expression était souvent liée à l'idée d'ennemis, de recherches et de poursuites. Je ferai cependant remarquer que la locution apparaît dans les textes à peu près dans le même temps que les trousses « culottes », au XVIe, alors que le sens de « bagage » était vieux de plusieurs siècles. Mais cela ne prouve rien, et je me garderai de trancher.

Ce qui est sûr c'est qu'au XVIIe au moins *être aux trousses* était compris comme se référant aux chausses et rapproché de « tenir quelqu'un au cul et aux chausses », le censurer, le serrer de près. La tournure s'accorde au sens général de « coller au cul », d'être « pendu aux basques » de quelqu'un — beaucoup moins bien avec l'idée majeure d'une cavalcade.

Tourner casaque

« *Casaque* — Manteau qu'on met par-dessus son habit, & qui a des manches où l'on fourre les bras. Les casaques sont commodes pour les gens de cheval.

« Il a pris la casaque, ou, il a rendu la casaque de Mousquetaire; c'est-à-dire, il est entré au service, ou, il a quitté le service de Mousquetaire.

« On dit figurément, qu'un homme a tourné casaque, pour dire, qu'il a changé de parti. Ce prince étranger s'étoit mis du côté du roi, mais depuis il a tourné casaque. Les troupes auxiliaires sont sujettes à tourner casaque » (Furetière).

Plutôt qu'un synonyme de « tourner bride » — faire demi-tour et montrer le dos (forme qui a peut-être influencé la construction de « tourner casaque ») — je pense que la casaque était un élément important de l'uniforme des cavaliers car elle était à la couleur du

1. P. Guiraud, *Les Locutions françaises, op. cit.*

régiment, il faut comprendre qu'on la « retourne », qu'on change de couleur et donc de parti.

En tout cas la casaque ayant passé de mode on a « retourné sa jaquette ». Aujourd'hui on **retourne** allégrement **sa veste** !

Prendre une veste

A ce sujet, on ne peut pas passer sous silence cette autre métaphore des périodes électorales : *prendre* ou *ramasser une veste* est une expression bien connue de tous les candidats. Elle était déjà en usage au siècle dernier : « M. Scribe ne pouvait se consoler de sa dernière veste », et résulte d'une joyeuse variation sur la formule plus ancienne *prendre une capote* venue de *être capot* aux cartes (voir p. 110).

Le Père Peinard écrit le 3 octobre 1897 : « L'an dernier, au congrès de Londres, la veste remportée par les politiciens était si richement matelassée qu'elle leur tient encore chaud. » Inconstance des métaphores : si la veste est vraiment très lourde on l'appelle à présent une *déculottée* !

Opiner du bonnet

Le bonnet est apparu au début du xvᵉ siècle et il est resté très longtemps la coiffure courante des femmes comme des hommes. Voici son historique tel qu'il est donné au xviiiᵉ siècle par *Mœurs et coutumes des Français* de Le Gendre, cité par le *Dictionnaire de Trévoux* : « On commença sous Charles V à abattre sur les épaules l'aumusse [coiffure de peau d'agneau avec le poil] & le chaperon, & à se couvrir d'un bonnet; si ce bonnet étoit de velours, on l'appelait mortier; s'il n'étoit que de laine, on le nommoit simplement bonnet. Il n'y avoit que le Roi, les Princes & les chevaliers qui se servissent de mortier; le bonnet étoit la coiffure du clergé & des gradués : le mortier fut peu à la mode; les bonnets y ont toujours été, avec cette différence, qu'autrefois ils étoient de laine, & que depuis environ cent ans, on ne les fait plus que de carte que l'on couvre de drap ou de serge. »

Cette histoire est partiellement inexacte. D'abord les mortiers n'ont été nommés ainsi qu'au xviiᵉ siècle par comparaison avec une « machine de guerre » (large bouche à feu très courte) pour désigner la toque des magistrats. Ensuite ce Le Gendre ne parle là que des bonnets rigides des officiels, les « gros bonnets » qui dirigent les autres. Mais précisément ce sont eux qui, dans les assemblées de justice ou autres, *opinent*, c'est-à-dire donnent leur « opinion » — le mot a fini par se spécialiser sur une seule opinion au sens d'approuver.

Or c'était dans les conseils une forme de vote que d'ôter son bonnet pour marquer son adhésion à l'avis de l'orateur sur la question débattue — un vote, non à main levée mais à « bonnet levé ». C'est là, au sens propre *opiner du bonnet*. « On dit figurément — explique Furetière — qu'une question passe du bonnet, qu'on opine du bonnet, lorsque tout le monde est du même avis, ou qu'on opine sans raisonner & selon le sentiment de ceux qui ont déjà opiné. » Selon lui, il s'agirait même d'un vote à l'unanimité.

Avoir le béguin

Le béguin est une coiffure de femme; à l'origine la coiffe des « béguines », un ordre religieux fondé au xiiᵉ siècle à Liège et qui eut un certain rayonnement pendant tout le Moyen Age.

Un relevé de comptes de la fin du xivᵉ signale : « 22 aulnes de plus fine toille de Reins [...] pour faire huit chemises, huit béguins et pleurouers pour ladicte dame (la reine). » Ce béguin passa ensuite aux enfants. Furetière le définit comme une « coeffe de linge qu'on met aux enfans sous leur bonnet, & qu'on leur attache par-dessous le menton [...]. On dit proverbialement que les ânes ont les oreilles bien longues, parce que leurs mères ne leur avaient point mis de béguin ».

Or « être coiffé » de quelqu'un c'est être aveuglé par lui, réduit à sa merci : image traditionnelle de l'impuissance de celui qui a la tête couverte, ou le bonnet enfoncé sur les yeux. « Que de son Tartuffe elle paraît coiffée ! » dit Molière.

Naturellement, si la coiffure est un béguin — elle l'était au XVIe siècle — la demoiselle est *embéguiné :* elle « prend sottement de l'amour » (Oudin).

Dans *Francion,* la vieille Agate, mère maquerelle, dit avoir correctement éduqué Laurette : « Je l'avais advertie de ne se point laisser embeguiner par ces fadaises là qui n'apportent pas de quoy disner, et son humeur libre la portoit assez à suivre mon conseil. »

C'est là l'explication traditionnelle du « petit béguin » du temps où il était une amourette — car le mot ces jours-ci est en totale voie de disparition. Je dois ajouter que Gaston Esnault propose une évolution un peu différente. Il fait venir l'expression « avoir le béguin » comme un abrégé de « avoir le béguin à l'envers », qu'il atteste au XVIe siècle. La tête toute retournée ?... C'est encore plus fort — et aussi un raccourci qui me paraît logique.

Etre collet monté

Des gens collet monté sont aujourd'hui des gens à cheval sur les principes et qui n'entendent pas raillerie sur les valeurs traditionnelles, généralement bourgeoises, que leur ont transmises leurs parents. On les voit un peu guindés, et forcément un peu dépassés par la mode ambiante...

346

L'image n'a guère varié depuis le XVIIᵉ, depuis ces hauts cols empesés, portés avec élégance par les dames au début du siècle — comme on le voit sur les portraits de Catherine de Médicis — puis devenus le symbole de l'Antiquité vers sa fin.

Monté veut dire « monté sur armature » aussi bien qu'en hauteur. « Les femmes avoient ci-devant des collets montés qui étoient soutenus par des cartes, de l'empois & du fil de fer — dit Furetière. On appelle encore une vieille femme critique, un grand chaperon, un *collet monté*. Molière a fait un plaisant usage de ce mot dans *Les Femmes savantes,* où il introduit Belise disant que le mot de sollicitude est bien collet monté. »

C'est qu'en effet, vers le milieu du siècle, les femmes qui portaient encore ce col passé de mode étaient des grand-mères dignes, guindées, à cheval sur les principes et qui n'entendaient pas raillerie sur les valeurs traditionnelles, etc.

En 1622, l'objet était encore tout à fait dans le vent : « La voilà damoiselle mariée à un homme de qualité, et porte les colets montez a quatre et cinq estages, les cottillons de satin à fleurs ! » dit une des visiteuses de *L'Accouchée.* Pourtant, même en pleine vogue, ce parement semble avoir contenu une certaine pruderie qui portait en germe le succès futur de l'expression; une autre visiteuse remarque ainsi : « Si aujourd'huy une passementière porte un colet monté à cinq étages, elle le fait pour une considération qui est très bonne, scavoir, afin qu'on ne puisse atteindre à son pucelage, qu'elle met et constitue au dernier estage de son colet. » Une autre ajoute : « Pourveu que vous ne touchiez point au colet; vous estes le plus galand cavalier du monde; mais, si une fois vous avez rompu un rang de passement vous perdez toute l'estime qu'on avait de vous auparavant[1]. »

C'est que ça devait être fragile, ces échafaudages ! Un

1. *Les Caquets de l'accouchée.*

peu trop précieux même pour autoriser les plus menues galipettes !

Servir de chaperon

A la même mode appartient le chaperon, bien qu'il soit plus ancien que le collet. Au Moyen Age c'était la coiffure qui allait avec la chape (voir p. 332) — un des anciens proverbes dit : « Qui a faite la chape doit faire le chaperon. » Le mot désigne aussi le capuchon de cuir qui enveloppe la tête de l'oiseau de proie pendant les déplacements, et qui l'empêche d'être effrayé.

Au début du XVIIe il était devenu une « coiffure de tête qui avait un bourrelet sur le haut et une queue pendante sur l'épaule ». Il suivit dans le même temps, le même sort que le collet monté. En 1666, dans *Le Roman bourgeois*, Furetière constate sa disparition : « C'est là [l'église des Carmes] que, sur le midy, arrive une caravane de demoyselles à fleur de corde[1], dont les mères, il y a dix ans, portoient le chapperon, qui estoit la vraye marque & le caractère de la bourgeoisie, mais qu'elles ont tellement rogné petit à petit, qu'il s'est evanouy tout à fait. »

Littré définit le chaperon de naguère comme une « personne âgée ou grave qui accompagne une jeune femme par bienséance, et comme pour répondre de sa conduite; locution prise — ajoute-t-il — de ce que cette personne couvre, protège, comme un chaperon ».

Cela se comprend, mais je ne suis pas sûr qu'il n'y ait pas eu aussi dans l'expression l'image du collet monté, comme le dit plus haut Furetière, d'une « vieille femme critique, un grand chaperon ».

1. Elégantes et délurées ?

Le travail

Ici et en Espagne, mal vit qui ne gagne.

Vieux proverbe
(en quelque sorte, prémonitoire...)

Contrairement à ce que l'on pourrait croire le monde du travail n'a pas donné grand-chose à la langue, du moins dans le domaine des locutions courantes. L'artisanat a eu beau fourmiller en façons de parler pittoresques, en images, en comparaisons alertes prises aux outils, aux gestes quotidiens, c'est une parole qui, en France, n'a jamais été reconnue. Au fond, c'est assez logique ; à aucun moment le langage du travail ne s'est trouvé en contact étroit avec les deux pôles extrêmes qui ont été les véhicules majeurs de notre langue : le monde des voyous d'une part, plus hostile encore aux travailleurs qu'à quiconque parce qu'ils en étaient plus proches et aussi les victimes les plus ordinaires — et à l'opposé celui de la bonne société, le beau monde qui ne pouvait avoir que mépris souverain à l'égard des besogneux.

Il faut ajouter que la langue du travail a été longtemps le domaine de prédilection des langues régionales, chez les paysans de toute évidence, mais aussi chez les artisans de tout bois et de tout poil — langues régionales, ou français dialectal dans les régions franciennes, la verve des travailleurs n'avait aucune chance de passer la rampe ! Comme le dit P. Guiraud : « Il y a un tiers état du langage qui a toujours été soigneusement maintenu à l'écart; *on ne mélange pas les torchons et les serviettes.* »

Il est significatif qu'à part quelques généralités, je n'ai pu grouper, parmi les expressions les plus courantes, que des résidus du domaine du tissage et de la couture, le seul (avec celui du commerce bien sûr, traité indépendamment) qui se soit constamment mêlé aux préoccupations du beau monde.

J'ai ajouté quelques locutions venues du théâtre, activité un peu particulière, et dont le contact avec la société polie est, je puis dire, sa raison d'être.

GÉNÉRALITÉS

Les jours ouvrables

Dans les anciennes coutumes, les loisirs, et par conséquent le travail, se réglaient sur l'observance des fêtes religieuses. Outre les dimanches, consacrés au Seigneur, donc aux offices, donc intouchables pour la productivité, il existait au fil de l'année un nombre assez coquet de fêtes de saints de haut renom qui étaient elles aussi obligatoirement chômées.

Chaque paroisse avait un saint patron et il aurait été offensant de ne pas l'honorer dignement par le repos et la fête.

Seuls les plus célèbres de ces « chômages » nous sont restés : le 15 août, fête de la Vierge, le jeudi de l'Ascension, les lundis de Pâques et de Pentecôte, ainsi bien sûr que la Nativité du 25 décembre : Noël. Heureusement, certaines fêtes laïques et nationales sont venues renforcer le lot, suppléant aux Saint-Michel et aux Saint-Martin défaillantes... « Il n'est pas de bonne fête sans lendemain », dit un vieux proverbe qui n'est pas tombé dans l'oreille d'un sourd : nous avons repris récemment l'habitude salutaire de faire, dès que l'occasion se présente, d'agréables ponts pour relier les fêtes

aux dimanches ! Nos ancêtres doivent se frotter les pha-
langes dans leur tombe de nous voir revenus à des coutumes aussi raisonnables.

Donc dans la pratique on peut dire que les « jours
ouvrables » sont aujourd'hui ceux où les bureaux de
poste et les banques sont ouverts, où l'Administration
en général reçoit ses administrés. Le mot ouvrable s'en
trouve rapproché naturellement du verbe « ouvrir »,
comme sur les pancartes des issues secondaires du
métro parisien : « Ouvert de 5 h 30 à 20 heures les jours
ouvrables. » Pourtant ce n'est pas du tout son sens
véritable. Ouvrable est un dérivé de l'ancien verbe
ouvrer, qui signifie travailler. Le mot a donné *ouvrage,
ouvroir,* dans le sens d'atelier, *œuvre,* et bien entendu
ouvrier. La malheureuse enfant du vilain comte d'Anjou et sa vaillante camarade, recueillis par une brave
femme à Orléans, ne restent pas les deux pieds dans le
même sabot :

> Leur ouvrouer* ont apresté   *ouvroir*
> Et se mectent a faire ouvrage;
> Si en font de maintes mennieres,
> Quer* molt en sont bonnes   *car*
>   ouvrieres.
> Nes, quant par jor ouvré avoient,
> Par nuit oiseuses pas n'estoient.

Ouvrer a donc été le mot usuel jusqu'au XVIe siècle, où
il a été remplacé par travailler (voir plus loin).

Vers la fin du XVIIe « ouvrable » était lui aussi tombé
en désuétude, et avait déjà son sens réduit actuel : « Ne
se dit qu'en cette phrase, Jour ouvrable, & signifie les
jours ordinaires de la semaine où il n'est pas fête, où il
est permis de travailler, d'ouvrir les boutiques. On dit
aussi jours ouvriers » (Furetière).

Charles d'Orléans disait justement :

> Et tandis qu'il est jour ouvrier
> Le temps perds quand à vous devise.

355

La cheville ouvrière

Reste également cette appellation figurée de « l'instrument essentiel d'une entreprise », autour de qui tout tourne et s'organise : la cheville ouvrière.

L'expression date du début du XVIIIᵉ siècle : « ... Ils me choisirent d'une commune voix pour leur chef. Je justifiai bien leur choix par une infinité de friponneries que nous fîmes, et dont je fus, pour ainsi parler, la cheville ouvrière » (Lesage, *Gil Blas*, 1715).

Cette cheville-là est à l'origine celle qui effectivement « travaille » énormément sur une voiture à cheval puisqu'elle relie le train arrière à l'attelage du train avant. « La cheville ouvrière d'un carrosse, est une grosse cheville de fer sur laquelle tourne le train de devant, & qui l'attache à la flèche » (Furetière).

Travailler comme un sabot

Donc, on ne *travaille* que depuis le début du XVIᵉ siècle ! (voir ci-dessus). Mais le mot existe depuis beaucoup plus longtemps. Au XIIᵉ siècle le *travail*, voyez l'impertinence, c'était la « torture » — du latin *tripalium*, « instrument de torture, composé de trois pieux ». De là le mot est passé à cette « machine où l'on assujettit les bœufs pour les ferrer » que l'on voit, et que l'on utilise encore sous ce nom, dans les vieux villages. Pendant tout le Moyen Age « travailler » voulait dire « tourmenter, peiner, souffrir, notamment en parlant d'une femme qui va accoucher ». Dans un lai de Marie de France, le chevalier Guigemar, blessé et terriblement amoureux, passe une très mauvaise nuit :

Li est venu novel purpens*   *pensée*
E dit que suffrir li esteut*   *il lui faut*
Kar issi* fait ki mes** ne peut   *ainsi / **plus*

Tute la nuit a si veillé
E suspiré e travaillé.

C'est ce sens original qui est demeuré quand on dit que les soucis « nous travaillent », nous tourmentent, ou bien les rhumatismes, ou même un cor au pied. Il en reste sûrement un relent, dans l'enchaînement « se travailler l'esprit », se tourmenter la matière grise, avec l'expression banale : **travailler du chapeau.**

En tout cas, « travailler », c'est « ouvrer » bien péniblement, avec la sueur qui s'ensuit... « Travaillez, prenez de la peine — dit La Fontaine qui savait le français — c'est le fonds qui manque le moins. »

Quant au sabot, il y en a un qui dort profondément (voir *Dormir comme un sabot*, p. 128). Pourquoi l'autre travaillerait-il comme un dégoûtant ?... Peut-être parce qu'une fois aux pieds les sabots s'agitent, cognent, claquent et font un pétard bien connu — du moins dans une sorte de souvenir collectif... Ce n'est guère convaincant... Il existait un verbe « saboter » qui, au XVIe et au XVIIe siècle voulait dire « secouer, tourmenter »; doublé en cela par « sabouler », un mot plus ou moins issu de lui : « Le bruit courait que vous aviez eu deux chevaux tués entre les jambes, esté porté par terre, saboulé et pétillé aux pieds des chevaux de plusieurs escadrons » (Sully).

Il me paraît plus logique de penser que l'ancien « saboter une personne, la tourmenter » (Oudin) soit venu de la toupie que l'on fouette (voir p. 128) et peut-être même par des voies un peu plus détournées, liées à un autre genre de travail !

Travailler « à coups de trique » ? On rencontre là tout un sémantisme paillard : **travailler comme un manche,** c'est-à-dire comme un pénis, salement — on retombe sur « sabouler » dans le sens de coïter, dès Rabelais : « Les laquais de cour, par les degrés entre les huis, saboulaient sa femme à plaisir » — et d'ailleurs « travailler » lui-même, dès le XVIe siècle également : « Comme le bonhomme Hauteroue disait travaillant sa

357

première femme » (Beoralde de Verville, *in* Guiraud).
Un « sabot » était au XIXᵉ siècle une « fille de la dernière
catégorie, mal faite, mal habillée ». Travailler comme
un sabot, bien que non attesté, serait-il simplement
« besogner comme une imbécile » ?...

Quoi qu'il en soit, dans ces champs tortus qui s'entre-
mêlent, saboter en est venu à signifier « travailler mal,
bâcler la besogne ». De là le *sabotage,* le travail volon-
tairement manqué, puis la malveillance précise destinée
à empêcher le fonctionnement d'une machine, avec le
succès qu'on lui a connu pendant la dernière guerre
mondiale.

Avoir du pain sur la planche

L'expression laisse prévoir une tâche un peu lon-
guette à laquelle il vaut mieux s'atteler tout de suite si
l'on veut espérer en voir le bout. Autrefois, c'était la
notion d'abondance qui dominait, l'idée d'être « paré
pour l'avenir ». *Le Père Peinard* écrivait en 1897 à propos d'un révolutionnaire espagnol sur le point d'être
exécuté : « A huit heures, il cassa la croûte, aussi joyeusement que s'il avait eu un demi-siècle de vie sur la
planche. »

Lionel Poilâne, le célèbre boulanger parisien à qui
rien de ce qui touche à la miche n'est étranger, m'a aimablement communiqué l'information suivante : « Les
paysans avaient l'habitude de faire à l'avance une assez
grande quantité de pain qu'ils rangeaient sur une planche fixée aux solives du plafond au moyen de montants de
bois. Tant qu'ils avaient ainsi du pain cuit, ils disaient
qu'ils avaient du pain sur la planche, expression qui
a été prise au figuré et s'est appliquée à toute personne
ayant de quoi vivre sans qu'elle ait besoin de travailler;
puis, par extension, à avoir du travail en réserve. »

C'est là en effet l'explication traditionnelle, et sans
doute la réalité de base de l'expression.

Cependant le passage de « provisions abondantes » au travail qui attend n'est pas clair; même avec « du pain sur la planche » les paysans avaient besoin de travailler... Il faut tenir compte du fait que l'on disait aussi, dès le XVIIIᵉ, « manger le pain du roi », soit pour être dans l'armée, soit pour être en prison, où effectivement la boule de pain constituait la base du régime alimentaire. Les Anglais disent encore pour être en prison : *to be a host of the Queen* (être l'hôte de la reine).

G. Esnault cite pour 1828 : « planche au pain — banc des accusés », parce que le tribunal délivre des « rations de pain ». Avoir du pain sur la planche c'est donc aussi être condamné à une longue réclusion, et plus précisément sans doute à une longue peine de travaux forcés, dits « travaux publics ». C'est donc dans ce contexte que *Le Père Peinard*, encore, fait en 1899 une variation sur le thème; il cite le cas de légionnaires punis, se faisant exprès condamner à mort par le conseil de guerre pour être délivrés radicalement de leurs peines. « Joubert fichait un bouton à la tête d'un gradé pour être, lui aussi, condamné à mort. J'ai fait ce que je voulais, expliquait-il, en me fusillant on me libérera... A quoi me servirait de vivre? L'espoir m'est pour toujours interdit; j'ai 60 ans de travaux publics sur la planche, mieux vaut en finir de suite. Joubert fut gracié de la mort — mais non de ses soixante ans de martyre. »

Il est plus « normal » en effet que la locution nous soit venue par ces intermédiaires que directement du monde des paysans-boulangers.

Mettre la charrue avant les bœufs

Je ne cite cette expression que pour mémoire et parce qu'elle paraît être la seule à venir plus ou moins directement du monde du travail — encore que par l'absurde, ou peut-être justement à cause de son absurdité. Il faut dire aussi que la charrue est tellement chargée de symboles (la paix, le travail, et même le phallus qui fertilise la terre femelle), outil à la fois virgilien et biblique, qu'elle a toujours eu sans peine droit de cité dans le langage. « Ils forgeront leurs épées en socs de charrue, et leurs lances en faucilles », dit Isaïe, pronostiquant un monde meilleur.

La charrue harmonieusement tirée par les bœufs est depuis toujours l'image même de la logique, de la cause avec son effet; inverser les éléments engendre l'absurde. Car la forme originale de la locution est mettre la charrue *devant* les bœufs. C'est ainsi que l'emploie Rabelais en transformant la charrue en « charrette », dans l'enfance de Gargantua, lequel, entre autres incohérences, « mettoyt la charrette devant les bœufz ».

C'est à cause de l'ambiguïté de *devant,* qui pendant longtemps a voulu dire soit « avant », comme dans « ci-devant », soit devant, « en face », que l'on a fini par interpréter « avant les bœufs », et donner à l'expression le sens de faire les choses dans le mauvais ordre, généralement pour vouloir trop se presser. L'idée d'incohérence semble plus forte dans cette phrase d'un *Arrêt d'amour* du xveᵉ siècle : « tournant à chaque propos la charrue contre les bœufs ».

Vivre aux crochets de quelqu'un

Les crochets qu'indique cette locution fort courante ne sont ni ceux du boucher ni ceux de la dentellière. Il s'agirait des crochets des anciens commissaires, selon Littré : « une sorte de hotte ouverte », fixée aux épaules par des bretelles, sur laquelle les portefaix plaçaient les objets qu'ils portaient à dos. *Etre sur les crochets,* ou aux crochets de quelqu'un, c'est donc d'abord lui faire porter son fardeau, puis se décharger sur lui du poids tout entier de ses soucis matériels. « Nous avons déjà séjourné quinze jours sur mes crochets, je vous prie que nous comptions ensemble », s'indigne un personnage de Regnard. (Voir aussi *Saint-frusquin,* p. 260.)

« On dit aussi figurément : Allons dîner ensemble chacun sur nos crochets; c'est-à-dire, à nos dépens, & chacun payant son écot », indique Furetière. Je me demande si ces crochets, toujours liés à l'idée de nourriture, ne sont pas après tout d'un usage plus banal que ceux des porteurs. Pour cueillir certains fruits, sur les arbres ou dans les haies, il faut se munir d'une perche en forme de crochet, afin de ramener vers soi, à portée de la main, les branches éloignées où l'on ne peut atteindre. C'est une technique vieille comme le monde particulièrement utile pour la cueillette des cerises et aussi des mûres dont les gens étaient friands au Moyen Age. On disait « aller aux mûres sans crochets », vieux dicton qui signifiait entreprendre une chose sans en avoir les moyens.

Vivre sur les crochets de quelqu'un pourrait très bien vouloir dire à l'origine : s'alimenter paresseusement sur la récolte de celui qui fait tout le travail de la cueillette. L'expression se serait par la suite croisée et remotivée avec les hottes des porteurs. C'est une hypothèse.

Avoir bon dos

« On dit qu'un homme a bon dos, pour dire qu'il a moyen de faire les frais de quelque entreprise, de quelque partie que l'on veut faire tomber sur lui », dit Furetière, et je crois que l'expression est assez parlante pour se passer de commentaire. Seulement, je trouve assez joli ce passage des *Caquets de l'accouchée* où elle est employée au sens propre par la femme d'un échevin, « conseiller municipal » de Paris, laquelle propose déjà au début du règne de Louis XIII une solution originale au délicat problème du sous-emploi et des troubles qui en naissent immanquablement :

« Il y a tant de pauvres maintenant, dit une fruitière

des Halles, que nous en sommes mangés. Je ne sais comment on ne fait pas un règlement sur le désordre...

— Il y a un moyen très facile d'y remédier, dit la veuve d'un échevin. Premièrement, ou les pauvres sont impuissants, ou habiles à faire quelque chose : si impuissants des bras, il faut les employer aux réparations de la ville, ils ont bon dos; si impuissants des jambes, il faut les mettre en un lieu à part, et leur apprendre à travailler des mains. S'ils peuvent faire quelque chose, à quoy bon de voir tant de gueux par les rues ? Mercy de ma vie ! J'en parle comme sçavante, car dernièrement ils me pensèrent voler en mon logis. »

Plus de trois siècles et demi et à peine une ride !

LA COUTURE

De fil en aiguille

La quenouille et le fuseau sont des symboles de l'industrie ménagère, le fil et les aiguilles les outils féminins par excellence. Même dans la haute société du Moyen Age, grande brodeuse et tapissière, on les trouve constamment aux doigts des dames et des demoiselles.

Il est naturel que des propos qui s'enchaînent l'un sur l'autre, comme le fil conduit vers l'aiguille — non pas « tout d'un fil », mais çà et là sur le tissu, dessus puis dessous, un point en emmenant un autre, jusqu'à l'aiguille enfin qui est comme l'agent et le point crucial de tout récit — naturel que de tels propos viennent « de fil en aiguille ». La locution est déjà fixée en 1280, et apparaît telle quelle dans le *Roman de la Rose* :

> Ainceis* que Venus se despueille**,   *avant / dépouille*
> li content de fil an agueille
> tretout quan que leur apartint*.   *toute leur affaire*

C'est peut-être par opposition que l'on disait aussi à

362

la même époque *de fil en lice,* pour d'un bout à l'autre, tout uniment — la lice étant la pièce de bois qui tend le fil sur le métier à tisser :

Car il savoit de fil en lice[*]   *entierement*

Quanque prodom avoit mestier[*]   *besoin*

A pais faire et à guerroier.

Donner du fil à retordre

Retordre du fil c'est prendre deux ou trois fils simples et les tordre ensemble afin de donner un nouveau fil à deux ou trois brins, plus solide par conséquent que chacun des brins pris séparément. C'est une opération qui, lorsqu'elle était faite à la main, présentait des difficultés; d'abord parce qu'il fallait utiliser plusieurs canettes et posséder un certain doigté, ensuite parce que chacun des brins filés au fuseau n'étant pas d'une grosseur uniforme, les épaisseurs ou les minceurs se conjuguant au retordage, il était particulièrement difficile d'obtenir un fil *retors* raisonnablement uni, sans trop de bosses ou de parties ténues.

Ce travail donnait un mal de chien, et il me semblerait justifier suffisamment l'expression « donner du fil à retordre », par comparaison au filage proprement dit qu'une fileuse entraînée depuis l'enfance effectuait par routine et sans y penser. « On dit aussi qu'on a bien donné du fil à retordre à quelcun, pour dire qu'on lui a bien donné de la peine et de l'embarras » (Furetière).

Toutefois, P. Guiraud est d'une opinion différente : « Donner du fil à retordre, " donner de la peine " me semble — dit-il — un jeu de mots technique, les métiers étant une des principales sources de ce type de calembours. La *peine,* en effet (du latin *pedimus*) désigne le fil de la chaîne d'une étoffe et qui forme une frange lorsqu'on enlève la pièce du métier. Cette *peine* est donc un fil qui doit être tordu, retourné à l'intérieur de la trame pour former la lisière. »

Outre que retourner cette frange n'est pas « retordre » (le mot semble avoir toujours eu un sens technique précis), on voit mal comment cette opération très simple, et qui ne donne précisément aucune « peine », aurait pu produire le calembour. Par contre « tordre » véhicule une idée d'adresse ou de force physique, avec le sens parfois de maîtriser quelque chose, dont « retordre » a dû profiter. Je n'arrive pas à le tordre, peut vouloir dire « je ne peux pas en venir à bout ».

Etre cousu de fil blanc

L'essentiel pour une couture est de passer le plus possible inaperçue, surtout s'il s'agit d'un rapiéçage. La meilleure façon de la rendre discrète est d'utiliser du fil de la même couleur que le tissu; sur une étoffe teinte en foncé, comme l'est généralement celle de nos habits, l'erreur est de coudre avec du fil blanc, celui qui tranche le plus et fait ressortir davantage la pièce rapportée. « Vos finesses sont cousues de fil blanc, enfin tout le monde les voit », dit en 1594 la *Satyre Ménippée*.

Filer du mauvais coton

« On dit proverbialement, Cela jettera un beau coton, pour faire entendre, qu'une chose mal entreprise produira un mauvais effet & qu'elle sera désavantageuse à ceux qui l'ont commencée. Cette façon de parler, quoiqu'elle ait passé de la vile jusqu'à la Cour, est basse & ridicule. » Tel était le sentiment de Furetière sur cette expression et c'est peut-être pour être moins ridicules que nous disons, depuis le XIXe siècle, « filer du mauvais coton ».

P. Guiraud, suivant en cela M. Rat, donne ici une interprétation arboricole : « Filer un mauvais coton,

" être dans un mauvais état de santé ou d'affaires ", s'explique par la forme primitive de l'expression qui est jeter un mauvais coton. Jeter signifie " émettre une sécrétion ". On dit par exemple jeter sa gourme qui est une sorte d'inflammation boutonneuse qui atteint les petits enfants [...]. Jeter un mauvais coton aura donc pu se dire d'un cotonnier qui produit des boutons maladifs, et *coton* aura entraîné la pseudo-motivation filer. »

Sans vouloir porter ombrage à l'éminente érudition de M. Guiraud, je trouve assez étonnant que les gens du XVIIe siècle, et le peuple de Paris de surcroît, se soient intéressés d'aussi près aux cotonniers, ces arbres exotiques d'Inde ou d'Égypte, au point de nommer, sans les avoir jamais vus, une de leurs maladies possibles, et d'en faire une locution courante... Tout au plus pouvaient-ils savoir — Olivier de Serres le dit — que les cotonniers « jettent » du coton, et à la rigueur en faire une plaisanterie. Une étoffe vieillissante « jette » en effet une bourre cotonneuse qui est la marque de son usure, et qui laisse prévoir des déchirures, des accrocs, bref une détérioration complète du tissu dans un prochain avenir. C'est là l'interprétation donnée par G. Esnault, lequel note aussi pour 1692 « jeter un vilain coton ».

Par contre, il semble logique que le « coton » de la locution ait conduit à « filer », peut-être à cause des premières machines défectueuses au XVIIIe siècle, peut-être aussi par attraction avec une autre expression courante et ancienne : *filer sa corde,* qui voulait dire se livrer à des activités qui ne pouvaient qu'entraîner une fin désastreuse.

> Qui plus despend que n'a vaillant
> Il fait la corde à quoy se pend. (Cotgrave.)

Il y a là une parenté certaine, surtout au sens que relève Furetière de chose « désavantageuse à ceux qui l'ont commencée », qui a pu produire le croisement.

Faire la navette

Une navette (diminutif de *nave,* ou *nef,* vaisseau, à cause de sa forme en « petite barque ») est l'outil du tisserand qui va et vient inlassablement sur la chaîne du métier à tisser pour passer le fil de la trame. Le sens d'aller et retour constants parle de lui-même. Elle a prêté à d'autres comparaisons; selon Furetière, « on dit proverbialement d'une femme qui caquette bien, que la langue lui va comme une navette de tisserand ».

Battre à plate couture

Les étoffes robustes et épaisses d'autrefois n'étaient pas d'un maniement aisé, particulièrement les draps de laine dans lesquels on taillait les vêtements. Les coutures neuves se pliaient mal et formaient des bourrelets

qu'il fallait aplatir et assouplir en les battant vigoureusement à l'aide d'une courte latte. Bel exutoire sans doute pour le tailleur, que cette raclée assenée symboliquement au client par justaucorps interposé ! De là probablement *rabattre les coutures à quelqu'un,* lui passer la bastonnade, et rabaisser son orgueil, comme si l'on exécutait le travail de finition sur le dos même de la personne.

Quant à battre à plate couture, le passage est moins évident. L'expression semble s'être appliquée de bonne heure à une troupe ou à une armée « défaite ». On trouve au XVe siècle chez Ph. de Commynes : « Ceux là furent rompus à plate couture et chassés jusques au charroy. » Plus tard Furetière dira : « On dit figurément qu'une armée a été défaite à plate couture; pour dire, entièrement & sans ressource. »

Or, il arrive que dans la bataille l'habit maltraité se rompe, que les coutures, à force d'être « battues à plat », s'écartèlent, sur le bonhomme. Rutebeuf, au XIIIe siècle, fait cette curieuse description :

Toute est deroute˙ (la robe)   <small>rompue, dispersée</small>
                               par devant
N'i resmest mes˙ couture entière   <small>reste plus</small>
Ne par devant ne par derrière.

Il est possible qu'il y ait surimposition d'images entre la dislocation d'un habit et le démantèlement d'une armée « défaite ». De plus il existait dans l'ancienne langue un verbe *coutre* qui à côté de *cosdre* voulait dire aussi bien « coudre » que « se jeter dans la mêlée », ainsi que *cotir,* pour « heurter de front ». Dans le *Roman de la Rose* un rocher est ainsi battu par la mer :

Li flot la hurtent et debatent,
qui tourjouz a lui se conbattent,
et maintes foiz tant i cotissent
que toute en mer l'ensevelissent.

Je pense que les *costures,* « désarrois », et les *coustures* « bien battues » ont dû ainsi que les *déroutes* faire s'emmêler quelque part les gestes brutaux du tailleur avec les assauts de ceux qui, non moins brutalement, « en décousent ». Cela aura rapproché par jeu de mots les défaites à plate couture et les écrasements sans merci.

Passer au bleu

Ce qui passe au bleu, qui est « escamoté », est précisément une chose qui ne dépend pas de nous, mais que l'on attend, soit parce qu'on la désire (une augmentation, des vacances), soit parce qu'on la redoute (une amende, une facture). Dans tous les cas, il y a quelque chose d'un peu illicite dans l'opération. En outre si nous en sommes l'exécutant nous faisons passer quelque chose au bleu.

Ces remarques font que je ne suis pas entièrement persuadé que l'explication que donne M. Rat de cette locution soit la bonne, mais je n'en ai pas d'autre ! Elle viendrait selon lui d'un temps où les ménagères, ne disposant pas de la pléthore des détergents actuels pour laver leur linge sale en famille, ne pouvaient compter pour escamoter les traces rebelles que sur une poudre de cobaltine appelée bleu d'azur ou bleu de lessive, laquelle donnait au tissu une vague teinte bleutée lors du dernier rinçage.

Certes, on passait effectivement « le linge au bleu », mais ça n'avait rien de louche ni de décevant pour qui que ce soit.

Dans un sens un peu analogue les Anglais disent *Wash-out* (lavé, lessivé). Leur mot vient du jargon de la marine au temps où les messages étaient écrits sur une ardoise que l'on transmettait et que l'on « essuyait » après usage. On pouvait donc les « laver » avant qu'elles aient atteint leur destinataire. Le mot était en vogue pendant la Première Guerre mondiale — se pourrait-il qu'il y ait eu des pratiques similaires dans notre marine ?...

Parler à la cantonade

Parler à la cantonade c'est parler haut dans une assistance où l'on ne s'adresse à personne en particulier. « La patronne du café parut à la porte de l'arrière-salle et cria, à la cantonade : " On demande Thibault au téléphone " » (Martin du Gard).

L'expression vient du langage du théâtre. Un acteur lance une réplique à la cantonade lorsqu'il s'adresse à des personnages qui ne sont pas en scène, et que l'on suppose évoluer en coulisses, au-delà du décor. En effet on appelait autrefois cantonade « l'un et l'autre côté du théâtre, où une partie des spectateurs était assise sur des bancs ». Pourquoi ce mot ?...

En occitan la *cantonada* (prononcé « cantounada ») désigne l'angle extérieur des murs d'un bâtiment, formé de l'imbrication des grosses pierres de taille qui en assurent la solidité — autrement dit le coin de la maison. C'est la même famille angulaire qu'un *canton* (« cantou »), un coin, spécialisé quelquefois en « coin du feu ».

L'usage de l'expression remonte à la fin du XVIIe siècle : « le mot a probablement été introduit en français par une des nombreuses troupes qui ont joué temporairement dans le Midi » (Bloch & Wartburg). Cette hypothèse me paraît d'autant mieux fondée que ces troupes dressaient, comme aujourd'hui les soirs d'été, leurs tréteaux en plein air, adossés à une maison ou une grange du village, et que la scène se trouve alors délimitée de chaque côté par les deux *cantonadas* de la façade ou du pignon qui servent de « fond de théâtre ».

Beaucoup de gens lancent aujourd'hui leurs propos à la foule; hommes politiques, harangueurs, prêcheurs et échotiers télévisuels s'adressent, en quelque sorte, à la

cantonade... Délicate ironie des sources : souvent cela
veut dire qu'ils parlent, en fait, à des coins de murs !

Faire un four

Ce four, à juste titre tant redouté par les gens du
spectacle, a déjà fait couler beaucoup d'encre — noire
bien entendu. Quand le four est passager, et comme
accidentel — « Ce soir on a fait un four, il n'est venu
personne » — c'est un moindre mal; mais l'expression
s'applique généralement à un échec définitif : la pièce a
fait un four, le film a fait un four — ils ont été retirés
très rapidement de l'affiche par manque de public, avec
tous les désagréments financiers que cela comporte.

On y a vu des tas d'explications. Pour Littré qui
donne également *faire four* comme usuel au XIXᵉ siècle,
l'image venait de l'obscurité de la salle les soirs où on
ne jouait pas, faute de spectateurs — salle « aussi noire
qu'un four ». Certains ont retenu une expérience de
couveuse artificielle — un four où les œufs mis à incu-
ber avaient cuit dur au lieu de donner des poussins;
anecdote impossible comme souvent dans ces cas-là,
parce que l'expression est beaucoup plus ancienne.

M. Rat suppose un jeu de mots, sur « pièce de four »,
tarte ou galette, et qu'on a appelé ainsi, « au figuré,
pièce de four, une pièce jouée par une température
caniculaire, où le public fuyait les salles de spectacles ».
Furetière ne propose rien mais il donne l'expression
intacte, inchangée depuis le XVIIᵉ siècle : « En termes de
comédiens, on dit, Faire un four, pour dire qu'il est
venu si peu de gens pour voir la représentation d'une
pièce, qu'on a été obligé de les renvoyer sans la jouer. »
Cela arrivait donc déjà dans le bon vieux temps !...

Je crois que l'érudit Gaston Esnault fournit la véritable clef du problème. Il relève au XVIᵉ siècle dans la
langue des malfrats, le mot *éclairer* au sens d'« apporter de l'argent » — à cause de la brillance de l'or, je

présume, peut-être même plus précisément par jeu sur les fameux « écus au soleil » (voir *Avoir du bien au soleil*, p. 221). Toujours est-il que le mot s'employait encore au siècle dernier dans des sens dérivés; Delvau dit « éclairer, montrer son porte-monnaie à une fille avant de l'engager », et Littré cite le respectable « éclairer le tapis, mettre devant soi la somme que l'on veut jouer ».

Donc une pièce qui « n'éclaire pas », dit G. Esnault, ne rapporte aucun argent, aucune recette. Dans ces conditions et par opposition de métaphore : « il fait noir, dont le superlatif est, comme dans un four ». Il relève dans l'argot des voleurs à la tire en 1911, faire un four, pour « ramener un porte-monnaie vide », et dans le langage des comédiens en 1866 : « avoir le vicomte du Four dans la salle, prévoir que le spectacle sera sifflé ».

Ces raisons me paraissent d'autant plus convaincantes que le four comme symbole d'obscurité — donc de « non-éclairage » — est très ancien : « Il pleuvait et gelait et faisait noir comme dans un four », au début du XVIe siècle, et Furetière dit : « On appelle figurément & hyperboliquement un four, un lieu obscur & sombre. Je ne veux point de cette chambre, c'est un four. »

D'autre part, il faut savoir que les comédiens ont toujours plus ou moins fait partie de la catégorie des gueux — et ça ne s'arrange guère! Jusqu'à une époque récente où ils se sont recrutés dans la bourgeoisie, ils étaient d'origine et de fréquentation que d'aucuns diraient canaille, la vénalité de leur emploi les assimilant presque, les femmes surtout, au monde de la prostitution. Aux XVIe et XVIIe siècles, à la fois recherchés et mal acceptés, ils menaient une existence quasi errante, et à part les quelques vedettes des créations connues, ils vivaient dans un univers plus proche de la cour des Miracles que de celle du Louvre ou de Versailles. Il n'est donc pas surprenant qu'ils aient employé le langage codé du type « éclairer » et « faire un four » à l'instar du premier tire-laine venu.

Reste qu'il est tout de même assez ironique qu'un « four » soit précisément ce qui ne produit pas de « galette » !

Faire un bide

Plus moderne, mais non moins désagréable, est le bide, l'échec complet, qui s'emploie de plus en plus parmi les professionnels à la place du « four », calquant d'ailleurs la même construction : on a *fait* un bide, ou un *bide noir,* par glissement de « four noir ».

Au départ, le bide s'applique à un échec personnel, celui du comédien qui *prend,* ou *ramasse,* ou *se tape un bide,* qui n'obtient pas sur le public l'effet désiré, après une tentative précise, dans un « morceau » sur lequel il comptait, pour briller un tantinet.

Le bide, naturellement, est le raccourci du bidon. Or on disait autrefois d'un acteur qui avait raté ses effets qu'il « sortait » ou « partait sur le ventre ». En effet dans l'ancien théâtre — pas si ancien d'ailleurs ! — la technique de l'entrée en scène, et surtout de la sortie, était particulièrement étudiée. Un acteur expérimenté soignait sa sortie à l'aide d'« effets spéciaux » : gesticulation fulgurante, coup de gueule magnifique, appel du pied, n'importe quoi de surprenant ou de spectaculaire qui faisait passer un frisson dans la salle et déclenchait la claque magique ! Car ces trucs de métier déclenchaient les bravos et étayaient la réputation d'un interprète. D'où les expressions *faire une sortie* et **rater sa sortie.**

Un comédien qui ne savait pas faire sa sortie était un minable. Mais le comble d'une sortie ratée était sûrement que dans un bel élan pathétique l'acteur fougueux se prenne le pied dans un morceau de tapis ou d'accessoire et s'étale de tout son long avant d'avoir atteint la coulisse... Sifflets, huées, consternation, une fuite à

vous faire chavirer l'honneur d'un histrion ! Je crois que
« partir sur le ventre » est une allusion à cette catastrophique éventualité, et que le « bide intégral » en est
découlé.

D'autre part, on trouve « ramasser un bidon » dès
1881 dans le sens de s'enfuir — la « gamelle » ne devait
pas être loin !

Avoir le trac

Il ne semble pas que les comédiens aient le trac
depuis très longtemps ; du moins s'ils avaient cette
« peur ou angoisse irraisonnée que l'on ressent avant
d'affronter le public », ils n'avaient pas le mot. Le trac
semble dater de la première moitié du XIXe siècle, mais
Littré l'ignore, ce qui indique qu'il n'était pas en usage
courant avant la fin du siècle. Cependant, il ne semble
pas être de formation argotique car il est passé tout de
suite dans la langue familière de la bonne société. Les
Goncourt notent dans leur *Journal* à la date du
3 mars 1885 : « Au fond, cet article du *Gaulois* me
donne le trac. Car si ce soir, il y a quelques sifflets, avec
tout ce qu'il y aura dans la salle de mauvaises disposi-
tions latentes, chez la plupart de mes confrères, c'est
une partie compromise, un four quoi, encore » (*in*
Robert).

La formation du mot tient peut-être au claquement
des dents de celui qui a très peur — et donc aussi un
très gros « tracas » ! Furetière signalait déjà le trac sous
forme de bruit : « Terme factice & populaire, qui
exprime le bruit d'une chose qui se remue avec violence, & qui a donné le nom au jeu du Triquetrac. » En
tout cas son premier emploi paraît venir non du théâtre, mais du collège. G. Gougenheim cite un « petit vocabulaire collégien » de 1845 où le trac apparaît avec définition et exemple : « Trac, taf (avoir le —). Avoir peur,
caponner : Adrien a le trac quand Laveau veut le bûcher

(le battre). » Ce même ouvrage[1] donne pour exemple dans la même liste : bahut, cafarder, voyou, etc., pour appartenir à un jargon encore relativement secret, ainsi d'ailleurs que copain, pion et truc, lesquels sont des mots de très ancien français et dont les deux premiers au moins ont effectivement repris essor chez les collégiens du XIXe.

Cela dit, ces mots de 1845 avaient peut-être un demi-siècle d'existence ou davantage entre les pupitres. J'ajoute aussi qu'ils étaient familiers mais certes pas vulgaires ! Ce monde de petits bourgeois fortunés qui peuplaient les collèges ne se seraient pas permis ! Ce qui tendrait à expliquer que le trac ait pu réapparaître quelques dizaines d'années plus tard sous la plume des écrivains et des échotiers, par allusion familière aux bancs des écoles où ils l'avaient appris.

Faire une panne

Voilà un terme qui dans le métier de comédien brûle d'actualité, un jargon technique en plein apogée. La panne, c'est le petit rôle, celui que personne ne voit, au théâtre ou au cinéma, l'éternel « Madame est servie » du Boulevard classique, la réplique unique, le personnage d'appoint, qui n'a pas de nom à lui, qui est juste indiqué sur les textes par « un valet », ou « un passant », ou « une cliente », ou « la dame au chien »...

La panne est juste au-dessus de la figuration muette, le type qui croise le héros dans le film et qui lui donne l'heure, ou lui indique « Trois rues à droite, vous pouvez pas vous tromper », avec un geste du bras dans la direction. On lui répond « Merci » et il sort du champ.

Mais tout cela est répété et donne lieu à une prise de vues spéciale. Pendant une heure ou deux, le temps qu'on règle la technique, qu'on le maquille, pendant

1. *Les Mystères des collèges* d'Albanès, Ed. G. Havard, 1845.

qu'il reprend avec plus de voix, moins, un geste plus ample, ou plus décidé, le bonhomme se sent acteur. Tout à coup le monde s'intéresse à lui, la maquilleuse, le metteur en scène s'inquiètent à son sujet. L'autre, le comédien en vogue lui adresse un regard...

L'assistant du cameraman vient lui coller son posomètre sous le nez d'un œil vigilant, puis crie « C'est bon » à son camarade qui derrière l'œilleton lui demande soudain de se pousser d'un demi-pas, pour le cadrage... Il se sent important, il fait son métier, il recommence à croire à l'avenir. Le clapman crie : « *L'amour vient des nuages*, huit, première !... » Il se donne du mal, il est très attentif à bien articuler sa phrase, à la sortir au moment précis, comme s'il l'inventait toute chaude. C'est difficile de but en blanc, en si peu de temps, de lui donner toute la richesse, la justesse, le naturel et la profondeur qu'il faudrait... Il demande après au metteur en scène si ça allait. « Parfait ! » dit l'autre, qui de toute façon coupera tout ça au montage, ne laissant qu'un éclair, qu'une éclipse, un bout d'aperçu. « Magnifique !... »

Mais on paie la journée entière, c'est bien le moins avec toute l'attente, convoqué le matin pour passer en définitive juste avant que le soleil se couche. Quelquefois on paie deux jours, il peut y avoir un raccord. Pour le loyer c'est bien important, pour la note du gaz...

Petit rôle de débutant ? Pas toujours, ça fait des fois trente ans qu'ils débutent comme ça, d'un plateau sur l'autre, de trottoir en rue, d'une loge à cinq à une loge à douze. Elles ont parfois des cheveux blancs les pannes, et des poches sous les yeux, à force d'avoir vu si souvent les premiers rôles s'évanouir...

Panne au XIXe siècle a signifié misère — par extension, semble-t-il, du sens « arrêt d'activité ». (Voir *Tomber en panne*, p. 245.) « Ah ma pauvre fille il y a donc de la panne ! » dans Zola. Il s'est forgé un adjectif : « panné — Terme populaire. Misérable. Il est bien panné. Il a un air panné » (Littré). C'est bien le sort de ceux qui ont de temps en temps un « rôle ingrat ou de peu d'importance » (Esnault). Le Bloch & Wartburg dit superbement : « *Panne*, de l'argot des théâtres, est une spécialisation de " misère ". »

Oui, les mots eux aussi se spécialisent !

Courir le cachet

L'enchaînement doit être ici un des meilleurs du livre. Courir le cachet, pour un comédien, c'est chercher à se faire employer, là et ailleurs, un petit rôle par-ci, un autre par-là — le « cachet » étant le salaire.

Le mot a une origine connue, qui ne vient d'ailleurs pas du théâtre, mais de l'enseignement, et que M. Rat résume clairement : « L'expression s'applique à un professeur besogneux, et vient de ce qu'autrefois on appelait *cachet* la carte ou coupon de carte qu'un élève à domicile remettait à son professeur qu'il recevait et qui permettait ensuite de régler le compte global des leçons, au bout d'un délai convenu. » Il fait une citation qui, le premier étonnement passé, n'est pas du tout de San Antonio mais d'un certain F. Soulier : « Béru était un grand violon, et il s'était longtemps crotté à courir le cachet. »

Comme on le devine par cet exemple l'expression s'est introduite dans le domaine du spectacle par les musiciens et les danseurs qui, à la fois interprètes et professeurs, donnaient des leçons à domicile. Ils couraient le cachet précisément lorsqu'ils n'avaient pas suffisamment d'engagements pour vivre.

La santé

Débonnaire mire fait plaies puantes.

Vieux proverbe
(où le mire est un médecin.)

On a tout dit sur la santé quand on a rappelé qu'il vaut beaucoup mieux être riche et bien portant que pauvre et malade. Jusqu'au XVIIᵉ siècle au moins la médecine agissait selon ce bon vieux précepte. Les docteurs étaient savants; ils se référaient exclusivement à Aristote et aux textes des praticiens grecs et latins, avec leur maître Esculape. Si les maladies étaient bénignes, les gens guérissaient, avec la protection des saints qu'ils invoquaient, en plus, copieusement; si elles étaient graves ils mouraient, avec la bénédiction des mêmes. Toute proportion gardée pour ce qui concerne la notion de gravité et le culte des saints, les choses ne sont pas très différentes aujourd'hui.

Reprendre du poil de la bête

Expression remarquable, qui de nos jours est comprise comme une marque de vitalité animale dans la santé reconquise, visible au lustre du poil et à la bonne mine du convalescent — « Oh! mais je vois que vous avez repris du poil de la bête ! »...

Ce n'est pas exactement son sens véritable. Cette façon de parler constitue l'héritage d'une ancienne croyance qui remonte aux Romains, selon laquelle il fallait poser sur la plaie un poil du chien qui vous avait mordu. Autrement dit, guérir le mal par le mal. On disait autrefois « Aller au poil du chien » ou « retourner à la bête » : refaire ce qui nous a blessé ou provoqué du désagrément. Les Anglais, restés près de la tradition antique, disent : *take a hair of the same dog that bit you* (prenez un poil du chien qui vous a mordu), et l'appliquent volontiers au remède bien connu qui consiste à avaler un verre d'alcool le lendemain d'une cuite pour chasser la gueule de bois.

C'est dans ce sens que l'expression était également employée chez nous, comme l'explique Furetière en d'autres termes : « On dit aussi à celui qui a mal à la tête le lendemain qu'il a fait la débauche, qu'il faut reprendre du poil de la bête, qu'il faut recommencer à boire. » Le dicton était en usage dès le xvᵉ siècle :

Il fault retourner aux bons vins
 Comme à la beste
Qui vous a mis ces tintouins
Et ce mal dans la teste. (Basselin.)

Plus tard Rabelais faisait lui aussi l'amalgame de la morsure et du flacon dans cette sentence célèbre :
— Remède contre la soif ?
— Il est contraire à celluy qui est contre la morsure de chien : courrez toujours après le chien, jamais ne vous mordera; bevez tousjours avant la soif, et jamais ne vous adviendra.

Courir comme un dératé

Mis à part son rôle utilitaire en cas de besoin impérieux, la course à pied a toujours fasciné les foules, soit dans la compétition directe d'homme à homme, ou par animal interposé. Hélas ! nous savons tous depuis l'enfance que même les plus ingambes et les plus résistants au souffle sont sujets à une faiblesse commune : le fameux « point de côté » qui vous plie en deux et vous oblige à vous arrêter.

380

Les Anciens croyaient que c'était la rate, organe un peu mystérieux, qui dilatée par l'effort causait cette douleur poignante (de *poindre*, piquer) au-dessous des côtes. Les Grecs et les Romains avaient donc essayé de remédier à cet inconvénient chez leurs champions du stade par un traitement approprié que décrit Pline l'Ancien : « La prèle employée en décoction dans un récipient de terre neuf, qu'on a rempli jusqu'au bord et qu'on a laissé réduire d'un tiers, consume, bue pendant trois jours par hémines, la rate des coureurs, qu'on prépare à ce traitement par une abstinence de toute matière grasse ou huileuse durant vingt-quatre heures » (cité par M. Rat). En fait ils inventaient la diététique !

Encouragés par ce texte, et par les progrès naissants de la médecine, certains chirurgiens de la fin du xvie siècle résolurent d'apporter au problème une solution radicale : l'ablation pure et simple de ce viscère encombrant. Le *Dictionnaire de Trévoux* fait de cette expérience un récit désapprobateur à l'article *dérater* : « Ce mot fut mis en usage par une secte de Chirurgiens qui s'éleva il y a environ un siècle. Ils prétendaient que l'homme tirerait de grands avantages, s'il se faisait ôter la rate, ce qu'ils appelaient " dérater ". Les chiens auxquels ils avaient fait cette cruelle et bizarre opération ne moururent pas sur le champ, mais peu de temps après, ce qui fut cause qu'aucun homme ne voulut se faire dérater, pour jouir des prétendus avantages que vantaient les auteurs de cette opération. »

Pourtant la blague a fait fortune : on dit « courir comme un dératé », précisément en mémoire de ces expériences qui furent accueillies par une franche rigolade. La même ironie fait dire : se fouler, ou ne pas **se fouler la rate.**

Cependant, cet organe avait pour les anciens docteurs un autre inconvénient : il sécrétait la bile noire, cause de chagrin et de mélancolie — d'où **se faire de la bile.** « Il ne faut pas que vous vous fassiez de la bile noire », dit Mme de Sévigné. Il fallait donc à tout prix désengorger la rate, exactement la **désopiler** (le contraire d'*opiler*, « boucher »), afin de retrouver son insouciance, sa gaieté et bien sûr son rire! « On dit de ceux qui se réjouissent, qu'ils s'épanouissent la rate », remarque Furetière.

Dans ces conditions un « dératé » est devenu aussi pendant un temps une « personne gaie, alerte, étourdie ». « Petite dératée — note Larousse : jeune fille délurée, qui en sait long pour son âge... » Ah! ces coquins de vieux chirurgiens! On se demande s'ils n'avaient que la course en tête!...

Avoir du cœur au ventre

Si nous disons que quelqu'un a du cœur au ventre c'est bien sûr parce que nous employons « cœur » dans le sens de « courage », suivant en cela l'ancienne anatomie grecque qui logeait dans cet organe essentiel aussi bien l'affectivité, la sensibilité, que le courage, et même l'intelligence — ce dernier locataire nous ayant valu au xiiie siècle d'apprendre et de **savoir** une chose **par cœur**! (On a même dit autrefois *souper par cœur*, en quelque sorte « par la pensée », là où nous dirions aujourd'hui se serrer la ceinture. « Dieu sçait combien de fois elle m'a fait souper par cœur, les jours qu'elle estoit de festin chez ses compagnes », raconte la vieille Agate du *Francion*, parlant de sa patronne.)

Mais le « cœur au ventre » n'implique pas que le cœur ait été placé alors plus bas qu'aujourd'hui. Simplement pour les gens du Moyen Age la notion de ventre était plus étendue que pour nous; le mot désignait aussi bien l'abdomen que la cavité de la poitrine et parfois même l'intérieur de la tête : ventre supérieur, ventre moyen, ventre inférieur, le seul que nous ayons conservé. Cela explique mieux l'expression être sur le dos et être « sur le ventre ». Au xviie siècle on appelait encore la poitrine le « petit ventre ». D'Aubigné relatant l'assassinat d'Henri IV écrit : « L'assassin tira de sa manche un couteau, duquel il lui donna dans le petit ventre. »

Ce n'est donc pas pour faire surréaliste, mais au sens propre, que dans l'ancienne langue on parlait de « cœur au ventre ».

Mout ai le cuor du ventre irié*   *en colère*
et bien sachiez que tuit li membre
me frémissent...

dit Guillaume de Lorris séparé de sa « rose ». Furetière résume clairement la situation anatomique d'autrefois : « Ventre signifie aussi poitrine & c'est en cette seconde concavité où est situé le cœur. En ce sens on dit de celui à qui on ôte ce qu'il aime, c'est lui arracher le cœur du ventre, & de celui qu'on a encouragé, on lui a rémis le cœur au ventre. »

Dans *Les Deux Amants* de Marie de France il se produit ainsi un bien douloureux arrachement : un jeune garçon de quinze ou seize ans, exténué d'avoir porté sa petite fiancée jusqu'en haut d'une colline, tombe raide mort d'épuisement :

Sur le mont vint; tant se greva*   *peina*
Illoc cheï*, puis ne leva :   *tomba là*
Li quors* del ventre s'en parti.   *cœur*

Ce qui est triste c'est la fin de l'histoire, et le tourment de la gamine, qu'à l'époque (vers 1180) on appelait « meschine »... Je la donne parce qu'elle est jolie, et parce qu'elle servira par la suite :

La pucele vit son ami,
Cuida* k'il fust en paumeisons**   *pensa / pâmoison*
Lez lui* se met en gennuillons;   *près de lui*
Son beivre* li voleit doner*   *boisson / une potion magique qu'ils avaient*
Mes il ne pout od li parler
Issi murut com je ovus di [...]
Or vus dirai de la meschine.
Puisque son ami ot perdu,
Onkes si dolente ne fu.
Lez lui se cuchë e estent,
Entre ses braz l'estreint et prent;

Souvent li baisë oilz et buche.
Li dols˙ de lui al quor la tuche :   *douleur*
Ilec˙ murut la damoisele,   *là*
Ki tant ert˙ pruz e sage e bele.   *était*
C'était Roméo et Juliette quatre cents ans avant les
amants de Shakespeare !

Tomber dans les pommes

Précisément, le papa de la demoiselle (ci-dessus), qui
était roi, attendait avec ses amis au bas de la colline. Ne
voyant pas revenir les tourtereaux, tous montent voir et
les trouvent sans vie. Grosse émotion :
Li   reis   chiet˙   a   tere   paumez.   *tombe*
Or ce n'était pas une fantaisie de ce brave homme
que d'être « paumé » avec huit cents ans d'avance ! Ce
paumez représente évidemment une ancienne forme de
« pasmé » ou pâmé, évanoui, comme plus haut la
« paumeison » est la pâmoison. Le texte de Marie de
France est de l'anglo-normand. J'ai pu constater, lors
d'un récent travail dans une région rurale de Normandie, que le dialecte normand dit toujours « paumé »
pour pâmé, de même que « paumaison ».

C'est donc probablement une transformation de tomber dans les « paumes » qui a fourni notre incompréhensible « ˙tomber dans les pommes », s'évanouir —
peut-être du reste par un jeu de mots purement normand et volontaire à l'origine. Cette filiation apporte
une nuance sensible à l'explication donnée par M. Rat,
qui de toute évidence n'aime pas les « altérations
populaires » : « Le mot *pâmes* ayant vieilli, puis étant
tombé en désuétude, a été absurdement changé en *pommes*, par la fantaisie déformante de la langue populaire, qui préfère un mot de sonorité voisine dont elle
connaît le sens (même quand ce mot n'a rien à faire
dans la locution) à un mot qu'elle ne connaît plus. »

Toujours est-il que Furetière faisait une jolie distinction entre l'évanouissement et la pâmoison : « La pâmoison diffère de l'évanouissement, en ce que celui-ci arrive par la défaillance des forces naturelles; au lieu que la pâmoison se fait par quelque violente passion qui cause une convulsion subite qui empêche le passage des esprits. »

Etre paumé

Evidemment, on ne tarde guère à les recouvrer (rentrer en possession), ses esprits ! — sans quoi on risquerait d'être un peu paumé...

Ce « paumé »-là n'a du reste, en principe, rien à voir avec le précédent. Il vient de la paume de la main, celle qui frappe et vous étourdit. « Paumé — dit Littré obligé de concéder ce terme de voyous à la tradition classique : terme populaire. Paumer la gueule de quelqu'un, lui donner un coup de poing sur le visage. » Il cite en effet Thomas Corneille : « Si j'osais pour douceur te bien paumer la gueule » !...

Il me semble d'ailleurs que le paumé moderne a dû se croiser en chemin avec le « panné » du début du siècle (voir *Faire une panne*, p. 374) et s'enrichir, si j'ose dire, de son contexte de misère un peu déprimante et peut-être de son errance.

Avoir la berlue

Un coup de faiblesse, un étourdissement, un soleil trop éclatant, et les couleurs s'altèrent; des points rouges, blancs ou bleus dansent comme des papillons devant les yeux ! C'est cela au sens propre, avoir la berlue. Rien de grave, il s'agit d'un simple petit affolement de la rétine.

Berlue, anciennement *bellue* (et aussi *barlue*), signifie justement « étincelle », le sens toujours actuel de l'occitan *beluga*, dont elle provient, et qui est aussi à l'origine du mot « bluette » (belluette) : « On voit un grand feu naître d'une bluette » (Régnier). Les Québécois disent du reste *avoir les bleus*, pour avoir la berlue, sans doute par évolution de la même racine, sous l'influence de l'anglais *blues*.

Ce phénomène hallucinatoire banal était peut-être plus fréquent chez nos ancêtres sous-alimentés : il a donné très tôt motif à plaisanterie. Rutebeuf l'emploie au XIIIᵉ siècle au sens de fadaises :

    Més quant fame a fol débonere,
    E ele a riens˙ de lui afere   *quelque chose*
    Ele li dist tant de bellues,
    De truffes et de fanfelues,
    Qu'ele li fet à force entendre
    Que le ciel sera demain cendre.

Plus tard Mme de Sévigné annonce le mariage de la Grande Mademoiselle : « ... Une chose enfin qui se fera dimanche, où ceux qui la verront croiront avoir la berlue. »

En argot, une « berlue » est une couverture. Est-il possible que ce soit à cause d'un croisement avec le mot « berne », qui désignait aussi une couverture : celle qui, tenue aux quatre coins par de méchants acolytes, sert à vous faire sauter et rebondir en l'air comme un sac de pommes de terre qui n'a qu'à bien se tenir ! Vieille brimade de collège et de régiment, le sens propre de l'expression **être berné**... Petite vengeance très à la mode au XIIᵉ siècle. On en voyait trente-six chandelles.

En tout cas être berné de la sorte a de quoi vous donner la berlue !...

Avoir du tintouin

Le *tintouin* est aux oreilles ce que la berlue est aux yeux : une hallucination. « Sensation trompeuse d'un bruit analogue à celui d'une cloche qui tinte. » Ce mot

386

est une altération de « tintin », le tintement des cloches.

« Tintouin — dit Furetière — se dit aussi figurément & bassement, d'une inquiétude d'esprit. La nouvelle de cette banqueroute donne bien du tintouin à ceux qui y sont intéressés. »

Dorer la pilule

La pilule est un médicament utilisé de longue date sous la forme d'une petite boule (directement du latin *pilula*, petite balle) « qu'on façonne avec une pâte composée de substances diverses » — il faudrait ajouter : et de fort mauvais goût. *Avaler la pilule* a toujours été une opération à la fois nécessaire et dégoûtante qui provoque la grimace. On dit à juste titre que la pilule est amère. « Jupiter — dit Rabelais — contournant la teste comme un cinge qui avalle pillules, feist une morgue tout espouvantable que tout le grand Olympe trembla ». (*Tiers Livre,* Prol.).

« Pillule — dit Furetière — se dit figurément & bassement en Morale des facheuses nouvelles, des afflictions, ou des injures qu'on est obligé de souffrir. Il a eu beau se plaindre de cette taxe, il a été obligé d'avaler la pillule, c'est-à-dire de payer. »

On a donc très tôt essayé d'enrober ladite boulette avec des substances qui en masquent le goût, en particulier du sucre. Selon Littré on serait même allé jusqu'à les envelopper d'une mince feuille d'or, une technique qui devait être internationale, car les Anglais disent aussi *to gild the pill*, les Espagnols *dorar la pildora*.

Le sens figuré est de la même ancienneté : « Le roi dora la pilule au duc de Chaulnes au mieux qu'il put en lui retirant le gouvernement de Bretagne » (Saint-Simon).

Quant à l'expression moderne **prendre une pilule,** une défaite totale, une raclée, elle paraît construite sur un jeu de mots entre la pilule difficile à avaler et le verbe

« piler », battre, briser : « Si d'aventure un homme bat sa femme enceinte, ou la pile du pié... » (xvᵉ). Le jargon des collégiens du xixᵉ connaissait déjà « donner une pile » pour donner une rossée.

Les mystères

Tel a beaux yeux qui ne voit goutte.

Vieux proverbe.

En guise de conclusion provisoire à une recherche toujours en mouvement, presque constamment sujette à révision au gré des traces et des indices nouveaux qui viennent bouleverser les hypothèses les plus solides ou semer le doute dans l'enchaînement des « preuves » les mieux établies, voici quelques expressions choisies parmi les plus courantes, dont les images ont traversé les siècles sans grandes altérations apparentes, et qui, tout en gardant leur fraîcheur, conservent entier le mystère de leur origine. Des expressions rebelles, précisément, à toute conclusion — je dirai un échantillonnage de pots aux roses !

Découvrir le pot aux roses

Découvrir le pot aux roses — le secret, le mystère d'une affaire — est une façon de parler qui date au moins du XIIIᵉ siècle où on la rencontre déjà bien établie dans un *Dit de vérité* :

Car je tantost descouvreroi
Le pot aux roses.

Comme le remarque P. Guiraud, « ces mystérieuses roses ont depuis longtemps exercé la sagacité des linguistes ». Certains ont formulé l'hypothèse d'un pot de fleurs : le « pot aux roses ornant la fenêtre ou le balcon des belles, et sous lequel les galants plaçaient les billets doux qu'ils leur adressaient » propose M. Rat — un pot que, naturellement, le mari jaloux pouvait « découvrir ».

Plusieurs détails rendent cette proposition inacceptable étant donné l'ancienneté de la locution. D'abord le « pot de fleurs » ne s'emploie que depuis le XVIIᵉ siècle et le mot « découvrir » n'a pris le sens de « faire une découverte » que vers le XVIᵉ siècle. Enfin, inconvénient majeur, les rosiers ne se cultivent pas en pots ! Du moins la rose actuelle, persistante, embellie, est une fleur relativement récente, qui s'est surtout développée avec les progrès de l'horticulture au début du siècle dernier. Les roses d'antan dérivaient directement de la simple églantine avec laquelle elles étaient plus ou moins confondues, comme en témoigne le vieux proverbe pessimiste : « Il n'est si belle rose qui ne devienne gratte-cul ! » C'était une fleur fragile, passagère, éclose à midi, fanée le soir, de tout temps le symbole de la fugacité des belles choses.

C'est à cause d'une observation botanique directe, et non par hyperbole, que les poètes se désolent de voir la rose fanée au soir de son éclosion :

　　　Les roses overtes et lees·　　　　*épanouies*
　　　Sont en un jor toutes alees

dit le *Roman de la Rose;* plus tard Malherbe lançait sa fameuse lamentation :

　　　Et rose elle a vécu ce que vivent les roses,
　　　L'espace d'un matin.

Autre supposition, le pot aux roses serait un « pot au rose », c'est-à-dire un « pot qui contient le rose dont les femmes se fardent »; le découvrir serait alors découvrir l'artifice, le « secret de la toilette d'une femme ». La même objection reste valable quant au sens tardif du mot découvrir, et de plus « la locution est d'une époque où la prononciation maintient distincte l'opposition au rose / aux roses et le pluriel est solidement attesté[1] ».

En fait les exemples montrent que le sens ancien de l'expression est non pas « trouver » une chose cachée, mais au contraire « découvrir » au sens de « dévoiler, révéler un secret » qui devait normalement être gardé par la personne qui le laisse échapper. C'est ainsi que l'emploie notamment Charles d'Orléans au XVe :

> De tes lèvres les portes closes
> Penses de sagement garder;
> Que dehors n'eschappe parler
> Qui descouvre le pot aux roses.

Comme le démontre judicieusement P. Guiraud[1], il s'agit donc de « découvrir », au sens tout à fait matériel d'« enlever le couvercle » d'un pot qui contient des roses. Le secret apparaît alors...

Malheureusement, en ce qui concerne la locution, c'est à partir de là que le mystère s'épaissit! Pourquoi ces roses dans un pot? A quel usage? Et surtout pourquoi recèleraient-elles un secret?... On peut penser très matériellement à l'eau de rose, cet ancêtre des parfums, en grande faveur au Moyen Age, obtenue par distillation de pétales de roses macérés. L'eau de rose était considérée comme un liquide particulièrement pur et précieux. La jeune fille du *Guillaume de Dole*, calomniée par le vilain sénéchal , pleure de bien jolies larmes :

> Lermes plus cleres d'eve rose
> li couroient aval le vis*.   *visage*

Comme tout parfum elle s'évente et s'évapore si on laisse le pot découvert... L'odeur se répand dans la pièce et révèle le secret de son existence?... Ce n'est pas particulièrement concluant.

Pierre Guiraud aborde la même voie, mais en orientant son hypothèse sur la fabrication de l'essence de roses : « La Grande Encyclopédie en décrit longuement

---

1. P. Guiraud, *Les Locutions françaises, op. cit.*

la distillation dans une " vessie " ou cornue qui était une "sorte de matras de la panse duquel sort un tuyau, etc. Ce récipient *dont les parfumeurs ont autrefois fait mystère*, peut servir commodément aux distillations des huiles essentielles un peu précieuses ".

« On voit l'intérêt de cette citation et de la phrase que j'en souligne; le *mystère* est peut-être imaginaire et dérive tout simplement de notre expression, mais il n'est pas interdit cependant de voir dans le *pot aux roses* la cornue des parfumeurs.

« Par ailleurs, Littré et le Larousse du XIXe siècle définissent *rose* comme un terme d'alchimie, la *rose minérale* étant une poudre résultant de la sublimation de l'or et du mercure. Je n'ai pu nulle part retrouver la trace de cette opération, mais elle fait songer à la pierre philosophale, qui est le symbole même du secret et du mystère. Notre *pot aux roses* pourrait donc bien être la cornue des alchimistes.

« Nous nous garderons — ajoute P. Guiraud[1] — de défendre ces hypothèses, nous ne les donnons au contraire que pour mieux montrer comment l'imagination se laisse entraîner sur la pente étymologique. »

Il est vrai que l'on ne voit pas clairement comment ces cornues, contrairement à un « pot » ordinaire, pourraient être « découvertes ». Par contre ces indications renvoient pertinemment à l'idée de secret attachée depuis toujours à la rose. L'expression latine *sub rosa*, « sous la rose », qui signifie « en grand secret », est employée un peu partout dans les langues européennes. L'origine de cette locution est elle-même obscure. La légende veut que Cupidon ait donné une rose à Harpocrates, le dieu du Silence, pour lui demander de ne pas trahir les amours de Vénus. La rose en serait devenue le symbole du silence. Autrefois on sculptait une rose au plafond des salles de banquets pour rappeler aux

1. *Op. cit.*

hôtes que les confidences échangées à la faveur des libations n'étaient pas destinées à courir les rues... Au xvıᵉ siècle on prit également l'habitude de graver une rose sur les confessionnaux !

La rose bien gardée, symbole de l'amour et du mystère qui l'enveloppe, constitue précisément l'argument du célèbre *Roman de la Rose*. Le poète est amoureux d'une rose, ou plutôt d'un bouton vermeil, qui embaume le jardin d'Amour. Mais les rosiers sont entourés d'une haie « fete d'espines mout poignant », et gardés par des figures allégoriques telles que Danger, Honte, Peur... Devant la hardiesse de l'amoureux qui a osé prendre un baiser, Jalousie fait construire une puissante forteresse pour protéger les rosiers. Il ne reste au poète qu'à se lamenter de ne plus voir la rose « qui est entre les murs enclose ».

> Et quant du bessier me recors*   *je me souviens*
> qui me mist une odor au cors
> assez plus douce que de basme,
> par un poi que je ne me pasme,
> qu'encor ai ge au cuer enclose
> la douce savor de la rose.

Ces tours d'horizon replacent certes le pot aux roses dans un contexte auquel il n'a probablement pas échappé à l'époque où il s'est formé, sans pour autant éclairer son origine de façon déterminante. Il y a quelque ironie à penser que cette expression gardera peut-être éternellement son secret !

Tirer le diable par la queue

Le diable est un personnage de la plus haute importance dans la mythologie occidentale des siècles passés. Il est même étonnant, à la réflexion, que les chrétiens aient cru devoir donner à leur Dieu un rival de cette envergure, sinon dans les hautes sphères de la théologie, du moins dans l'imagination dite populaire. C'est vrai qu'il faut essayer de contenter tout le monde !

Donc en tant que chef de l'opposition, le diable, dit Satan, ou Lucifer, ou encore le Malin, a laissé des traces abondantes dans l'histoire de la langue. Les plus vivantes encore à l'heure actuelle sont des locutions telles que « pauvre diable », « aller au diable », « se faire **l'avocat du diable** » — du religieux qui, à Rome, est chargé de contester les mérites d'un futur saint dans une procédure de canonisation — ainsi que l'expression courante des misères laborieuses : « tirer le diable par la queue ».

Etant donné le caractère hautement mystérieux du personnage invoqué, je suppose qu'il est assez normal que cette façon de parler reste totalement opaque, et que les essais d'explication à son sujet soient demeurés vains. Comme l'avoue P. Guiraud, « nous devons renoncer à savoir pourquoi on dit : tirer le diable par la queue » ! On est donc réduit à évoquer des directions et à formuler des hypothèses.

Tout d'abord l'expression ne paraît pas particulièrement ancienne; les premiers exemples remontent à la première moitié du xviie siècle. Scarron fait dire au comédien la Rancune dans le *Roman comique* (1651) : « Je brouille un peu du papier aussi bien que les autres; mais si je faisais des vers aussi bons la moitié que ceux que vous me venez de lire, je ne serois pas réduit à tirer le diable par la queue et je vivrois de mes rentes... » Dix ans plus tôt, Oudin définissait l'expression : « Travailler fort pour gagner sa vie. »

Maurice Rat l'explique ainsi : « L'homme dénué de ressources et à bout d'expédients finit par recourir à l'assistance du diable; le Malin la rebute, tourne le dos au malheureux qui l'implore, pour l'induire davantage en tentation; l'autre alors le tire par la queue. »

Peut-être, mais c'est faire comme si le diable était un voisin familier qui apparaît en personne, en cornes et en queue, à la demande, et si la scène se reproduisait quotidiennement à tous les carrefours! Les locutions naissent généralement à partir d'événements concrets, de manifestations réelles et non de songes plus ou moins collectifs... Faut-il rapporter cette allégorie à quelque passage traditionnel des anciens Mystères où les malheureux auraient supplié le diable de leur venir en aide? On ne trouve aucune trace de ce genre de scène dans les spectacles en question. Peut-on penser aux sorcières poussées par la misère à invoquer le diable? Rien ne permet de l'affirmer. Mais surtout une telle interprétation ne tient pas compte du sens d'efforts continuels et mal rémunérés; et surtout la damnation qu'elle suppose s'accorde mal avec l'idée de travail honnête que contient l'expression.

Par contre retenir par la queue un animal qui tente de s'échapper, un veau ou un cochon par exemple, est l'image même d'une agitation et d'un effort un peu désespéré, au résultat précaire. En général tenir un animal par la queue est le plus mauvais moyen de le maîtriser, le plus malcommode, celui qui donne le plus de peine et qui en outre présente toujours le danger de se faire « conchier ». « Il n'est mie loin du cul qui a la queue le tient », dit un proverbe antérieur au xv⁰ siècle — sans que l'on sache du reste de quelle bête il s'agit. C'est l'inverse de la manière facile de s'emparer d'un bestiau qu'évoque cet autre vieux proverbe : « Dieu donne le bœuf, mais ce n'est pas par la corne », c'est-à-dire il faut se donner du mal pour le mettre dans son étable. Cela dit pourquoi essayer de retenir le diable? Faute de solution je hasarderai une hypothèse personnelle.

Autant que l'on puisse en juger, l'expression semble signifier dès le départ que malgré le travail on manque d'argent pour vivre. « Faut-il toujours labourer et tirer le diable par la queue? » dit Mme de Sévigné. Or depuis des temps fort lointains on disait d'une bourse vide qu'elle contenait le diable; cela à cause de la croix que portaient au revers les anciennes pièces de monnaie (voir p. 216). Cette croix était le symbole de l'argent,

comme l'indique Villon dans sa *Requeste à Monsei-
gneur de Bourbon :*

> Francoys Villon, que Travail a dompté
> A coups orbes, par force de bature,
> Vous supplie par ceste humble escripture
> Que lui faciez quelque gracieux prest.
>
> ...
>
> Argent ne pens a gippon* n'a   *tunique*
>   sainture
> Beau sire Dieux ! je m'esbaïs que
>   c'est
> Que devant moy croix ne se compa-
>   roist
> Si non de bois ou pierre, que ne
>   mente ;
> Mais s'une fois la vraye m'apparoist,
> Vous n'y perdrez seulement que l'at-
>   tente.

La « vraie croix » est ici celle des louis et pistoles. C'est
la seule image qui puisse chasser le diable, lequel, par
contre, peut loger à son aise dans une bourse complètement vide d'écus.

> Un homme qui n'avait ni crédit, ni ressource,
> Et logeant le diable en sa bourse,
> C'est à dire n'y logeant rien,
> S'imagina qu'il ferait bien
> De se pendre...

raconte La Fontaine (Fables IX, 16). Au XVIe siècle, Mel-
lin de Saint-Gelais, le poète de François Ier, met en
scène le vieux dicton, lorsqu'un charlatan ayant fait le
pari de montrer le diable à l'assistance exhibe soudain
une bourse vide avec ce commentaire :

> Et c'est, dit-il, le diable, oyez-vous bien ?
> Ouvrir sa bourse et ne voir rien dedans.

Il est intéressant de noter que l'idée de cette vieille
facétie a traversé les siècles dans la bouche des impécu-
nieux. On la retrouve intacte après 1900 chez un vieux
carrier du Gâtinais cité par son fils : « Mon père il

disait : "Le Bon Dieu, c'est quand mon porte-monnaie il est plein, quand il est vide, c'est le diable."[1] »

Les anciennes bourses étaient fermées par un lacet, le fameux « cordon de la bourse », que l'on serre ou desserre selon les besoins, et qui sert à la suspendre à la ceinture ou à la porter à la main. Ce cordon serait-il la queue du diable quand la bourse est vide ?... Tirer le diable par la queue, une image désargentée associée à l'idée de lutte avec un animal saisi par cette extrémité ?... La proposition est engageante. Est-elle vraie ?... Mystère !

Jeter son bonnet par-dessus les moulins

La libéralisation des mœurs poussant aux oubliettes les obligations de pruderie qui corsetaient nos grand-mères, les filles jettent leur bonnet par-dessus les moulins sans que la rumeur publique en fasse un chagrin.

Il n'empêche que cette métaphore aussi jolie qu'impénétrable pose, parmi tant d'autres, un sérieux problème d'interprétation.

Ce que l'on sait de source sûre, c'est qu'avant de faire allusion à un quelconque badinage — ce dernier sens ne semble s'être développé que vers la fin du siècle passé — l'expression indiquait le renoncement à quelque chose, en particulier à poursuivre une histoire entamée. C'est en ce sens, accentué sans doute par l'idée d'un commencement de déshabillage et l'inconvenance qu'il y avait naguère pour une dame à être décoiffée, que le mot s'est appliqué à une femme qui renonce soudain aux tabous sociaux et à sa bonne conduite pour n'en faire joyeusement qu'à sa tête !...

La locution est définie pour la première fois en 1640 par Antoine Oudin : « Je jettay mon Bonnet par-dessus les moulins; le vulgaire se sert de ce quolibet lorsqu'il

1. Lucien Aurousseau, *Une vie de cheval*, Ed. Balland, 1977.

ne scait plus comment finir son récit. » Le sens premier
serait donc une sorte de « langue au chat » de celui qui,
pressé de questions — « Et alors ? Et après ?... » — s'en
sort par cette pirouette. C'est ainsi que Mme de Sévigné
reprend le « quolibet » à son compte : « Je jette mon
bonnet par dessus les moulins et je ne sais rien du
reste. » La Fontaine disait aussi :

> L'affaire est consultée, et tous les avocats,
>   Après avoir tourné le cas
>   En cent et cent mille manières,
> Y jettent leur bonnet, se confessent vaincus.

Ces choses étant établies, pourquoi un conteur à
court d'inspiration se servait-il de cette formule
bizarre ? A cause justement de son absurdité ? Pour
montrer que sa tête est vide ? A la rigueur jeter son
bonnet peut signifier le renoncement. On est parfois
témoin de cette gestuelle chez des gens excédés, obligés
d'abandonner une entreprise — faire démarrer une voiture par exemple ! — et qui jettent rageusement leur
couvre-chef à terre, quitte à le piétiner pour se soulager
les nerfs ! Mais il y a là une notion de violence qui ne
convient guère à la légèreté, voire à la joyeuseté, que
suppose l'expression.

Et puis que viennent faire les moulins dans cette
aventure ?... Pourquoi ce pluriel incongru ? Dans l'im-
possibilité de rien affirmer, je risquerai à nouveau une
conjecture personnelle.

D'abord, j'imagine qu'il s'agit de moulins à vent. Je
vois mal l'intérêt de lancer sa coiffure par-dessus le toit
banal d'un moulin à eau dans l'encaissement d'un val-
lon. Tandis que des ailes qui tournent sur une colline,
cela peut être un jeu... C'est tentant. Ensuite les moulins à vent étaient quelquefois groupés sur une hauteur
propice ; ce serait une timide justification du pluriel —
tout à fait impossible avec des moulins à eau.

Ce qui est certain c'est que les moulins étaient autrefois des lieux d'échanges et de rencontres permanents,
sièges traditionnels de haute sociabilité villageoise.

« Qui veut ouïr des nouvelles, au four et au moulin, on en dit de belles », est un vieux proverbe. On y organisait même des fêtes populaires que l'on appelait des « moulinages », et qui consistaient en mascarades, farces et bals champêtres. Peut-on imaginer que l'expression ait vu le jour dans ce genre de festivités ?

J'imagine volontiers un jeu comparable à celui qui consiste aujourd'hui à continuer une histoire commencée par son voisin et qui se développe de proche en proche selon la fantaisie des participants. Pourquoi les joueurs à court d'imagination n'auraient-ils pas reçu comme gage de faire des choses difficiles et souvent absurdes pour se racheter, et pour la plus grande joie de l'assistance ?... Comme de jeter leur bonnet par-dessus les ailes du, ou *des* moulins ?... Sans qu'il reste accroché bien entendu ! Un gage qui en vaut bien un autre et qui d'ailleurs peut servir à bien d'autres jeux que des jeux d'improvisation verbale. Les conteurs à bout de souffle auraient alors pris l'habitude de faire allusion à ce gage traditionnel pour s'excuser de leurs interruptions... Une naissance dans ce contexte de fête rustique s'accorderait assez bien avec la remarque d'Oudin selon laquelle c'est le « vulgaire » qui utilisait l'expression.

Bien sûr, ce n'est là que ma fantaisie... Pour plausible qu'apparaisse une telle suggestion elle n'en est pas moins hasardeuse. En tout cas je n'en sais pas davantage, et c'est bien le moins qu'au terme de cet ouvrage je jette très symboliquement mon bonnet par-dessus les mêmes moulins !

BIBLIOGRAPHIE

Principaux ouvrages, par ordre d'importance, qui ont servi de références pour l'établissement de cette anthologie :

Littré (Emile) : *Dictionnaire de la langue française,* 1872.

Robert (Paul) : *Dictionnaire alphabétique et analogique de la langue française,* 1966.

Furetière (Antoine) : *Dictionnaire de la langue française,* 1701.

Bloch et Wartburg : *Dictionnaire étymologique de la langue française,* P.U.F., 1968.

Esnault (Gaston) : *Dictionnaire des argots,* Larousse, 1965.

Rat (Maurice) : *Dictionnaire des locutions françaises,* Larousse, 1957.

Guiraud (Pierre) : *L'Argot,* P.U.F., 1956. *Les Locutions françaises,* P.U.F., 1961.

Brewer's : *Dictionary of Phrase and Fable,* Cassel, 1963.

Principaux textes et auteurs ayant fait l'objet d'un dépouillement systématique :

Marie de France : *Lais,* vers 1180, publ. par Jean Rychner, Champion.

Guillaume de Lorris : *Roman de la Rose,* 1225, publ. par Félix Lecoy, Champion.

Roman de Renart, anonyme, 1175-1250, publ. par Mario Roques, Champion.

Contribution à l'étude des fabliaux, II, Jean Rychner, Genève, Droz 1960.

Renart (Jean) : *Guillaume de Dole,* vers 1228, publ. par Félix Lecoy, Champion.

Maillart (Jehan) : *Le Roman du comte d'Anjou,* 1316, publ. par Mario Roques, Champion.

Les XV Joies de mariage, anonyme, vers 1410, publ. par Jean Rychner, Droz.

Rabelais (François) : *Pantagruel,* 1532, publ. par Saulnier, Droz. *Gargantua,* 1534, publ. par M.-A. Screech, Droz. *Tiers Livre,* 1546, publ. par M.-A. Screech, Droz.

Les Caquets de l'accouchée, anonyme, 1622, publ. par D. Jouaust, Paris, 1888.

Sorel (Charles) : *Histoire comique de Francion,* 1623, La Pléiade.

Scarron (Paul) : *Poésies diverses,* 1643-1654, publ. par M. Cauchie, Didier.

Pouget (Emile) : *Le Père Peinard,* 1889-1900, publ. par Roger Langlais, Galilée, 1976.

Autres ouvrages consultés et sources annexes :

Godefroy : *Dictionnaire de l'ancien français,* 1880.

Greimas (A.J.) : *Dictionnaire de l'ancien français,* Larousse, 1968.

Wartburg (Walther von) : *Franzosisches Etymologisches Worterbuch.*

Gougenheim (Georges) : *Les Mots français dans l'histoire et dans la vie,* Picard, 1966-1975.

Alibert (Louis) : *Dictionnaire occitan-français,* I.E.O. Toulouse, 1977.

Doillon (Albert) : *Dictionnaire du français en liberté,* périodique, 81 *bis,* rue Lauriston, Paris.

Chevalier (Jean), Gheerbrant (Alain) : *Dictionnaire des symboles,* Seghers, 1974.

GUIRAUD (Pierre) : *Dictionnaire érotique*, Payot, 1978.

DELVEAU (Alfred) : *Dictionnaire érotique moderne*, Paris, 1864.

Dictionnaire de Trévoux, 1770.

Proverbes anciens antérieurs au XVe siècle, publ. par J. Morawski, Champion.

SEGUIN (Robert Lionel) : *La vie libertine en Nouvelle-France au XVIIe siècle*, Léméac, Ottawa, 1972.

STEIN (André L.) : *Ecologie de l'argot ancien*, Nizet, 1974.

ROGERS (David) : *Dictionnaire de la langue québécoise rurale*, V.L.B. éditeur, Montréal, 1977.

BOUTMY (Eugène) : *Dictionnaire de l'argot des typographes*, Paris, 1882. (Réédité par les Insolites, 41, rue Dauphine, Paris.)

BLONDEAU (Lucette et Jean) : *Un parlement du Poitou*.

CELLARD (Jacques) : Fichier et documents personnels.

INDEX DES EXPRESSIONS

*établi par ordre alphabétique
des mots principaux*

Prendre une *bitture* : 248.
Etre *blacboulé* : 322.
Un *blanc-seing* : 259.
Passer au *bleu* : 368.
Etre *blousé* : 119.
Faire *bombance* : 79.
Faire la *bombe* : 79.
Saisir la balle au *bond* : 117.
Avoir à la *bonne* : 105.
Etre du même *bord* : 247.
Une *bordée* d'injures : 247.
Tirer une *bordée* : 247.
Tirer à *boulets* rouges : 196.
Etre à la *bourre* : 106.
Etre en pleine *bourre* : 107.
Perdre la *boussole* : 249.
Le *boycottage* : 263.
Du miel en *branche* : 228.
Battre en *brèche* : 195.
Etre *bredouille* : 101.
Battre la *breloque* : 201.
A *bride* abattue : 156.
Tourner *bride* : 157.
Laisser la *bride* sur le cou : 157.
Bouffer des *briques* : 74.
Aller sur les *brisées* : 136.
Brouiller les cartes : 110.
A *brûle*-pourpoint : 198.
Faire *buisson* creux : 137.
De *but* en blanc : 197.
Etre en *butte* : 198.

C

Courir le *cachet* : 376.
Un *canard* boiteux : 178.
Caner, faire la cane : 180.
Parler à la *cantonade* : 369.
S'habiller de pied en *cap* : 336.
Mettre en *capilotade* : 91.

Etre *capot* : 110.
Prendre une *capote* : 110.
Un rhume *carabiné* : 199.
Rester en *carafe* : 95.
Tenir à *carreau* : 107.
Rester sur le *carreau* : 109.
Connaître le dessous des *cartes* : 110.
Tourner *casaque* : 343.
Une vie de bâton de *chaise* : 303.
Battre la *chamade* : 201.
Au petit bonheur la *chance* : 100.
Brûler la *chandelle* par les deux bouts : 103.
Le jeu n'en vaut pas la *chandelle* : 102.
Tenir la *chandelle* : 104.
Devoir une fière *chandelle* : 258.
Des économies de bouts de *chandelles* : 103.
Voir trente-six *chandelles* : 104.
Donner le *change* : 139.
Travailler du *chapeau* : 357.
Porter le *chapeau* : 272.
Servir de *chaperon* : 348.
Rompre le *charme* : 287.
Mettre le *charrue* avant les bœufs : 359.
Donner sa langue au *chat* : 166.
Faire bonne *chère* : 74.
Faire *chère* lie : 75.
Monter sur ses grands *chevaux* : 190.
Saisir l'occasion aux *cheveux* : 284.
Etre tiré par les *cheveux* : 284.
Mi-*chèvre* mi-chou : 168.

Faire *chou blanc* : 123.
Comme c'est *chouette* : 181.
Faire ses *choux* gras : 88
Savoir par *cœur* : 382.
Etre né *coiffé* : 271.
Marqué au *coin* du bon sens : 214.
Etre *collet monté* : 346.
Faire le *con* : 53.
Aller de *concert* : 242.
Etre réduit à la portion *congrue* : 255.
Le roi des *cons* : 54.
Naviguer de *conserve* : 241.
Sauter du *coq* à l'âne : 176.
Le *coq* gaulois : 175.
A *cor* et à cri : 138.
Un *cordon* bleu : 319.
Filer du mauvais *coton* : 364.
Un nom à *coucher dehors* : 301.
Etre un mauvais *coucheur* : 302.
Etre à la *coule* : 111.
Annoncer la *couleur* : 111.
Avaler des *couleuvres* : 174.
Battre sa *coulpe* : 257.
Etre sous la *coupe* : 109.
Battre à plate *couture* : 366.
Mettre le *couvert* : 69.
Tirer la *couverture* : 302.
Une ignorance *crasse* : 315.
Vivre aux *crochets* de quelqu'un : 360.
La *croix* et la bannière : 253.
Aller à la *curée* : 141.

D

Enfourcher son *dada* : 154.
Valoir que *dalle* : 220.
Damer le pion : 113.

Découvrir le pot aux roses : 391.
Défrayer la chronique : 227.
Courir comme un *dératé* : 380.
Jeter son *dévolu* : 256.
L'avocat du *diable* : 396.
Tirer le *diable* par la queue : 395.
La *dive* bouteille : 95.
Avoir bon *dos* : 361.
Etre le *dos* au mur : 192.
Tenir la *dragée* haute : 160.
Etre dans de beaux *draps* : 270.

E

Echec et mat : 113.
Payer son *écot* : 226.
Mettre à l'*encan* : 230.
Un *enfant* de la balle : 117.
Avoir de l'*entregent* : 144.
Monter en *épingle* : 127.
Etre tiré à quatre *épingles* : 127.
Tirer son *épingle* du jeu : 126.
Prendre la poudre d'*escampette* : 308.
Espèces sonnantes et trébuchantes : 214.
Avoir l'*esprit* de l'escalier : 323.

F

Faire la bête à deux dos : 51.
Fausser compagnie : 205.
Faire *faux* bond : 116.
Faire long *feu* : 199.

Etre cousu de *fil* blanc : 364.
De *fil* en aiguille : 362.
Donner du *fil* à retordre : 363.
Conter *fleurette* : 36.
Avoir du *foin* dans ses bottes : 326.
Fouler la vendange : 52.
Faire un *four* : 370.
Faire des *fredaines* : 42.
Ronger son *frein* : 157.
Avoir la *fringale* : 161.

G

Amuser la *galerie* : 115.
Jouer pour la *galerie* : 115.
Passer l'arme à *gauche* : 202.
Mettre à *gauche* : 222.
Peigner la *girafe* : 169.
A *gogo* : 77.
Etre en *goguette* : 78.
Faire des *gorges* chaudes : 145.
Jeter sa *gourme* : 162.
Veiller au *grain* : 246.
Faire la *grasse* matinée : 315.
Avoir la *guigne* : 286.
Courir le *guilledou* : 39.

H

La fin des *haricots* : 89.
Des pratiques de *haut vol* : 144.
Un pauvre *hère* : 298.
Tirer à *hue* et à dia : 153.

I

Mettre à l'*index* : 262.

J

Faire une belle *jambe* : 339.
Par-dessous la *jambe* : 115.
Rire *jaune* : 263.
Faux comme un *jeton* : 217.
Jouer cartes sur table : 110.
Jouer de l'épée à deux jambes : 53.

L

Tomber dans le *lacs* : 147.
S'en mettre plein la *lampe* : 77.
Poser un *lapin* : 172.
A la queue *leu leu* : 163.
Entre en *lice* : 191.
Sans feu ni *lieu* : 297.
Un fin *limier* : 135.
Une franche *lippée* : 78.
Entre chien et *loup* : 165.
Connu comme le *loup* blanc : 164.

M

Avoir *maille* à partir : 215.
N'avoir ni sou ni *maille* : 215.
Travailler comme un *manche* : 357.
Une autre paire de *manches* : 337.
Faire le *mariol* : 308.
Avoir une *marotte* : 309.
Ménager la chèvre et le chou : 167.
Dieu *merci* : 194.
Etre à la *merci* : 193.
Laisser pisser le *mérinos* : 171.

Tomber dans les *pommes* : 384.

Couper dans le *pont* : 109.

Faire du *potin* : 320.

Dès *potron-minet* : 165.

Fier comme un *pou* : 175.

Jeter de la *poudre* aux yeux : 306.

Ecrire un *poulet* : 323.

Avoir le vent en *poupe* : 245.

Courir la *prétentaine* : 41.

Avoir la *puce* à l'oreille : 42.

Q

Tomber en *quenouille* : 293.

Tenir la *queue* de la poêle : 88.

Un maître *queux* : 87.

R

Se désopiler la *rate* : 382.

Se fouler la *rate* : 381.

En connaître un *rayon* : 228.

En mettre un *rayon* : 229.

Mettre au *rencart* : 111.

Savoir de quoi il *retourne* : 110.

Etre de la *revue* : 209.

A tour de *rôle* : 275.

Etre au bout du *rouleau* : 275.

De la *roupie* de sansonnet : 182.

S

Dormir comme un *sabot* : 128.

Travailler comme un *sabot* : 356.

Sabler le champagne : 80.

Sabrer le champagne : 81.

Vider son *sac* : 274.

Tout le *saint*-frusquin : 260.

Attendre la *Saint*-Glinglin : 259.

Faire la *sainte* Nitouche : 261.

Saler une note : 225.

Sans merci : 193.

Sous *seing* privé : 259.

Aller à la *selle* : 273.

Mettre sur la *sellette* : 273.

Etre ravi au *septième ciel* : 282.

Avoir du bien au *soleil* : 221.

Rater sa *sortie* : 372.

Trempé comme une *soupe* : 92.

Casser du *sucre* sur le dos : 94.

Tout *sucre* tout miel : 95.

Faire la *sucrée* : 95.

Une *surprise*-partie : 72.

T

Un coup de *tabac* : 313.

Faire un *tabac* : 314.

Passer à *tabac* : 312.

Mettre la *table* : 63.

A la *tienne* Etienne : 84.

Décrocher la *timbale* : 124.

Avoir du *tintouin* : 386.

A *tire*-larigot : 81.

Tirer au cul : 205.

Tirer au flanc : 204.

Tomber à l'eau : 147.

Porter un *toste* : 84.

Avoir le *trac* : 373.

Perdre la *tramontane* : 249.

411

TABLE DES MATIÈRES

ŒUVRES DE CLAUDE DUNETON

PARLER CROQUANT, *Éditions Stock, 1973.*
JE SUIS COMME UNE TRUIE QUI DOUTE, *Éditions du Seuil, 1976.*
ANTI-MANUEL DE FRANÇAIS (en collaboration avec J.-P. Pagliano),
Éditions du Seuil, 1978.

« Composition réalisée en ordinateur par IOTA »

IMPRIMÉ EN FRANCE PAR BRODARD ET TAUPIN
7, bd Romain-Rolland - Montrouge - Usine de La Flèche.
LIBRAIRIE GÉNÉRALE FRANÇAISE -

ISBN : 2 - 253 - 02704 - 9   ◈ 30/5516/7